NE MISEZ PAS SUR LE PRINCE CHARMANT!

Dre GILDA CARLE

NE MISEZ PAS SUR LE PRINCE CHARMANT!

Apprenez à miser sur vous-même et vous trouverez l'homme qu'il vous faut

UNE ÉDITION DU CLUB QUÉBEC LOISIRS INC.

Titre original: Don't bet on the Prince

Dépôt légal — Bibliothèque nationale du Québec, 2000
ISBN 2-89430-419-6
(publié précédemment sous ISBN 2-89381-647-9)

Imprimé au Canada

Je dédie ce livre à maman,
Kathi, Lauren et Erin
– avec tout mon amour.

Table des matières

Introduction 11

PREMIÈRE PARTIE

Le parfait bonheur commence et finit avec vous 15

Chapitre 1: À trop rêver du prince charmant, on se réveille dans le lit d'un crapaud 17

Chapitre 2: Des femmes qui ont misé sur le prince charmant: une histoire qui se répète 35

DEUXIÈME PARTIE

Comment trouver l'homme de vos désirs 63

Chapitre 3: Demandez ce dont vous avez besoin et persuadez-vous que vous le méritez 65

Chapitre 4: Projeter une image de force 93

Chapitre 5: Donner le surplus, pas l'essentiel 143

Chapitre 6: Savoir recevoir 185

Chapitre 7: Le bonheur d'être seule avec soi-même 231

TROISIÈME PARTIE

Comment garder l'homme que vous avez 271

Chapitre 8: Maîtriser le Langage de l'Amour 273

Chapitre 9: Savoir parler le Langage du Sexe 307

CONCLUSION

Soyez une femme bien et vous trouverez un homme bien 343

Introduction

Avant de dire: «Oui, je le veux», il faut commencer par se demander: «Qui suis-je?»

Que pouvait bien avoir en commun la princesse Diana avec toutes les autres femmes du monde, avec nous toutes qui ne sommes pas des altesses royales? Eh bien, presque toutes, nous avons, un jour ou l'autre, misé sur un prince charmant et presque toutes, nous avons été déçues! Qu'elle le veuille ou non, les rapports humains sont l'élément le plus important de la vie d'une femme: rapports amoureux, rapports mère-enfant, rapports employé-patron, rapports avec les amis. Hélas, au moment de la puberté, il semble que la recherche de l'homme idéal prenne toute la place dans notre vie. Et, une fois passée la puberté, celles qui sont encore seules font de cette recherche un véritable travail à temps plein. Or, dès que nous l'avons trouvé et épousé, cet homme idéal, il se passe quelque chose d'étonnant: de nombreuses recherches ont prouvé, en effet, que les femmes mariées sont plus sujettes à la dépression que les femmes célibataires! Et pourquoi cela? À travers les âges, on a pu constater qu'il existait un lien direct entre le «oui» prononcé par une femme et les questions qu'elle se pose sur elle-même: son consentement se change presque aussitôt en questionnement. Mais sa faculté d'aimer n'aboutirait pas à cette remise en question personnelle si elle avait joui, *avant* de se choisir un partenaire, d'une estime de soi suffisamment forte. Il n'y aucune raison pour penser qu'être seule soit une tare. En fait, à certains moments, vivre seule est sans doute le meilleur choix qu'une femme puisse faire.

Comprenez-moi bien: j'aime les hommes. Ce livre n'est pas écrit contre eux, il ne les accuse pas de gâcher la vie des femmes. On trouve en librairie plein de livres pour ça. ***Ne misez pas sur le prince charmant!*** s'est plutôt donné pour objectif de montrer aux femmes, étape par étape, comment réussir en amour en affermissant leur propre pouvoir, en le projetant sur les autres et en attirant des partenaires qui respectent ce pouvoir et le reflètent à leur tour. Même si, d'après l'Organisation mondiale de la santé, les femmes dans l'ensemble souffrent davantage de dépression que les hommes, il appert qu'un groupe de femmes en particulier *n'est pas* affecté par le *blues* conjugal: celui des femmes qui se sont donné des buts en dehors du couple et qui jouissent de l'appui de leur partenaire dans leur démarche. Car, en fin de compte, la façon dont une femme se sent donne le message sur le genre d'homme qu'elle désire attirer et la manière dont elle veut être traitée. En d'autres mots, ce que femme projette, l'homme reflète. Et tout commence, non pas avec un homme, mais avec une femme.

La question des valeurs projetées et reflétées n'est pas nouvelle. Ce qui est nouveau dans ce livre, c'est le contexte. En appliquant les principes qu'il défend, les femmes n'*attireront plus* le genre de partenaire négatif, violent ou allergique à l'engagement qu'elles ont attiré ou épousé dans le passé. Ce livre peut rendre n'importe quelle femme capable de trouver l'homme qui la portera aux nues, parce qu'elle s'y sera d'abord placée elle-même. Grâce à ce livre, elle va pouvoir troquer le fond du baril pour la crème de la crème. Le principe fondamental est tout simple: l'amour que nous donnons à notre partenaire n'intervient qu'en second lieu. *Notre premier amour, et le plus fondamental, c'est celui que nous nous portons à nous-mêmes.* C'est avec nous-mêmes que nous devons partager notre relation la plus intime et la plus aimante. Voilà une perspective tout à fait nouvelle pour nous, les femmes: passer, pour changer, *avant* nos hommes, nos enfants, nos amis ou nos patrons. À celles qui craindraient que cette nouvelle attitude puisse passer pour égoïste, ce livre montrera comment faire fi de l'opinion des autres et la remplacer par une affirmation de soi claire et sans compromis. Bref, elle ne voudra jamais se laisser traiter comme un paillasson.

Quand on s'aime soi-même, on a meilleure allure, on marche plus droit, on rit plus franchement et on jouit plus spontanément des événements et des passions qui se présentent. Quand on s'aime soi-même, on peut se laisser aller *à être soi-même*. On n'a pas à se soucier d'impressionner les autres. En fin de compte, on apprécie vraiment la vie et cet optimisme s'avère contagieux. Tout homme dont le quotient intellectuel dépasse la température ambiante sait ce qui l'attire. Les hommes évolués veulent être inspirés par des femmes stimulantes.

Ne misez pas sur le prince charmant! est un manuel pratique pour apprendre aux femmes comment se trouver un partenaire, l'aimer et le garder sans se livrer à des manœuvres ou à des manipulations épuisantes, mais plutôt en faisant appel à leur pouvoir naturel, en sachant ce qu'elles veulent et en gardant constamment le goût de jouer. Finis les combines, les subterfuges et les luttes de pouvoir. Ce livre va devenir la bible de toutes celles qui veulent réussir en amour; il peut les aider à vivre dans le bonheur.

MESSAGE ÉCLAIR
DE L'INTRODUCTION

➪ *Avant de dire: «Oui, je le veux», il faut commencer par se demander: «Qui suis-je?»*

Première partie

Le parfait bonheur commence et finit avec vous

Chapitre 1

À trop rêver du prince charmant, on se réveille dans le lit d'un crapaud

 *Donnez-vous d'abord de la valeur avant d'en donner à votre partenaire.*

J'ai misé sur le prince charmant. En fait, j'ai été lente à comprendre et j'ai misé sur plusieurs princes charmants. Pendant une bonne partie de ma vie, je m'en suis totalement remise aux hommes: à mes maris pour qu'ils m'aiment, à mes avocats pour qu'ils me protègent, à mes clients pour qu'ils me fassent vivre, à mes employeurs pour qu'ils me rémunèrent, à mes associés pour qu'ils m'enrichissent. Tant de princes en si peu de temps! Je les ai épousés, engagés, renvoyés, payés. Encore et encore. J'ai investi en chacun d'eux, persuadée qu'ils allaient tenir la promesse qu'ils ne savaient même pas m'avoir faite: prendre soin de moi. Pour une raison ou pour une autre, j'ai toujours été déçue. Chaque fois que j'ai compté sur un prince charmant, nous en sommes, lui et moi, sortis perdants.

Et pourquoi ai-je répété sans cesse les mêmes erreurs? Parce que j'avais bien appris mes leçons. Sur la foi des comptines et des contes de fées de mon enfance, j'en avais conclu que les hommes étaient des rois qui avaient droit au trône, qu'un jour mon prince viendrait et que son seul but dans la vie serait de me protéger contre tous les dangers.

En grandissant, la plupart d'entre nous, les femmes, sont restées imprégnées par la simplicité des contes de fées. Ces belles histoires nous avaient convaincues qu'à condition de rester sages et d'attendre, nous serions récompensées par des partenaires princiers qui viendraient nous tirer de notre mélancolie. La belle princesse était prisonnière dans sa tour jusqu'à ce que son sauveur vienne la délivrer au péril de sa vie. Blanche-Neige restait entourée de sept nains asexués jusqu'à ce que son héros la trouve dans son cercueil. La Belle au bois dormant demeurait endormie jusqu'à ce qu'un baiser passionné lui redonne vie. Cendrillon vivait dans la saleté de l'âtre jusqu'à ce qu'un prince lui trouve chaussure à son pied. Nous avions appris que les jolies demoiselles pouvaient transformer les crapauds en princes, mais nous savions aussi qu'une fille doit rester de glace pour être choisie. Et la seule façon d'avoir accès au royaume était de nous réveiller et de baiser avec le prince… pour vivre (mal)heureuse jusqu'à la fin de nos jours. Une seule d'entre nous a-t-elle jamais songé à demander ce qui arrivait au couple heureux une fois que la porte du château s'était refermée sur lui?

Aujourd'hui encore, la plupart des femmes cherchent éperdument le prince charmant. Quel malheur que nous nous retrouvions plutôt, si souvent, avec Monseigneur Mesquin, le comte de Mauvaises manières, Son Excellence Mauvais caractère, Messire Mes-enfants-passent-avant-tout ou Son Altesse le Grand incompris! Jamais le moindre prince charmant à l'horizon!

Dans mon cas, aucun de mes princes ne s'est montré royal, même au début. Exactement comme dans les contes de fées, ils ont commencé par être des têtards sortis tout droit d'une feuille de nénuphar et de la vase de l'étang. Mais je ne me suis pas inquiétée, je savais quoi faire. Si on ne trouve pas le prince charmant, on le fabrique. On se dit: «Il va finir par changer.» Je pensais qu'avec le temps, l'amour transformerait même ceux qui, au départ, s'étaient montrés lourdauds, timorés, laids ou inadéquats. Comme toutes les femmes autour de moi, j'ai poursuivi ma mission. Au pis aller, peut-être me ramasserais-je avec un aimable crapaud. Mais la vérité vraie c'est qu'en embrassant un crapaud, ce n'est pas du tout un prince que vous obtenez, c'est de la vase plein la bouche!

Hélas! le mythe a la vie dure et les femmes croient toujours que les crapauds peuvent se changer en princes. Et nous en sommes tellement convaincues que notre crapaud, nous le pinçons, nous l'étirons, nous le pressons… et quand il se transforme pour un instant en ce que nous souhaitions, nous, nous abandonnons. C'est-à-dire, nous prenons un peu le temps de souffler mais nous n'abandonnons pas pour autant notre entreprise de le changer. Ce que nous abandonnons, c'est l'idée d'avoir une vie à nous. N'est-ce pas étrange? Il nous épouse avec l'espoir que nous ne changerons jamais et pour nous, c'est le contraire! «À quoi ressemble-t-elle?», se demande-t-il avant de nous rencontrer pour la première fois, alors que notre question à nous serait plutôt: «Qu'est-ce qu'il fait dans la vie?», en pensant à son *potentiel* financier.

Pour la plupart des femmes, se trouver un partenaire, même presque charmant, représente le commencement de la fin. Comme si avant lui nous n'étions que des débiles à peine douées de parole, nous comptons sur lui pour s'occuper de tout et prendre le contrôle total de nos vies. Bien qu'il ne soit pas mécanicien, il *sait mieux que nous* comment s'occuper de la voiture. Bien qu'il ne soit pas avocat, il *sait mieux que nous* comment traiter les questions de loi. Bien qu'il ne soit pas comptable, il *sait mieux que nous* calculer les impôts, faire des chèques, payer les factures. Non contentes de lui déléguer tous nos pouvoirs, nous lui passons carrément le contrôle. Et ce faisant, nous plantons insensiblement le premier clou de notre cercueil. La suite est encore pire. Même lorsque nous prenons conscience que notre vie de couple ne va plus, nous nous accrochons souvent encore pendant de nombreuses années. Dans une relation de ce type, j'ai moi-même choisi de rester en essayant de ne pas trop faire de vagues. Pour être aimée, j'ai fait taire mes besoins, mes désirs, mes sentiments et mes passions, comme le font beaucoup de femmes au sein du couple. Elles oublient purement et simplement ce qui leur plaisait. Mais en agissant ainsi, elles perdent leur âme.

On a du mal à croire qu'il s'est passé toutes ces années depuis l'époque où Colette Dowling tentait de secouer la conscience des femmes en écrivant le ***Complexe de Cendrillon***, dont le sous-titre, «Les femmes ont secrètement peur de l'indépendance», était une charge contre celles qui pensaient gagner leur ciel en sacrifiant leur vie et en se soumettant pieds et poings liés à un homme. Dans le monde entier, Dowling avait réussi à convaincre des femmes de renouer avec leurs rêves, de s'atteler aux buts qu'elles s'étaient fixés, bref, de *vivre leur vie*. Malheureusement il semble que la détermination des femmes de conquérir leur indépendance n'ait pas duré longtemps; leur ambition a échoué, leurs résolutions n'ont pas tenu. Deux décennies plus tard, dans les émissions de télévision et les tribunes radiophoniques auxquelles je participe, dans les collèges et les universités, dans ma pratique privée de thérapeute, dans les ateliers et séminaires que j'anime un peu partout dans le monde, je continue toujours de rencontrer des femmes qui rêvent d'un *sauveur*, qui espèrent *encore* qu'un jour leur prince viendra. Les films d'amour qu'on voit sur nos écrans leur ont bien appris leur leçon! Le héros de ***Sabrina*** lui permet de sortir de son milieu populaire tandis qu'elle le sauve du désespoir. Avec des recettes de près de 180 millions de dollars, le héros de ***Pretty Woman*** sauve la «pute au grand cœur» et les voilà partis pour une vie de bonheur. Dans les films, le héros est toujours un homme d'esprit, le scénario est enlevant, nous regardons, éblouies, l'héroïne tomber dans ses bras et la musique nous emporte. Quand la lumière se rallume, nous sortons de la salle convaincues que tout cela peut aussi nous arriver à nous, pauvres mortelles. Et c'est pour ça qu'à la veille du nouveau millénaire, le héros romantique se porte encore fort bien. Il y a décidément des choses qui ne changeront jamais!

Non seulement les femmes d'aujourd'hui rêvent-elles encore à cet homme qui va tomber du ciel et changer leur vie, mais elles affirment haut et fort qu'elles ont *besoin* de lui, comme si elles se contentaient de tuer le temps en travaillant, en sortant avec des hommes et en accomplissant tous les autres rituels de la vie, jusqu'à ce qu'elles reçoivent ce fameux baiser qui va transformer leur vie. Et cela commence de plus en plus tôt chez les adolescentes:

> *Chère docteure Gilda,*
> *J'ai douze ans et je commence mon secondaire. Je n'ai jamais été amoureuse, je n'ai jamais eu d'amoureux et je n'ai jamais encore été embrassée par un garçon. Est-ce que c'est normal? Qu'est-ce que je dois faire pour trouver un garçon qui va m'aimer et prendre soin de moi?*

À douze ans! Et malgré le fait que de nombreuses études ont démontré qu'au primaire et au secondaire, les filles obtiennent régulièrement de meilleures notes que les garçons, qu'elles obtiennent davantage de diplômes et qu'elles ont plus de chances de se rendre jusqu'à l'université. Non seulement les femmes forment-elles désormais la majeure partie de la population universitaire de premier cycle, mais ce sont elles aussi qui décrochent le plus de diplômes de deuxième cycle. Nonobstant ces faits, lorsque Rébecca, onze ans, met des paroles sur une musique qu'elle a composée, elle écrit:

> *Dans mon sommeil je rêve à toi, dès mon réveil je pense à toi. Tu es le prince de mes rêves, mon héros, la clé du royaume de mes songes.*

Et une autre adolescente, Stéphanie, treize ans, m'écrit:

> *Chère docteure Gilda,*
> *Je vous ai déjà écrit au sujet d'un garçon à l'école que j'aimais mais dont je ne pouvais pas dire si lui, il m'aimait. Eh bien, il semblerait qu'il m'aime. Est-ce que je devrais carrément le lui demander? Et combien de temps devrais-je attendre pour avoir une véritable relation avec lui?*

Chez les petites filles comme chez les femmes adultes, la certitude de trouver son épanouissement dans une relation de couple est donc encore très tenace.

On pardonnera peut-être aux petites filles à cause de leur innocence. Car nous aimons penser qu'elles deviendront plus sages avec le temps. Mais que dire de cette femme dans la trentaine qui utilise sur Internet le pseudonyme de «Prends-soin-de-moi»? Et de cette publicité pour un parfum très populaire qui montre une jolie femme déclarant franchement: «Il a dit qu'il allait prendre soin de moi»? Je n'oublierai jamais non plus cette femme obèse vivant d'assistance sociale avec cinq enfants nés hors mariage, que j'ai rencontrée lors d'une émission de télévision. Lorsque je lui ai demandé quels étaient ses projets d'avenir, elle m'a répondu, comme si cela allait de soi: «Je vais me trouver un type riche qui prenne bien soin de moi et de mes enfants.» Mae West disait cela de façon encore plus franche: «Il vaut mieux être reluquée qu'oubliée dans le décor.» Un type qui va *prendre soin de nous* et faire ce que nous sommes trop faibles pour accomplir nous-mêmes? Des millions de femmes, de toutes les couches de la société, attendent *encore* leur salut, non pas d'elles-mêmes, mais de quelque prince charmant qui va leur apparaître. Un homme «pour prendre soin d'elles», alors que le malheureux parvient à peine à prendre soin de lui-même?

Regardez un peu quels effets ont sur nous cet abandon au pouvoir d'un homme. Durant toutes les années où j'ai recueilli des données sur le mal que les femmes se font à elles-mêmes, ce qui est ressorti c'est qu'*un nombre deux fois plus grand de femmes que d'hommes souffrent de crises de panique, que les femmes sont celles qui consomment le plus de médicaments contre les maux d'estomac et que nous sommes trois fois plus déprimées que les hommes quand nous vivons l'échec d'un mariage*. L'Année de la femme, proclamée en 1993, est maintenant derrière nous. Sommes-nous plus heureuses? Réussissons-nous davantage? Nous sentons-nous plus belles? Avons-nous plus de contrôle sur nos vies?

Une chose est sûre, en tout cas, c'est que nos capacités naturelles semblent nous effrayer nous-mêmes. Il y a des femmes qui gagnent de gros salaires et qui mentent sur leurs revenus pour ne pas embarrasser leurs maris. Alors que bon nombre de leurs conjoints ont été attirés au départ par l'indépendance de ces femmes, avec le temps elles ont elles-mêmes senti le besoin d'épargner à leur homme toute déception sur le plan de la compétition. Elles ont appris à se montrer modestes avec leurs talents à elles et à vanter les siens. Leur devise: «Faire tout pour qu'il se sente bien, même s'il faut que je m'efface.» Cette attitude a été renforcée par certains organismes voués aux intérêts des femmes qui affirment avoir découvert que celles qui accèdent aux postes de haute direction sont généralement celles qui réussissent à mettre les hommes *à l'aise* plutôt que de les intimider. Là encore, il s'avère payant d'être «la chic fille» et de faire taire ses propres désirs.

Nathalie avait fait la connaissance d'un médecin bien nanti. La deuxième fois qu'ils se sont rencontrés, il s'est plaint que les femmes cherchaient souvent à savoir combien il gagnait. D'après lui, elles semblaient le considérer comme un portefeuille ambulant et il a affirmé à Nathalie avoir horreur de ce type de femme. À leur troisième rencontre, Nathalie s'est montrée très volubile au sujet d'une affaire qu'elle venait de conclure. Le beau médecin de s'exclamer: «C'est formidable! Combien vas-tu gagner?» Quand Nathalie lui a répondu: «Presque un million de dollars», il a bredouillé: «Eh bien, dis donc, te voilà vraiment riche!» Et même si la soirée s'est bien passée, il n'a plus jamais rappelé Nathalie. Elle a rapidement compris que *son* succès en affaires avait été la cause de son échec avec lui. Manifestement, ce type trouvait tout à fait normal de lancer son argent à la figure de femmes admiratives tout en se plaignant de l'impression positive que faisait sur elles l'étalage de sa richesse. Mais quand les rôles étaient inversés, il en était si intimidé qu'il disparaissait du portrait.

Les femmes ne brûlent plus leur soutien-gorge comme aux grands moments des revendications féministes, mais elles paient très cher leur détermination de les manufacturer et de les vendre. Au fin fond d'elles-mêmes, elles craignent que leur homme les quitte si elles gagnent plus d'argent que lui. Une de mes clientes qui gagnait un salaire élevé avait voulu défier le sort de cette façon. Quand elle m'a avoué qu'elle cachait soigneusement le montant de ses revenus à son mari, je lui ai laissé entendre que son mariage reposait sur des sables mouvants. Aucune relation solide ne peut en effet se fonder sur des mensonges, même des mensonges par omission. Après un mouvement de recul, elle a reconnu qu'elle était effectivement en instance de divorce.

La grande différence

Mon expérience personnelle et celle des femmes que j'ai connues m'ont confirmé que les princes charmants ont leurs propres problèmes et qu'ils n'ont pas besoin des nôtres en plus. Tout d'abord, ils ont aussi leurs contes de fées comme, par exemple, le poste haut placé qu'ils conserveraient toujours et grâce auquel tous leurs besoins seraient satisfaits jusqu'à la fin de leurs jours. Mais voilà, ils ont reçu leur congé et le coup a été terrible. La fausse sécurité que leur donnait un emploi bien rémunéré s'est brusquement envolée. Maintenant ils se demandent comment faire pour trouver une autre situation qui comblera tous leurs besoins.

Et pourtant, où qu'on regarde dans l'histoire, dans les différentes cultures et même parmi les animaux, en particulier les oiseaux, les mâles sont censés protéger les femelles. Les oiseaux mâles ont un plumage coloré pour attirer l'attention des prédateurs et se faire manger en premier. Dans ce sens, les femmes veulent que les hommes les protègent physiquement, financièrement, émotionnellement et même systématiquement. Nous voulons que nos hommes nous tiennent le bras dans la rue quand nous tanguons sur nos talons hauts. Nous voulons avoir leurs voix autoritaires sur nos répondeurs pour dissuader d'éventuels importuns. Nous voulons qu'ils discutent avec nos professionnels et nos ouvriers pour nous mettre à l'abri de pratiques commerciales douteuses.

On ne saurait s'en surprendre, il existe des différences considérables entre nos attentes et la capacité qu'ont les hommes de les combler. Cela tient au fait que 1) les hommes d'aujourd'hui veulent que l'on prenne soin d'eux, mais 2) ils ne sont pas très à l'aise avec leurs besoins et ont peur de ne pas être à la hauteur des nôtres, et 3) ils craignent trop l'intimité et l'engagement pour qu'on puisse prendre soin d'eux comme ils le voudraient.

Les hommes veulent désormais qu'on prenne soin d'eux

Alors que les femmes continuent de rêver au prince charmant qui prendra soin d'elles, les aléas de la vie moderne ont fait que le prince d'aujourd'hui veut généralement que quelqu'un prenne soin de *lui*. Cela commence peut-être par «Est-ce que je peux vous offrir un verre?» puis, à mesure que la cour progresse, cela devient «Nous étions faits l'un pour l'autre, tu as un grand appartement et j'ai justement besoin d'un logement.» Mais quand le rideau tombe, le voilà qui vous supplie d'être sa mère ou du moins de prendre sa vie en main.

Même quand ils jouent à l'indépendant, les hommes savent bien que ceux qui sont mariés vivent plus longtemps que les célibataires. Chaque année, des millions d'hommes continuent de se faire passer la bague au doigt. Et d'après une enquête menée par le gouvernement britannique, 51 % des hommes divorcés qui ne se sont pas remariés regrettent d'avoir perdu leur femme. Il semble que les hommes aient besoin de la chaleur des femmes et du soin qu'elles prennent d'eux.

Est-il mieux de se marier ou de rester célibataire?
Pour les filles, c'est mieux de rester célibataire mais pas pour les garçons. Les garçons ont besoin de quelqu'un pour nettoyer leurs dégâts derrière eux.

Virginie, neuf ans

La petite Virginie a sans doute mis le doigt sur quelque chose. Quand on a appris que l'astronaute américaine Shannon Lucid allait rester bloquée des mois dans la station spatiale russe Mir, ses deux collègues russes en orbite avec elle s'en sont montrés ravis parce que, disaient-ils, «nous savons que les femmes adorent faire le ménage».

Un journal américain s'est permis d'ironiser en lui suggérant de coller le siège des toilettes en position abaissée.

Oui, à cause de leur incapacité à accomplir les tâches domestiques, une incapacité contractée dès le plus jeune âge, les hommes ont besoin que nous, les femmes, nous occupions d'eux. Ils ont aussi besoin de nous pour combler la perte de leur emploi et le besoin d'amour qu'ils n'admettront jamais avoir. C'est pourquoi, dans un effort désespéré pour attirer notre attention et la garder, des tas d'hommes s'efforcent de prendre une allure princière pour se faire désirer.

Les hommes ne sont pas très à l'aise avec leurs besoins

Même s'ils veulent qu'on les désire, les hommes ont peur que cela les rende vulnérables. Tout comme les femmes, ils craignent l'abandon et le rejet. Et par les temps qui courent, avec la menace du vibrateur qui, lui, se montre toujours prêt, et avec les possibilités qu'ont maintenant les personnes seules d'adopter des enfants, ils ont carrément peur d'être éliminés. Il y a toujours au fond de leur tête cette pensée tenace: «Qu'est-ce que je vais devenir si elle refuse mes avances?» Un humoriste, observateur perspicace de la vie contemporaine, a trouvé la solution pour écarter la menace du recours systématique aux banques de sperme. C'est ce qu'il a baptisé «le succès garanti dans vos avances». Au lieu de demander à une femme de sortir avec lui, au risque de se faire dire non, l'homme n'a qu'à parier avec elle sur n'importe quoi. Ils conviennent, s'il perd son pari, qu'il l'invitera au restaurant. Il ne lui reste qu'à s'arranger pour perdre et le voilà avec un rendez-vous qu'il n'a même pas eu besoin de demander! L'art d'avoir la fille sans risquer le rejet!

Les hommes célibataires subissent une pression considérable. Les enquêtes montrent que l'alcoolisme, le chômage, la dépression, la maladie et le suicide sont considérablement plus répandus chez les célibataires que chez les hommes mariés tandis que chez les femmes, c'est le contraire: les célibataires s'en tirent mieux que les femmes mariées. Alors, afin de conquérir le cœur d'une femme, ils font beaucoup d'efforts pour donner l'impression d'être à la hauteur au lit tout en lorgnant un poste de direction. Outre la veste traditionnellement taillée pour gonfler avantageusement les pectoraux, ils se rembourrent un peu plus bas en portant des slips et des caleçons qui les font paraître bien pourvus de ce côté-là. À peine rentrés d'une séance d'entraînement marathon, ils se mettent des lotions pour épaissir leurs cheveux et s'enduisent le visage d'une crème pour assouplir les peaux ridées. Les chirurgiens esthétiques se vantent d'avoir de plus en plus de clients chez les hommes. Et non contents de se faire transplanter des cheveux, les hommes vont jusqu'à se faire faire des implants au pénis. Aïe! Ce qu'il faut souffrir pour être un prince!

Un magazine de mode a réalisé un sondage auprès d'un millier de ses lecteurs. Il s'agissait de savoir ce qui les préoccupait le plus: l'envergure de la dette nationale ou celle de leur pénis. Si 55 % des répondants ont répondu «la dette nationale», il demeure qu'un énorme 44 % a répondu «la taille de son pénis». Quelques-unes des lettres que je reçois viennent confirmer cela:

Chère docteure Gilda,
Mon pénis fait douze centimètres à son plus long. Est-ce que cela influe sur mes performances sexuelles? Mon amie me dit que son ex en avait un de vingt-quatre centimètres et plus large, et qu'il avait plus de sensations…

Chère docteure Gilda,
J'ai trente-neuf ans et un appétit sexuel considérable. Mon médecin m'a envoyé voir un neurologue. Il m'a fait passer des examens pour voir si je n'avais pas une tumeur au cerveau, mais tout s'est avéré normal.

Chère docteure Gilda,
Je suis un homme de vingt-quatre ans. Quand j'embrasse une femme sur le divan, j'ai une érection mais, dès que je me retrouve au lit, bonjour la visite…

Cette obsession de plus en plus répandue fait que nous voyons nos hommes se battre pour transformer le pneu qui leur tient lieu de ventre en barre d'acier. Mais la véritable machine à faire baver se situe un peu plus bas. Pour la plupart des hommes, leur pénis a la même taille: trop petite. Alors que la moyenne est de quinze à vingt et un centimètres en érection (neuf à quinze centimètres au repos), une enquête a montré que les hommes l'estiment à trente centimètres.

Depuis que Casanova a prétendu pouvoir maintenir une érection pendant sept heures (!), la peur des effets de la gravitation sur nos lilliputiens honteux a accru la demande pour toutes les crèmes qui aident un homme à «garder son contrôle». Et, bien sûr, elles se vendent toutes en dose extra-forte.

Pas étonnant que les hommes soient de plus en plus honteux de leur corps et de leurs performances: leurs modèles sont les trois S de Hollywood: Schwarzenegger, Stallone, Seagal. On peut voir à la télé le clip d'un chanteur western: debout au milieu d'une arène, il répète son refrain, «Accroche-toi Superman», tandis que des pêcheurs sportifs, des athlètes, des hommes volants, des chanteurs de jazz et même des hommes canon défilent à l'écran. Oui, *accroche-toi Superman*! La peur de l'impuissance sexuelle est si répandue que le ministère de la Santé recommande de remplacer le terme d'«impuissance» par la formule «dysfonctionnement érectile». Avec toute la pression qui pousse les hommes à devenir Superman, les urologues affirment que près de 30 millions d'Américains sont frappés par l'impuissance, pardon, le dysfonctionnement érectile. Les mâles de la génération X sont fortement encouragés à se servir de leur engin avant que leur angle de turgescence ne descende en dessous de la ligne d'horizon et qu'il ne leur faille un cric pour être à la hauteur. Perspective insoutenable pour les *baby boomers* vieillissants, qui déjouent la cinquantaine à coups de lotions colorantes «naturelles» et se débarrassent de leurs *premières femmes* pour de jeunes «conquêtes» avant de remplacer le support athlétique par la couche pour vieillards incontinents! Il n'y a pas moyen d'empêcher les terribles ravages de l'âge. De la réfection de la plomberie au ravalement de la façade, ces hommes font tout ce qui est humainement possible pour garder la forme. Mais leurs cheveux n'en continuent pas moins de tomber, et les poils de leur pousser dans le nez et les oreilles à une vitesse infernale. *Accroche-toi, Superman*!

Est-ce que toutes ces contorsions représenteraient une dépense d'énergie en pure perte? Une récente enquête du magazine *McCall* a révélé que le type d'homme auquel les femmes rêvent le plus est le gros nounours, pas la statue grecque au ventre de marbre. Peut-être que se blottir dans les bras de Quasimodo ne serait pas si désagréable, après tout. Est-ce que cela veut dire que tous ces hommes perdent leur temps avec leur dégraissage de ventre et leur gonflage de muscles?

Mais ça, c'est *leur* problème! *Et c'est justement à cela que je veux en venir.*

Nous avons, nous les femmes, nos propres problèmes. En particulier, dès que nous formons officiellement un «couple», l'aventurière intrépide se transforme en soldat au garde-à-vous devant son colonel. Au début, notre homme va sans doute encourager ce changement d'attitude qui se double d'un grand désir de «l'aider». Grâce à nous, sa propre importance resplendit. Alors qu'au travail, il tremble d'être mis à pied, à la maison, c'est sur un piédestal qu'il se retrouve. De notre côté, ayant trouvé la sécurité, nous nous installons tranquillement dans la vie de couple. Ah! quel b-o-n-h-e-u-r... mais pas pour longtemps! Le temps de crier ciseau, il se sent coincé et nous en veut d'avoir adopté précisément le comportement qu'il recherchait. Mais c'est à nous-mêmes qu'il faut nous en prendre!

Les hommes craignent l'intimité et l'engagement

Loin d'être «Une chaumière et un cœur», la devise de ces messieurs serait plutôt «Hasta la vista, chérie!» et nos hommes prennent souvent leurs distances, même avec les femmes qu'ils aiment. Ils ont beaucoup d'entraînement en matière de tactiques de séparation. N'oubliez pas que le premier précepte de leur catéchisme amoureux est: «Prends la fille et tire-toi.» Le beau cow-boy Marlboro chevauche en solitaire dans le soleil couchant. Et Lucky Luke est plus proche de son cheval que d'une femme. C'est un fait, les hommes se sentent menacés par le besoin d'intimité des femmes pendant que celles-ci se sentent menacées par le besoin qu'ont les hommes de s'éloigner. Les hommes se sentent étouffés; leurs partenaires, elles, ont l'impression d'être évitées. Ces différences ne laissent pas présager des jours heureux ensemble.

Les femmes se servent de l'intimité pour établir leur identité: «Si quelqu'un m'aime, c'est que je dois être quelqu'un de bien.» Au contraire, l'identité des hommes précède leur besoin d'intimité: «Il faut que je sache qui je suis et où je vais avant de me commettre avec quelqu'un.» Le besoin d'isolement des hommes est particulièrement évident après la chaleur d'une première relation sexuelle. Nous nous demandons s'il va nous rappeler et nous nous lamentons que le sexe gâche tout. Obsédés par l'image de la mante religieuse, beaucoup d'hommes craignent d'être avalés tout ronds ou «dévorés» par les femmes dès qu'ils se rapprochent. La plupart des femmes comprennent mal pourquoi ils établissent ce parallèle. Les entomologistes ont d'ailleurs observé que même la terrible veuve noire ne connaît généralement pas trop de succès dans ses tentatives pour dévorer son mâle après la relation sexuelle.

Quand un homme prend ses distances, certaines femmes font preuve d'une agressivité mal venue en voulant ligoter Cupidon avec les cordes de son arc. Leur sentiment de rejet les précipite dans une obsession dégradante. Cette passion pathologique est si forte que même Calvin Klein a du mal à faire la différence entre le réel et l'imaginaire et qu'il demande en brandissant son parfum: «Est-ce l'amour ou est-ce *Obsession*?» Prisonnières de leur fixation fatale, ces femmes essaient de prendre le beau papillon dans leur toile. Alors l'homme qui s'approchait à pas de tortue d'un éventuel engagement détale comme un lapin. La peur de se faire manger tout cru grandit de plus en plus dans sa tête. Pas étonnant que les parfums pour hommes, aient des noms comme «Safari», «Grand Large», «Évasion»!

C'est vrai, les hommes insistent beaucoup pour avoir des relations sexuelles. Quand une femme accepte les avances d'un homme et lui cède, ajouter un nouveau nom à la liste de ses conquêtes le fait se sentir désirable. Mais tandis que la plupart des femmes voient les relations sexuelles comme le prélude au mariage, la peur d'être avalé s'insinue chez les hommes dès qu'ils s'installent au lit. Un type que je connais, au moment de coucher à l'appartement de sa petite amie, s'est écrié devant la chambre à coucher rose et blanche pleine de coussins moelleux: «C'est tellement rose et doux là-dedans que j'ai peur de me réveiller homosexuel!» Un autre qui avait réussi, après un divorce, à passer vingt-cinq ans de sa vie sans mélanger l'amour et le sexe, a cru déceler en entrant pour la première fois dans la chambre de sa nouvelle amie, une odeur de naphtaline dans les armoires et les tiroirs; il a alors déclaré carrément qu'il n'arriverait pas à dormir dans un endroit pareil. Cela lui a donné une bonne excuse pour coucher sur le sofa du salon tandis que son amie couchait *toute seule* dans son lit.

Nous voulons l'intimité, ils veulent la séparation. Jusqu'à maintenant, notre comportement traditionnel ne nous a menées nulle part. Quel faire alors?

 *Si les femmes continuent de se comporter comme elles l'ont toujours fait, elles continueront d'arriver toujours au même point: nulle part.*

Oublions vos vieilles habitudes et souvenons-nous d'une chose: la plupart des hommes vont s'accrocher à tout prix à leur pouvoir. Une femme avisée sait que l'intimité à laquelle elle attache tant de prix est précisément ce que l'homme qu'elle aime redoute le plus. Elle comprend et accepte la façon dont il va inévitablement prendre ses distances et elle ne considère pas cela comme une offense personnelle. Pour ne pas se sentir abandonnée, elle investit son énergie dans sa propre vie. Quoi qu'il arrive, il y a une seule façon de garder le contrôle de sa vie et de rester soi-même:

 *Choisir plutôt qu'être choisie.*

Alors, par où commence-t-on?

Faire naître l'amour

Les femmes doivent arrêter de remettre le pouvoir dont elles disposent entre les mains de quelqu'un d'autre. Comment? Eh bien, pour commencer, relisons nos contes de fées et regardons-les d'un autre œil. Car il y a une façon de les interpréter de sorte qu'ils deviennent pour les femmes un véritable guide du succès en amour.

D'abord, ces contes nous apprennent que trouver l'amour, cela prend du temps. Ils suggèrent d'abandonner la recherche frénétique du plaisir immédiat et d'attendre le moment où l'on sera en mesure d'en assumer les conséquences. Schéhérazade enseigne aux femmes trop pressées comment prendre leur temps, sauver leur peau (littéralement) et se gagner un partenaire pour la vie. Dans les ***Mille et une nuits***, rappelez-vous, le roi réclamait une nouvelle vierge chaque nuit et le lendemain lui faisait couper la tête. Quand ce fut au tour de Schéhérazade de lui plaire, elle imagina un nouveau mode de séduction. Tout en lui racontant des histoires passionnantes pour le captiver, elle feignait la fatigue chaque fois qu'approchait le dénouement et proposait de continuer son récit la nuit suivante. Non seulement sa tactique lui assura-t-elle un partenaire régulier pendant trois longues années, mais le roi découvrit qu'il ne pouvait plus se passer de ces récits pleins de suspense ni de la femme merveilleuse qui les lui racontait. On peut dire en termes simples que ce couple «vécut heureux jusqu'à la fin de ses jours», mais ce fut au bout de trois années d'intenses efforts de séduction déployés par une femme très brillante. Voilà un exemple à suivre pour celles d'aujourd'hui qui s'empressent d'accorder leurs faveurs sexuelles dans le but de recevoir l'amour en échange.

Deuxièmement, les contes de fées nous apprennent qu'il faut avoir pris des risques et traversé des épreuves avant de grandir dans quelque domaine que ce soit. Aucune femme croyant avoir un mari parfait ne risquera de le perdre pour une aventure sans lendemain. C'est la torture causée par la peine, l'ennui ou la déception qui nous pousse à sauter la clôture. Rapunzel était emprisonnée au haut d'une tour, Blanche-Neige était tombée dans le coma et Cendrillon vivait dans la saleté de l'âtre. Chacune d'elles a dû faire l'expérience de la souffrance avant de trouver son salut. Dommage pour les femmes qui prennent la vie pour un voyage gratuit en tapis volant: malgré toutes les formules sur le bonheur éternel, il n'y a pas de fin heureuse sans un grand nombre de perturbations et beaucoup de travail. La souffrance donne des leçons fort utiles à toutes les femmes pressées de s'engager dans une relation. La façon dont les gens arrivent à gérer leurs moments de détresse en dit long sur leur capacité de supporter les pertes et les deuils qui les attendent inévitablement dans la vie. Il faut savoir affronter les hauts et les bas de la vie si l'on ne veut pas être engloutie par la tempête.

Il y a une dernière leçon bien cachée entre les lignes des contes de fées: c'est que la victoire ne se mesure pas au pouvoir que nous avons sur les autres, mais à celui que nous exerçons sur nous-mêmes. La pomme de Blanche-Neige était empoisonnée, mais c'est elle-même qui a réussi à la recracher et à se débarrasser en même temps de ses sept prétendants asexués. Rapunzel a aussi tiré son salut de son propre corps puisque ses tresses ont servi d'échelle au prince pour la délivrer et ses larmes ont rendu la vue à son amant. Enfin, malgré tout le mal qu'on a pu dire de Cendrillon et de son complexe, il faut reconnaître que la jeune demoiselle n'était pas une imbécile. Elle n'a pas cherché midi à quatorze heures! Voyant approcher la date du bal, elle a imaginé une façon de s'y rendre. Elle s'est employée à obtenir l'assistance de sa marraine la fée, a trouvé le meilleur moyen de transport en ville et s'est présentée vêtue comme une reine. Sans passer pour une femme de tête, elle a néanmoins su quoi faire pour faire naître l'amour. Une fois en face du prince, elle a parlé, dansé, flirté avec lui, bref, elle l'a séduit. Et même si elle vivait la plus belle soirée de sa vie, au douzième coup de minuit elle s'est éclipsée. L'histoire aurait pu s'arrêter là, mais il faut rendre justice à la créativité de cette jeune femme: en partant, faute de carte de visite, elle a laissé une chaussure. Coup de chance, le prince était fétichiste!

L'amour est un paradoxe: les femmes qui le cherchent désespérément ne le trouvent jamais et ce sont celles qui ne s'en soucient guère qui l'attirent. Comme, de nos jours, le mot d'ordre chez les hommes est de ne pas s'embarrasser d'un poids mort pour tout ce qui concerne les cordons de la bourse, une femme de pouvoir est le meilleur aphrodisiaque pour un homme, *un vrai.* Et qui ne voudrait pas d'un *vrai* homme? De la même façon que nos contreparties masculines, nous cherchons toutes quelqu'un que nous puissions considérer comme une prise de choix, dure à attraper mais bien méritée.

> *Écoutez-moi! Vous pouvez toujours vous contenter de poissons faciles à prendre: ils viendront s'accrocher d'eux-mêmes au bout de votre hameçon. Mais quand vous pêchez la truite, elle vous nargue et vous l'excitez jusqu'à ce que vous ayez réussi à la faire mordre. Et alors elle mène toute une lutte. Je n'arrive pas à me souvenir des autres poissons que j'ai pris, même si j'en ai pêché des centaines. Mais je me souviens de chacune des truites que j'ai attrapées.*
> — *L'opinion d'un homme dans le courrier des lecteurs d'un magazine féminin.*

Il y a une grande règle que toutes les femmes doivent suivre:

 *Donnez-vous d'abord de la valeur avant d'en donner à votre partenaire.*

Bonnes filles que nous sommes, nous continuons à être choquées chaque fois qu'un prince dit à sa princesse: «Salut, je te laisse le château.» Et nous n'en croyons pas nos yeux de voir le prince charmant se transformer en beau salaud. Qu'est-ce qui a mal tourné? Tôt ou tard, la plupart d'entre nous ont probablement misé sur la mauvaise personne: nous avons misé sur quelqu'un d'autre, plutôt que sur la personne dont notre miroir nous renvoie l'image.

J'ai participé à des centaines d'émissions de télévision où les questions féminines tournaient autour de l'amour, aimer et être aimée. L'erreur la plus fréquente que commettent les femmes, c'est de se concentrer sur les hommes au lieu de commencer par améliorer elles-mêmes leur vie. Plutôt que de chercher ce qui ne va pas chez lui, trouvez d'abord ce qu'il y a de mieux en vous. D'abord, pour trouver l'amour, il faut être digne d'amour. C'est la clé du succès. Quand vous agissez selon votre cœur, vous ne faites pas semblant d'être difficile. Vous vous occupez tout simplement de votre propre vie et vous vous donnez de la valeur. En prenant d'abord soin de vous, même si vous n'arriverez pas à changer votre homme, vous pourrez peut-être l'aider à se changer lui-même — s'il est d'accord — sinon, vous retrouver avec quelqu'un de plus intéressant. C'est le résultat qu'on obtient en se valorisant soi-même. Quand on jette un caillou dans l'eau, cela crée des cercles qui vont en s'amplifiant. De la même façon, en cherchant à vous épanouir, vous verrez tous vos rapports avec les autres refléter cet épanouissement.

Bref, au lieu de miser sur le prince, misez sur vous-même. Plus vous aurez à offrir, plus l'homme que vous vous dénicherez sera intéressant. Vous saurez l'accrocher, l'entourer de tendresse, le retenir… et il n'ira jamais voir ailleurs. Parce qu'il aura toujours l'impression que vous valez le coup.

 *Misez sur vous-même au lieu de miser sur les autres. L'amour de soi n'est jamais déçu.*

MESSAGES ÉCLAIR
DU CHAPITRE 1

À trop rêver du prince charmant, on se réveille dans le lit d'un crapaud.

- ⇨ *Si les femmes continuent de se comporter comme elles l'ont toujours fait, elles continueront d'arriver toujours au même point: nulle part.*
- ⇨ *Choisir plutôt qu'être choisie.*
- ⇨ *Donnez-vous d'abord de la valeur avant d'en donner à votre partenaire.*
- ⇨ *Misez sur vous-même au lieu de miser sur les autres. L'amour de soi n'est jamais déçu.*

Chapitre 2

Des femmes qui ont misé sur le prince charmant: une histoire qui se répète

 *Prenez-vous en main au lieu d'attendre le prince charmant.*

Récemment, dans un restaurant chinois, j'ai eu l'occasion d'observer un groupe de huit femmes d'affaires assises autour d'une table. Elles plaisantaient et riaient de bon cœur tout en dégustant leur repas. Leur conversation gravitait autour de plaisanteries de travail et de remarques intimes. Elles s'amusaient ferme. Un homme qu'elles connaissaient est venu se joindre à elles. Instantanément, l'atmosphère s'est transformée et le ton est devenu réservé. C'en était fini de leur spontanéité et de leur franc-parler. Tout ça, à cause d'un homme.

Mais qu'est-ce que nous avons donc, nous, les femmes? Pourquoi n'arrivons-nous pas à jouir de la vie pour ce qu'elle est sans la présence d'un conjoint, quitte à l'améliorer ensuite avec un homme, une fois que nous nous sommes affirmées comme des personnes à part entière? Pourquoi ne cherchons-nous pas à nous épanouir au lieu de nous désespérer? En d'autres mots, pourquoi attendre si longtemps avant de miser sur nous-mêmes?

Riches ou pauvres, jeunes ou vieilles, blanches ou noires, infirmes ou en bonne santé, employées de bureau ou présidentes de compagnie, nous avons toutes été élevées dans l'attente du prince charmant. Des bords du Saint-Laurent aux rives de la Méditerranée, dans un appartement au sous-sol ou dans une chambre au château, au fond de la campagne ou au milieu de la grande ville, toute petite fille a grandi avec l'idée qu'il existe quelque part une âme sœur qui a été créée et mise sur terre pour lui faire la cour, tuer les dragons qui la menacent, panser ses blessures et la protéger, elle et ses biens, pour toute la durée de sa vie. Même sous des cieux différents, nous sommes toutes embarquées dans le même bateau, celui sur lequel il est écrit: «Sans mon capitaine bien-aimé, je ne suis qu'un marin d'eau douce.» Pour être sûres d'avoir un capitaine, beaucoup d'entre nous se frayent un chemin jusqu'au mariage sans avoir vraiment regardé de près leur partenaire ni s'être demandé pourquoi elles sont avec lui. C'est pourquoi le partenaire que nous attirons en désespoir de cause est souvent plus un bouche-trou qu'une âme sœur. Et ce genre de partenariat peut s'avérer fatal.

Pourquoi attirons-nous ceux que nous attirons? Deux forces distinctes entrent en jeu dans le choix d'un partenaire éventuel.

Nous attirons notre contraire. Normalement, nous choisissons des partenaires dont les traits de caractère sont complémentaires aux nôtres. Inconsciemment et à tort, nous croyons qu'il faut deux moitiés pour nous rendre complètes. Prenons un exemple. Moi, du type danseuse aux mouvements fluides, «féminine», extravertie, j'ai choisi naturellement un genre d'homme posé, «viril» et plutôt conservateur. Au début, nous nous trouvions mutuellement captivants. Nos différences nous semblaient rafraîchissantes, nous «collions» l'un avec l'autre comme les pièces d'un puzzle et ainsi ne formions qu'un seul être.

Nous cherchons des traits de caractère, bons ou mauvais, que nous reconnaissons inconsciemment comme ceux de nos parents. Habituellement, les traits négatifs jouent un plus grand rôle dans notre attirance, parce qu'ils nous donnent la chance de revivre et de cicatriser de vieilles blessures infligées dans notre enfance. Alors moi, dont le père, bien que très amoureux de ma mère, ne lui parlait jamais que sur un ton bourru avec des remarques souvent désobligeantes, j'ai cherché inconsciemment un homme dont les commentaires négatifs à mon endroit me donnaient un sentiment de familiarité réconfortante. Inconsciemment, je voulais réussir là où ma mère avait échoué: ma relation serait meilleure que celle que ma mère avait endurée.

Bref, nous «tombons» éperdument amoureuses de notre *contraire complémentaire* qui, en outre, reflète les *pires traits* de caractère de nos parents. La durée habituelle de la période de bonheur va de dix-huit mois à trois ans. Mais quelle que soit cette durée, il semble qu'aussitôt que nous transformons l'amour en engagement, l'exaltation romantique cesse d'opérer. Alors les traits de caractères contraires aux nôtres, que nous trouvions au début si attirants, commencent à nous irriter. Je commence à me sentir frustrée que mon partenaire ne veuille pas sortir danser et ne se montre pas plus démonstratif dans ses émotions. Lui s'irrite de mon extravagance et de mon manque de rationalité. Il commence à me faire des remarques négatives pour essayer de m'élever à la hauteur de ses exigences en matière de comportement. J'accepte son ton cassant pour ne pas donner prise à sa colère et je deviens ainsi l'image vivante de ma mère, de sa résignation et de la façon qu'elle a accepté tous les compromis avec mon père. Et nous voici pris dans le modèle conflictuel qui nous a été inculqué dès l'enfance: chacun de nous deux est convaincu que l'autre ne l'aime pas assez.

Si, au départ, les deux partenaires avaient en tête d'établir une relation fondée sur l'engagement mutuel (bien que la partie mâle du couple proteste du contraire), c'est le but lui-même qui a été mal identifié.

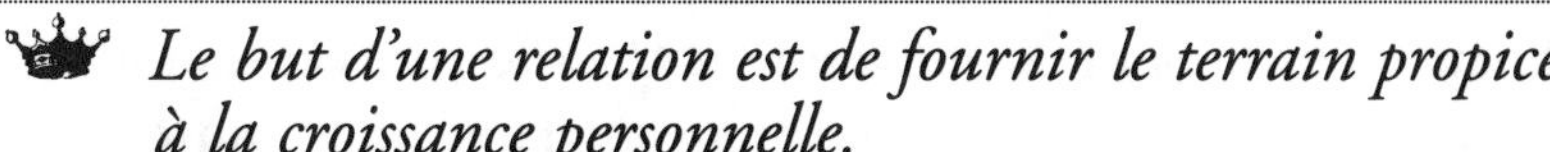

Le but d'une relation est de fournir le terrain propice à la croissance personnelle.

Certains psychologues prétendent que l'engagement à l'endroit d'un partenaire peut être au moins aussi efficace, sinon plus efficace, que n'importe quelle thérapie de croissance personnelle. D'autres vont jusqu'à dire que leur propre relation de couple leur en apprend plus long sur eux-mêmes que n'importe quelle autre expérience. Je fais partie de ceux-là même si je peux dire que certains passages ont été très douloureux. Si je n'avais pas eu cette expérience, si je n'avais pas exorcisé les fantômes de mon passé, je n'en serais pas où j'en suis maintenant.

Malheureusement, la plupart des femmes concentrent plus d'énergie à *la recherche* de cette relation qu'à son *épanouissement.* Elles ne semblent pas savoir qu'une relation, c'est comme un jardin multicolore, avec des fleurs de plusieurs espèces mais aussi une certaine quantité de mauvaises herbes. Chaque parcelle de paysage en est forcément à un stade de croissance différent. Mais avant que la flore et la faune ne puissent concourir à la beauté de l'ensemble, chacune des plantes doit s'être solidement implantée dans la terre avec ses propres racines.

Traditionnellement, les femmes se sont toujours contentées de chercher à entrer dans le jardin, c'est-à-dire à former une relation de couple. Elles n'ont jamais appris que pour pouvoir y rester, il fallait donner de l'eau aux racines, nourrir les tiges, fortifier les pédoncules.

Bref, pour jouer leur rôle dans une relation et pouvoir garder ce rôle actif, les femmes doivent d'abord savoir prendre soin d'elles-mêmes. C'est la seule façon de réussir à gérer les différences qu'il y a entre elles et les hommes qu'elles attirent naturellement. C'est aussi leur meilleur moyen de garder leur pouvoir malgré les différences.

C'est ainsi que si je me suis prise en charge une fois pour toutes et que je garde ma propre estime et le sentiment de ma valeur, les commentaires de mon partenaire sur ma façon de prendre la vie à la légère ne m'ébranleront guère. Je n'accepterai pas ses colères et ses dénigrements, même s'ils me semblent familiers. Je défendrai fermement mon droit à mon propre comportement, à ma propre personnalité et je ne me laisserai pas atteindre par les efforts de mon partenaire pour m'imposer ses préférences. Et lui, en retour, finira par respecter mon refus de me laisser impressionner par ses tentatives de domination. Je pourrai me sentir en sécurité avec cet homme grâce au profond respect que nous éprouvons l'un pour l'autre et grâce aussi à ma capacité de briller de tout mon éclat à travers nos différences. Mais je me sentirai encore plus en sécurité avec lui en sachant qu'il ne m'engloutira pas. Notre relation solide fournira le terreau nécessaire à ma croissance. Mes racines étant bien ancrées, grâce à cet homme je pourrai continuer de me développer.

S'il y a une femme qui se montra incapable de garder son identité dans l'amour, c'est bien Maria Callas, la légendaire cantatrice. Pour l'amour d'Aristote Onassis, elle se détourna de sa carrière. Mais son amant a fini par s'en lasser, il la battait et au bout du compte ce n'est pas elle qu'il a épousée mais Jackie Kennedy. Comme tant d'autres femmes, la Callas avait cru donner un nouveau sens à sa vie en tombant amoureuse. Du moment qu'elle s'est consacrée entièrement à son homme en oubliant ses passions personnelles, sa carrière a périclité. Elle est morte peu longtemps après, à cinquante-trois ans.

S'abandonner complètement à quelqu'un que l'on aime est le moyen le plus sûr de se perdre et quand on se perd, on rate aussi sa vie. Parfois même, on meurt vraiment. En d'autres occasions, on meurt à l'intérieur de soi et si l'on donne encore l'apparence extérieure de la vie, on n'en est pas moins mort. Maria Callas a survécu physiquement pendant un certain temps, mais elle avait perdu tout ce qui avait contribué à attirer Onassis vers elle: son talent, sa carrière, sa capacité d'intriguer le public et d'agir sur lui.

Il incombe à chaque femme de trouver ses propres moyens pour renaître des cendres de la dépendance. Et pour commencer, un partenaire, quel qu'il soit, ne parviendra jamais à donner à une femme toute sa plénitude. En dépit de tout ce qu'elle veut bien croire, aucun homme ne deviendra jamais son *âme sœur*. Ensuite, l'amour n'est pas une question de tout ou rien, quelque chose qui comble tous nos désirs ou n'en satisfait aucun. Rien ni personne ne peut jamais faire ça pour nous. Enfin, trouver l'amour ne représente qu'une partie du défi; le véritable test, c'est de réussir à le faire durer. Toute une entreprise!

> *La vie est une école, les épreuves sont des leçons, les bouleversements permettent de faire des progrès, le malheur est un apprentissage, les larmes consolent et le sens de l'amour est la question d'examen qui détermine votre note finale. Mais, bien entendu, personne ne se souvient de s'être inscrit à ces cours-là.*
>
> — *Anonyme*

Ce chapitre raconte l'histoire triste mais réelle de huit femmes d'âges, de milieux socio-économiques et de niveaux d'éducation variés. À la différence des contes de fées sur lesquels nous modelons nos vies, ce ne sont pas des histoires pour enfants. Même si chacune de ces sagas est tout à fait différente, la conclusion qu'en tirent les diverses protagonistes est la même. Chacune de ces femmes a commencé par croire au prince charmant, le rencontrer et tout miser sur lui. Toutes ont fini par échouer — pas nécessairement parce que le prince s'est avéré un être épouvantable, mais parce qu'elles avaient à son endroit des attentes surhumaines et qu'elles lui avaient accordé des pouvoirs qu'elles auraient dû garder pour elles-mêmes.

Dans la dernière partie de ce chapitre, vous aurez la chance de devenir vous-même le sujet de l'histoire numéro 9. Vous décrirez vos propres expériences amoureuses, comme elles se sont déroulées. En couchant sur le papier des événements vécus personnellement, on peut prendre du recul vis-à-vis des protagonistes. On peut analyser son propre comportement et ses propres actions comme si c'étaient ceux de quelqu'un d'autre. Cela permet d'évaluer avec plus de détachement et d'objectivité les choix qu'on a faits et les conséquences qu'on a subies.

Que vous soyez célibataire et à la recherche d'un homme ou que vous soyez déjà mariée, cet exercice vous donnera également les moyens d'évaluer votre façon de choisir un partenaire. En passant en revue la façon dont vous vous êtes comportée chaque fois avec les hommes sur qui vous avez misé, vous remarquerez certains types de comportements que vous avez tendance à adopter de façon constante. Après avoir examiné votre relation la plus récente, vous aurez la possibilité de réécrire votre histoire en recréant les faits tels que vous auriez voulu qu'ils se produisent. En comparant le chemin que vous avez effectivement suivi à celui que vous auriez préféré suivre, vous commencerez à évaluer les choix que vous avez faits. Cette évaluation représente le début d'une transformation dans vos rapports amoureux passés ou actuels en d'autres qui vous conviendront mieux. En faisant cette évaluation, vous parviendrez à effectuer de subtils changements, jour après jour, dans votre vie. Notez bien que cette évaluation ne vise en aucune façon à changer votre partenaire. Il s'agit plutôt de permettre à vos qualités personnelles de s'épanouir de façon à changer le type d'homme que vous attirez.

Commençons par examiner la vie d'une femme qui a tout misé sur un prince, mais littéralement.

Lady Di, celle qui a misé sur un vrai prince

Les petites filles du monde entier font des rêves d'amour inspirés par les contes de fées dans lesquels elles ont appris qu'un jour leur prince viendrait. Les femmes adultes se sont mises à y croire elles aussi le jour où elles ont pu voir, retransmise à la télévision, la merveilleuse cérémonie du mariage qui unissait une enseignante de maternelle et un prince véritable. Partout dans le monde, en rêvant d'être à sa place, des femmes se sont demandé comment elle avait bien pu faire pour y arriver. Nous, les femmes du commun des mortels, nous sommes mises à copier son look, sa coiffure, la longueur de ses robes. Peut-être que si nous découvrions ses «secrets», nous pourrions arriver nous aussi à décrocher un prince. Mais à mesure que nous suivions les allées et venues quotidiennes du nouveau couple royal, il devenait de plus en plus évident que la vie de la princesse, loin d'être un rêve devenu réalité, était plutôt tissée d'espoirs déçus et s'acheminait vers une fin malheureuse.

Nous avons été mises au fait des comportements alimentaires problématiques de Diana et de ses tentatives de suicide, et cela n'avait pas grand-chose à voir avec un conte de fées. Dès leur lune de miel, paraît-il, le prince Charles reprochait à sa jeune femme, pourtant svelte, d'être trop enveloppée. Diana voulait plaire à son mari, se conformer à son image à lui et s'assurer ainsi son amour. Elle a donc commencé son long combat contre la boulimie, maladie dangereuse et parfois mortelle qui frappe beaucoup de belles jeunes femmes. Voilà donc l'histoire d'une véritable princesse qui voulut sacrifier sa vie pour l'amour d'un homme qui a fini par avouer qu'il ne s'en souciait guère.

Diana est une femme qui avait misé sur un prince pour remplir les rôles de parents, de compagnon, d'amoureux et d'ami. Quand elle avait cinq ans, sa mère avait abandonné la famille. Pour compenser cette enfance malheureuse, comme bien d'autres femmes dans le même cas, elle a rêvé d'un homme qui serait toujours là pour elle, à la fois physiquement et émotionnellement. Mais ce qu'elle a eu à la place c'est un véritable glaçon, gourmé et compassé, qui déclara plus tard froidement ne l'avoir jamais vraiment aimée et reconnut n'avoir fait des enfants avec elle que par devoir pour le trône. En public, ennuyeux et distant, Charles témoignait sans le moindre respect davantage d'affection à sa maîtresse qu'à sa femme. Quand le conte de fées s'est changé en cauchemar, la malheureuse princesse s'est retrouvée quotidiennement blâmée par le monde entier.

Même si la vie de la princesse Diana était à des années-lumière de celle des gens ordinaires que nous voyons à la télé raconter leurs expériences personnelles, sa façon de réagir à l'existence de «l'autre femme» fut exactement la même. La femme trompée en veut généralement bien plus à la maîtresse de son mari qu'à ce dernier. Dans des émissions auxquelles j'ai moi-même participé, je suis intervenue des centaines de fois dans des situations triangulaires de ce genre. Invariablement, la femme engage un combat verbal ou physique avec la maîtresse de son mari tandis que le mari, lui, reste assis bien tranquillement entre les deux, comme s'il n'avait rien à voir là-dedans. Je fais souvent remarquer que la plupart de ces hommes semblent ravis qu'on se batte pour eux et je demande aux femmes pourquoi elles flattent ainsi l'ego de leurs hommes. Elles ne peuvent pas me donner de réponse; il n'en existe aucune qui soit rationnelle.

De la même manière que ces femmes à la télé, Diana a traité Camilla Parker Bowles de tous les noms, mais n'en a pas moins continué de se montrer parfaitement cordiale envers l'homme qui la traitait, elle, comme une manufacture d'héritiers du trône. Bien sûr, la princesse n'estimait guère son prince, comme ses aventures avec d'autres hommes mariés ont fini par le prouver, mais elle blâmait surtout Camilla. Et, comme la plupart des femmes qui croient avoir la responsabilité *exclusive* de leur couple, elle se blâmait elle-même. Elle a fini par penser qu'elle avait trop attendu de Charles et du mariage en général. D'ailleurs, qui n'attend pas beaucoup du mariage avant de s'y engager?

Avant la triste histoire de Diana, nous avions vu des milliers de contes de fées mal tourner. Il y a eu les stars d'Hollywood, nos voisins, nos parents. Mais, pour une raison ou pour une autre, nous nous attendions à mieux de la part de Charles et Diana. Une vraie noblesse royale, de vrais rêves. Tout sauf l'«incompatibilité manifeste» des causes de divorce. Comment deux personnes qui ont *tout* peuvent-elles finir avec *rien*? D'une certaine façon, c'est nous aussi qui nous sommes senties flouées. Nous pensions que *tout* voulait dire la richesse, les domestiques, la célébrité. Nous n'avons pas pensé un seul instant que l'estime de soi pouvait être pour un couple le fondement d'un amour durable. Diana a cru à un rêve et nous aussi, les spectateurs attentifs dans les gradins. Mais la pantoufle de vair de Cendrillon s'est brisée en mille morceaux sous nos yeux. Avec tout ce que nous savons, comment se fait-il que nous, les roturières, continuions à rêver d'un prince de pacotille? Certaines d'entre nous sont même prêtes à n'importe quoi pour s'en trouver un.

Selena, une employée de bureau qui voulait trop se marier

J'ai fait la connaissance de Selena au cours d'une de ces émissions de rencontres télévisées auxquelles je suis régulièrement invitée. Elle trimait dur dans son nouvel emploi comme commis de bureau, mais elle avait beaucoup d'ambition. Peu de temps auparavant, elle avait rencontré un médecin juif bardé de diplômes; elle était sortie quatre merveilleuses fois avec lui puis n'en avait plus eu de nouvelles. Comme toute femme, Selena se demandait pourquoi il ne la rappelait pas après de si bons moments passés ensemble. Elle nous a confié qu'elle avait toujours caressé l'espoir d'épouser un médecin juif, avec l'argent et le standing qui allaient de pair, et Sam correspondait tout à fait à ce rêve. Elle était d'avis qu'il y avait eu une réelle étincelle entre eux et que l'avenir était prometteur.

Il semblait pourtant évident qu'il ne partageait pas ses sentiments, sinon il se serait frayé un chemin jusqu'à sa porte. Mais Selena avait choisi de prendre les devants, et c'est ce qui l'avait amenée à participer à cette émission où l'on organise un rendez-vous surprise avec une personne surgie du passé. Sam avait été contacté et s'était montré d'accord pour participer.

Quand Selena est apparue sur le plateau avec un bouquet de roses, Sam a semblé vraiment flatté de la revoir. Elle avait apporté avec elle quelques souvenirs des moments heureux qu'ils avaient partagés. Après l'émission, le couple s'est entendu pour reprendre la relation. Avec un enthousiasme débordant, Selena a invité tout le personnel de l'émission au mariage.

Tout semblait aller pour le mieux, mais il y avait un petit problème: Sam avait passé tellement de temps à faire des études qu'il n'avait pas eu le temps de s'améliorer dans les relations humaines. Il déclara à Selena que ses parents étaient des perfectionnistes qui n'accepteraient pour leur fils rien de moins qu'une femme parfaite.

Quelques semaines après que le couple eut rallumé la flamme, Selena m'a contactée par téléphone. Elle semblait très agitée. Elle m'a appris qu'elle était diabétique et qu'elle souffrait actuellement d'une sérieuse infection au pied. Son médecin lui conseillait de ne pas marcher pendant un certain temps, mais cela aurait voulu dire ne pas participer à la prochaine émission de télévision. Le jour de l'enregistrement, elle a rentré de peine et de misère dans son soulier son pied enflé et infecté qui lui faisait terriblement mal chaque fois qu'elle marchait dessus. Mais elle est parvenue à masquer sa douleur et personne ne s'en est rendu compte. Quel que soit le prix à payer, elle refusait de renoncer à ce qu'elle considérait être comme une chance unique de trouver l'amour. Selena voulait désespérément se marier et elle aurait fait n'importe quoi pour épouser Sam même si elle ne savait pas grand-chose sur lui.

Hélas pour elle, son plan n'a pas marché. La gangrène s'est attaquée à son pied — un danger qui menace souvent les diabétiques

— et elle a dû se le faire amputer. Selena m'a rappelée de l'hôpital. Cette fois, elle se demandait si elle devait dire à Sam la vérité sur son état. Il y avait maintenant une semaine qu'elle ne l'avait pas appelé parce qu'elle avait peur qu'il découvre son imperfection. Mais pourquoi, lui, ne l'avait-il pas appelée pendant ce temps? Je n'en étais pas vraiment surprise, mais j'avais de la peine pour cette femme qui avait été prête à sacrifier sa santé pour se gagner un prince charmant. Je lui ai demandé comment elle comptait vivre une relation basée sur le mensonge. Tristement, mais avec beaucoup de lucidité, elle a reconnu qu'il lui faudrait dire la vérité et en accepter les conséquences, quelles qu'elles soient.

Malheureusement, Selena n'a même pas eu à dire la vérité à Sam. Quand ils se sont enfin reparlé, il lui a signifié qu'il mettait fin à leur relation sous prétexte qu'il avait trouvé quelqu'un d'autre qui convenait mieux à ses parents. Selena s'est rendu compte qu'elle avait enduré toute cette souffrance, à la fois physique et émotionnelle, pour un homme qui n'avait jamais vraiment voulu d'elle. Son prince valait-il vraiment la peine qu'elle lui sacrifie un membre? D'un certain point de vue, l'histoire de Selena peut paraître complètement folle. Mais le monde entier n'a-t-il pas retenu son souffle en voyant une princesse royale risquer de mourir de faim pour plaire à son prince? Et il y a encore trop de femmes partout qui continuent de souffrir d'anorexie ou de boulimie et d'endurer toutes sortes de douleurs physiques et morales rien que pour être aimées. Il n'y a aucune raison pour que l'amour doive causer du tort ou du mal. Les femmes d'aujourd'hui devraient avoir pour objectif de donner un nouveau sens à l'amour, de le considérer non pas comme un état de souffrance mais comme une possibilité d'enrichissement pour une personnalité riche au départ et qui ne se laissera en aucun cas démonter par les remarques négatives d'un homme.

Catherine, une enseignante à la recherche de son autonomie

Si certaines femmes sont prêtes à toutes les folies pour trouver l'amour, d'autres se contentent de suivre le modèle de comportement amoureux qu'elles ont observé dans leur famille. Catherine avait grandi avec ses deux parents dans un quartier tranquille de classe moyenne. Son père cumulait deux emplois et sa mère, qui avait fait des études universitaires, restait à la maison pour élever sa sœur aînée et elle. Pendant toute son enfance et son adolescence, Catherine a vu son père piquer des colères contre sa mère et lui faire des remarques désobligeantes. Elle a aussi vu sa mère marcher sur des œufs pour se soustraire aux foudres verbales de son père. Inconsciemment, Catherine a décidé très jeune qu'elle quitterait la maison dès qu'elle le pourrait.

Quand elle a commencé à fréquenter Louis, elle avait à peine dix-neuf ans. Il en avait vingt-deux. Même si elle le voyait souvent perdre son calme, elle se sentait bien avec lui parce qu'ils partageaient tous deux un même attachement aux valeurs traditionnelles. De son expérience familiale, elle avait conclu que tous les hommes s'emportent quand ils sont frustrés, fâchés, fatigués ou désappointés. Catherine tomba amoureuse de Louis et en moins d'un an, ils étaient mariés.

Catherine a tout de suite été d'accord pour abandonner à son mari le contrôle de l'argent et des tâches domestiques. Louis faisait volontiers la cuisine, le ménage et les courses, et Catherine était persuadée d'avoir trouvé le nirvana avec ce mari exceptionnel qui s'occupait si bien de tout qu'il lui fut possible de poursuivre ses études à l'université. Après qu'elle eut obtenu son diplôme, le couple s'est installé en banlieue et Catherine a pris l'habitude du transport en commun pour se rendre à son travail comme enseignante. Louis avait gentiment fait remarquer qu'elle était trop myope pour conduire et qu'il était inutile qu'elle passe son permis et s'achète une voiture: il se ferait un plaisir, disait-il, de la conduire où elle voulait. Comme elle avait entendu son père autrefois dire la même chose à sa mère qui, elle aussi, était myope, elle a accepté en toute innocence ce prétexte classique qui allait la rendre totalement dépendante. Elle croyait non seulement avoir trouvé l'amour mais aussi pouvoir désormais vivre *à l'abri* des disputes qu'avaient connues ses parents.

Bientôt un enfant est arrivé… puis un autre, chaque naissance exigeant qu'elle prenne un congé de maternité prolongé, au point qu'elle a dû finalement démissionner de son poste. Mais à mesure que les enfants grandissaient, Catherine est devenue de plus en plus consciente qu'elle pouvait faire autre chose de sa vie que promener des poussettes le jour et attendre que son mari rentre du travail le soir. Elle voulait apprendre à conduire, s'acheter une voiture, reprendre sa carrière d'enseignante, faire sa maîtrise. Sur tous ces points, Louis s'est montré intraitable: il aimait la vie qu'ils menaient et il n'était pas prêt à la «laisser» changer tout ça.

Catherine et Louis ont commencé à avoir des discussions animées sur son nouveau besoin d'indépendance. Manifestement, Louis se sentait menacé par ses «exigences», car il a eu une aventure avec une employée du restaurant dont il était le gérant. Catherine a découvert le pot aux roses et ils ont apparemment réussi à «surmonter l'épreuve», mais elle a eu de la difficulté à pardonner. Le ton de leurs discussions a commencé à monter et les mots sont devenus moins affables. Catherine commençait à répliquer. Au fond d'elle-même, elle savait qu'elle avait besoin d'être plus autonome et, au grand dam de son mari, elle a fini par passer son permis de conduire, s'acheter une voiture, faire sa maîtrise et se trouver un poste d'enseignante fort bien rémunéré. Mais au lieu de l'aider et de l'encourager à améliorer sa vie personnelle, Louis est devenu de plus en plus grognon et taciturne. Quand il était à la maison, il restait assis devant la télé. Il s'est mis à boire immodérément, à prendre de la drogue et même à risquer au jeu les petites économies de la famille.

Pendant plusieurs années, Catherine s'est caché la tête sous l'oreiller et a dissimulé ses émotions. Elle trouvait son réconfort en se couchant à huit heures et en se levant à six heures, après le départ de son mari pour le travail. Elle se concentrait sur son travail et sur ses enfants. Comme l'avait fait son père, Louis a continué à piquer des crises et à lui lancer par la tête des épithètes déplaisantes. Mais à la différence de son père, il s'est mis aussi à la frapper, au point de l'envoyer plus d'une fois à l'hôpital. Parfois, elle prenait les enfants et se réfugiait chez sa sœur aînée. Mais ce n'étaient au mieux que des solutions temporaires et finalement, après vingt-cinq ans de peur et de domination, Catherine a demandé le divorce.

Si Louis avait piqué des colères pendant leur mariage, il était maintenant absolument enragé. Il disait aux enfants des choses terribles sur leur mère, leur tante et tous les proches de Catherine. Quand il venait les chercher les fins de semaine, il conduisait trop vite et souvent sous l'effet de l'alcool. Les enfants vivaient, eux aussi, dans la crainte des crises irrationnelles de leur père. Malheureusement, une autre génération de petites filles était en train d'apprendre le genre de comportement auquel on peut s'attendre des hommes quand ils n'ont pas ce qu'ils veulent.

Après leur séparation, Catherine a découvert que Louis avait perdu au jeu toutes leurs économies. Au moment du divorce, elle n'avait encore jamais appris à équilibrer un budget. À quarante-sept ans, elle avait fini par conquérir son autonomie de haute lutte au fil des années, mais il lui manquait les capacités les plus élémentaires pour s'en tirer dans la vie. Elle venait de perdre son père. Elle voyait avec tristesse sa propre mère tenter désespérément d'équilibrer son budget ou d'apprendre à conduire pour pouvoir se déplacer. Malgré les efforts qu'elle avait faits sa vie durant pour tenter d'être différente, Catherine a bien été obligée de reconnaître à quel point elle était devenue semblable à sa mère. Et c'est ainsi qu'elle a commencé à identifier les choix qu'elle avait effectués en suivant manifestement les traces de sa mère.

Comme Lady Di et comme Selena, Catherine n'était pas le moindrement consciente de s'en être remise totalement à son prince charmant pour s'assurer la sécurité et l'estime de soi. Dans une situation comme celle-là, une femme perd insensiblement le contrôle de sa vie, jour après jour, chaque fois qu'elle accepte quelque chose qui est contraire à sa nature. C'est exactement ce qui est arrivé à Catherine. Il serait réconfortant de penser que ses filles ne se laisseront pas prendre au même piège, mais il leur manque un modèle pour adopter un autre comportement. À vingt-quatre ans, l'aînée a eu des tas d'aventures avec des hommes qui ne lui apportaient rien et qui l'ont fait souffrir. Et la plus jeune, à dix-huit ans, a décidément un faible pour les garçons qui la traitent mal. Le cycle ne sera pas rompu tant que Catherine n'aura pas repris sa vie en main et assuré son pouvoir, donnant ainsi à ses filles un modèle à suivre.

La tâche n'est pas insurmontable. À mesure qu'elle prend conscience de la façon dont elle a répété les comportements de sa mère, Catherine parviendra à mieux discerner les choix qu'elle a faits et verra la nécessité de changer de scénario. C'est alors seulement qu'elle parviendra à créer une version plus forte de la femme qu'elle peut encore devenir. Elle a déjà fait un premier pas en divorçant de l'homme sur qui elle avait tout misé.

Karine, une quinquagénaire esseulée

Tandis que Catherine, par son divorce, est en train de prendre en main sa vie, Karine est une femme qui refuse de tirer les leçons de ses erreurs passées. Je l'ai connue, elle aussi, lors d'une émission de télévision. Quand elle a rencontré Jean, dans un bar pour célibataires, un dimanche soir de solitude, elle avait cinquante-deux ans, était célibataire et travaillait comme secrétaire. Elle a immédiatement ressenti l'attirance physique qu'il y avait entre eux. «C'était l'homme dont j'avais toujours rêvé», déclara-t-elle au public en studio. Il la sortait, l'emmenait au restaurant et lui envoyait souvent des cartes et des roses sans aucune raison. Karine a admis qu'avant de rencontrer Jean, elle n'avait jamais cru sérieusement qu'un homme puisse tomber amoureux d'elle et qu'elle s'était pratiquement résignée à passer le reste de sa vie misérable et solitaire.

Jean et Karine sont rapidement devenus intimes. Il vivait dans un parc de roulottes, travaillait dans une compagnie de camionnage et n'était pas très fortuné, contrairement à Karine qui gagnait un salaire confortable. Mais malgré leurs différences de revenu et de mode de vie, à la surprise de ses amies et de sa famille, ils se sont mariés après à peine quelques mois de fréquentation.

Jean a dit à sa nouvelle épouse qu'il voulait se monter une affaire de consultant privé. Du jour au lendemain, son affaire s'est mise à marcher et ils ont nagé dans l'argent. Ils se sont acheté une maison, une voiture, de chics vêtements et des bijoux. Pour Karine, tout baignait dans l'huile. Elle ne posait jamais de questions.

Environ un an après leur mariage, Jean lui a annoncé que ses affaires l'appelaient en Thaïlande: c'était pour lui l'occasion de donner une nouvelle orientation à son entreprise. Karine l'a conduit à l'aéroport et a commencé à faire des plans pour aller le rejoindre là-bas quelques semaines plus tard. Mais deux jours après le départ de son mari, la police est venue frapper à sa porte. Et c'est ainsi qu'elle a appris que Jean avait détourné une somme considérable de la compagnie de camionnage pour laquelle il travaillait et qu'un mandat d'arrêt avait été lancé contre lui. Comme si cela n'était pas assez, Karine a découvert que tout ce qu'ils possédaient était à son nom à elle. La compagnie a donc poursuivi Karine et elle s'est retrouvée sans un sou. Elle s'est rendu compte qu'il était arrivé à Jean de porter sur leur carte de crédit commune des services de prostituées et des appels à des lignes érotiques qu'il faisait à partir du téléphone de la maison.

Jean, après avoir échappé à la justice pendant un certain temps, a fini par se livrer. Il a écopé d'un an de prison et Karine a obtenu l'annulation de son mariage.

Malheureusement, l'histoire ne s'arrête pas là. Même si Karine avait été terriblement défaite émotionnellement et financièrement par cette affaire, Jean a eu le front de rebondir pour faire appel à son sens de l'honneur et lui rappeler qu'elle avait promis de vivre avec lui «pour le meilleur et pour le pire». En sortant de prison, il s'est trouvé un nouvel emploi, a entrepris une thérapie et s'est mis à fréquenter l'église régulièrement. Il a réussi à convaincre son ex-femme qu'il avait changé et l'a suppliée de lui donner une seconde chance. Toujours désespérément avide d'amour, Karine a décidé de lui faire à nouveau confiance. Elle s'est remariée avec lui, contre l'avis de sa famille et de ses proches.

Six mois après leur second mariage, Jean annonça qu'il devait s'absenter pour une affaire importante. Parfaitement convaincue qu'il avait changé, Karine ne s'est pas méfiée. Quelle ne fut pas sa surprise de découvrir que son mari était parti avec sa voiture et son argent à elle. Il n'avait laissé aucun mot d'explication, rien. S'étant adressé à la police, elle se fit répondre que, comme ils étaient mariés, le fait qu'il parte avec des biens qui leur étaient communs ne constituait pas un délit. Karine se retrouvait fauchée une nouvelle fois. Elle emprunta de l'argent aux quelques amis qu'il lui restait encore, pour engager les services d'un détective privé, mais cela ne donna rien.

Sept mois plus tard, Karine recevait un appel d'un poste de police à l'autre bout du pays, lui disant qu'on avait retrouvé Jean: il vivait là et se servait de son numéro d'assurance sociale à elle. Ce n'est pas tout: bien qu'encore marié à elle, il avait épousé une autre femme. Après avoir volé l'argent de cette autre femme, sa voiture et ses cartes de crédit, il a réussi à rester au large pendant encore plusieurs mois. Finalement, la police l'a rattrapé et il a écopé de dix ans de prison.

Karine disait que rencontrer puis épouser Jean deux fois avait été la pire expérience de sa vie. Mais voilà qu'il recommençait à lui écrire de la prison. Lors de l'émission télévisée, elle a reconnu, un peu honteuse, qu'elle avait pitié de lui et lui avait même envoyé de l'argent. Au cours d'une conversation avec lui dans sa lointaine cellule par la voie d'un écran de télévision, elle l'a sommé de lui dire pourquoi il lui avait menti. L'avait-il jamais vraiment aimée? Elle aurait voulu le savoir mais, bien sûr, il n'a rien su lui répondre.

À cinquante-deux ans, Karine avait eu tellement besoin de se trouver un homme que n'importe qui aurait pu faire l'affaire. Et n'importe quel homme pouvait sentir le désespoir de cette femme et en tirer avantage. Elle connaissait à peine Jean quand elle a accepté de l'épouser. Et puis, même après avoir été complètement dupée une première fois, elle a remis ça une deuxième fois… et songeait même à le faire une troisième fois! Aux dernières nouvelles, sa famille exprimait des craintes qu'elle ne se laisse encore séduire par ce Casanova des prisons. Karine avait tellement besoin d'amour qu'elle était prête à laisser tomber toute dignité. Malgré les tromperies, la pauvreté et la honte qu'il lui avait fait subir, elle continuait à croire à son prince charmant. Pour elle, un homme, quel qu'il soit, valait mieux que pas d'homme du tout.

Karine est une femme comme des milliers d'autres: plutôt attirante, plutôt intelligente, mais prête à se laisser piétiner par le premier venu. Son langage corporel signalait éloquemment son besoin d'amour. Quand une femme exhibe ainsi son cœur pour qu'un homme puisse venir s'y essuyer les pieds, elle court après la catastrophe. Nous connaissons toutes des déboires en amour et c'est comme ça, finalement, que nous apprenons à développer notre pouvoir. Mais une femme qui a suffisamment d'estime pour elle-même considère que ses *prochaines* erreurs seront de *nouvelles* erreurs et non pas la répétition des vieux scénarios du passé.

Suzanne, une adolescente avec un bébé sur les bras

Et la nouvelle génération? Ne serait-on pas porté à croire que les jeunes filles d'aujourd'hui sont plus sûres d'elles-mêmes et plus indépendantes que nous ne l'avons été? À quinze ans, Suzanne vivait avec sa mère, ses quatre sœurs et ses deux frères dans un HLM, aux crochets de la sécurité sociale depuis dix ans. Au désespoir de sa mère visiblement dépassée par la situation, Suzanne avait depuis un an des rapports sexuels non protégés avec son petit ami Luc, âgé de quatorze ans. Luc n'aimait pas se servir de condoms. De toute façon, disait-il, il l'aimait, alors pourquoi s'inquiéter? Dans le quartier, on les connaissait comme formant «un couple.»

Suzanne venait d'abandonner l'école et se trouvait enceinte quand je l'ai rencontrée sur un plateau de télévision. Assise entre sa mère et son petit ami, elle n'affichait aucun remords quant à sa situation. À quinze ans, elle allait épouser son Luc de quatorze ans: il l'avait promis.

Pendant l'émission, sa mère a essayé de lui faire entendre raison. Elle lui proposait de se faire avorter et de terminer ses études. Sinon, elle la suppliait du moins d'abandonner l'idée de partir avec Luc et de l'épouser, et d'avoir son bébé toute seule pour reprendre ses études ensuite. La jeune fille s'entêtait à ne rien entendre. Luc et elle s'aimaient. Ils étaient prêts à vivre ensemble, à laisser tomber l'école et à se comporter comme mari et femme.

Tout le monde, pendant l'émission, a demandé au couple comment ils comptaient assumer les dépenses de l'enfant. Suzanne a cité l'emploi de Luc dans une entreprise de restauration rapide et le travail qu'elle allait elle-même se trouver chez n'importe quel employeur. Le public lui a demandé si elle savait ce que coûtaient les couches, la nourriture, les soins médicaux et les gardiennes, sans oublier le logement. La femme-enfant n'en avait pas la moindre idée. Mais le public ne lâchait pas prise. Les gens se sont mis à harceler Luc sur la façon dont il allait assurer les besoins de Suzanne, du bébé et payer leur mariage. On lui a demandé combien il lui restait sur son chèque de paie après les déductions fiscales. Il perdait progressivement contenance. Chez ce tout jeune homme, la réalité commençait soudain à s'imposer. Il a fini par admettre qu'il devait repenser à cette idée d'un engagement pour la vie. Après tout, il n'avait que quatorze ans. Puis brusquement il a annoncé que, tout compte fait, il ne voulait plus se marier. Le silence est descendu sur le plateau.

Suzanne était manifestement bouleversée. Elle pleurait sans pouvoir s'arrêter. Heureusement que sa mère était là pour la prendre dans ses bras. Elle a promis à sa fille qu'elles allaient élever l'enfant ensemble. Suzanne continuerait ses études, irait au cégep et ferait quelque chose de sa vie.

J'ai reparlé à Suzanne après son accouchement. Elle m'a dit qu'elle voyait parfois Luc avec des copains. C'est à peine s'il la salue quand ils se croisent dans la rue. Il est devenu vendeur de drogue et est lui-même la plupart du temps sous l'effet de la drogue. Il ne lui donne rien pour l'aider à élever leur fils. Suzanne est vraiment contente de ne pas s'être enfuie avec lui pour se retrouver, avec son enfant, dans une vie de pauvreté, de délinquance et de désespoir. Elle sait très bien que ce ne sera pas facile pour elle d'étudier ou de travailler tout en s'occupant de son enfant. Il aurait mieux valu pour elle de ne pas céder aux promesses de son petit ami à un âge aussi tendre. Elle dit par ailleurs que son quartier est plein de filles dans le même cas. Elles ne savent pas trop comment elles vont pouvoir assumer leurs responsabilités écrasantes et se ménager en même temps un futur meilleur.

Triste à dire, mais les jeunes filles d'aujourd'hui ont tout appris de nous. Ce n'est pas seulement dans les milieux défavorisés qu'on rencontre des filles pensant que seul un gars pourra les soustraire à la solitude. Une relation avec un homme représente encore pour une femme, quel que soit son milieu social, le moyen de se sentir acceptée. «Regardez-moi, semble-t-elle dire à ses amies envieuses quand elle jouit de ce statut, regardez-moi: quelqu'un m'aime, je suis aimée.» Émission après émission, je préviens ces jeunes filles: «Plus vite vous allez leur ouvrir vos jambes, plus vite ils vous fermeront leur cœur.» Nous sommes nombreuses, nous les femmes plus âgées et plus sages, à être passées par là. Nous savons bien que le seul moyen de garder un homme consiste à l'intriguer, à l'appâter avec ce que nous *sommes*. Pas seulement avec notre corps mais avec *tout notre être*, car les plaisirs charnels pâlissent rapidement. Se sentir bien avec ce qu'elle *est*, cela donne à une adolescente la possibilité de contrôler sa destinée envers et contre tous. Elle a la force de dire «non» quand les pressions de son entourage menacent de dépasser les bornes.

Jacqueline, une jolie décrocheuse

Nous pensons parfois que tout ce dont une femme a besoin pour exercer un certain pouvoir est d'être belle, comme le montre bien cette lettre:

> *Chère docteure Gilda,*
> *Ex-danseuse de ballet et future actrice, j'avais énormément confiance en moi. La plupart de mes camarades à l'école me*

détestaient parce que je réussissais toujours à faire ce que je voulais. C'était jusqu'à ce que je rencontre Michel.

Je peux dire, à dix-neuf ans, que Michel a complètement détruit la confiance que j'avais en moi. Il est étudiant comme moi et c'est un garçon absolument superbe physiquement. Mais il s'est servi de moi pendant six mois et maintenant il fait comme si je n'existais même pas.

Il m'a menti en me disant qu'il n'aimait personne d'autre. Bien sûr, j'ai couché avec lui parce que je le trouvais tellement beau! J'aimais le prendre dans mes bras et m'occuper de lui. En le regardant, je me disais que je n'avais jamais vu quelqu'un de plus beau que lui.

Mais voilà, c'est bien connu, il traite les filles comme de la merde. Vous voyez, je ne nie pas les faits. Ce qui me déprime, c'est qu'il invitait d'autres filles à l'accompagner dans ses sorties et qu'il m'appelait après la soirée pour coucher avec moi.

Sur le plan sexuel, d'ailleurs, c'était extraordinaire! Il a été le premier homme à me satisfaire pleinement. Je suis tombée sous sa dépendance. Je suis devenue jalouse et j'ai exigé de lui qu'il s'engage envers moi. Il a paniqué. Il m'a laissée tomber mais il continue de revenir de temps en temps quand le désir est trop fort.

Je me sens tellement coupable et impure, je sens qu'il se sert de moi! Et pourtant je voulais vivre une vraie relation avec lui. Il est fort et il me fait rire. Il est tombé amoureux de mon corps. J'avais un beau corps et ça le rendait fou. Mais je suis devenue grosse, j'ai pris dix kilos et il a perdu tout intérêt. C'est à ce moment-là que j'ai quitté l'école.

J'ai décidé de me concentrer désormais sur moi, de perdre du poids et de me remettre à travailler comme actrice et mannequin. Quand mon nouveau moi fera son apparition dans le monde, j'appellerai Michel et il accourra aussitôt, tout content. Mais comment faire pour vraiment changer un imbécile? Je sais ce que vous allez dire: «On ne change pas les gens, pourquoi te préoccuper d'un imbécile, la vengeance ne donne rien.» Mais il est le genre d'imbécile qui, si je perds du poids et retrouve fière allure, voudra recommencer à coucher avec moi et me reviendra. Alors tout ce que j'ai à faire, c'est de refuser et de faire en sorte qu'il me désire encore plus. Je veux qu'il se rende compte à quel point il a été stupide de me laisser tomber et de me traiter comme ça. Est-ce que ça va marcher?

Jacqueline

Voici donc une jeune femme apparemment très belle, qui a donné du sexe pour avoir de l'amour et qui a fini par échanger son corps contre un manque de respect à peu près total. Sachant parfaitement qu'il venait la voir en privé pour avoir des relations sexuelles après être sorti en public avec d'autres femmes, Jacqueline a accepté de son plein gré cet arrangement tordu. En fait, elle pensait que l'offrande de son corps allait non seulement séduire Michel mais le lui attacher. Le sexe ne suffit cependant pas, surtout quand la belle fille se transforme en grosse fille. Si leurs petites escapades sexuelles avaient été fondées sur autre chose que de simples besoins physiologiques, leur relation aurait pu avoir une chance de réussir. Mais le couple s'est au contraire trouvé pris dans un conflit émotionnel quand Jacqueline a exigé que Michel s'engage envers elle. Et sur quoi pense-t-elle que se fondera un éventuel engagement: sur sa taille redevenue fine?

Le plus triste, c'est que cette jeune femme, tout en sachant très bien ce que j'allais lui répondre, n'avait pas l'intention d'en tenir compte. Jacqueline a commencé par accepter les mensonges de Michel, ses tricheries et sa façon déplorable de la traiter, pour ensuite le blâmer, *lui*, pour la destruction de son estime personnelle et les ravages causés à sa vie.

Mais enfin, à moins d'avoir été attachée pieds et poings liés et séquestrée contre son gré, une femme ne saurait blâmer un homme pour tout ce qu'elle a accepté de faire avec lui. En réalité, l'estime personnelle de Jacqueline devait être plutôt chancelante dès le départ, sinon elle ne se serait pas laissée traiter comme un paillasson. C'est l'image qu'elle avait d'elle-même, et non celle de Michel, qui l'a amenée à prendre du poids. Dès l'instant où elle abandonne à un homme tout pouvoir de prendre des décisions, une femme commence à rabaisser l'image qu'elle se fait d'elle-même.

On reste perplexe devant l'intention que manifeste maintenant Jacqueline de dépenser encore du temps et de l'énergie à séduire son Michel. Pourquoi diable ne le laisse-t-elle pas tomber et ne se met-elle pas en quête de quelqu'un qu'elle n'aura pas besoin d'*amener* à la désirer? Jacqueline avait compté sur Michel pour se sentir bien avec elle-même et quand il n'a pas respecté le pacte qu'il ne savait même pas avoir fait, elle s'est fâchée contre lui et l'a traité d'imbécile. Une femme qui se sent bien dans sa peau choisira au contraire de quitter tous les Michel de la terre. Une femme qui se sent bien dans sa peau commencera d'ailleurs par ne jamais donner son numéro de téléphone à des hommes de cet acabit.

Christine, une gestionnaire qui se laissait gérer

Ce serait formidable de penser que tout ce qu'il faut à une femme pour prendre sa destinée en main, c'est de vieillir et de recevoir une bonne éducation. Hélas, la maturité et un diplôme universitaire n'ont rien à voir avec la capacité de gérer sa destinée. Christine achevait ses études universitaires quand on lui a proposé un poste de direction dans une des plus grandes entreprises du pays. Elle se montra très flattée par cette offre, mais en même temps elle tentait de se remettre d'une triste histoire avec un gars qui avait eu une liaison tout le temps qu'ils avaient été ensemble. Christine était une femme flouée, encore blessée de s'être laissée avoir.

Un soir, alors qu'elle était encore sous le coup de sa déconvenue, elle s'est laissée convaincre par deux amies de les accompagner dans une soirée pour célibataires. Elle se disait qu'elle ne représenterait pas la moindre menace pour toutes les jolies filles qui seraient là. Ses amies n'en insistèrent pas moins pour qu'elle les suive.

La soirée avait lieu dans une pièce enfumée d'un appartement situé au sous-sol; il faisait chaud et les corps ruisselaient de sueur. Dès le début, Christine a jugé que les gars étaient des imbéciles mais aussitôt l'un d'entre eux a entrepris de la séduire. Manifestement, elle n'était pas intéressée. Et voici que sort de nulle part un type appelé Henri. Voyant que Christine est ennuyée, il la tire des griffes de l'importun. Christine le remercie chaleureusement: «Vous êtes mon sauveur!» Quand elle a demandé à Henri ce qu'il faisait dans la vie, sa réponse – comptable agréé – a sonné à ses oreilles comme «homme avec du potentiel». Tout s'est rapidement mis en place: non seulement se présentait-il au bon moment, mais sa carrière prometteuse en faisait un mari éventuel très acceptable. Il s'est fait en elle un grand branle-bas d'hormones. Le temps d'un crépuscule de carte postale, la jeune femme était amoureuse.

Henri a fait la cour à Christine pendant un an, puis ils se sont mariés. Comme il était doué pour les finances, il a déclaré qu'il allait s'occuper de ses emprunts d'étudiante. Voilà ce qui s'appelle un *vrai sauveur*, pensa-t-elle. Il lui a assuré que, comme elle avait changé de nom et n'habitait plus chez ses parents, l'État n'aurait aucun moyen de la retracer pour se faire rembourser. Christine n'a pas raisonné bien loin: «Qui croire sinon mon comptable de mari?»

Pendant près de trois ans, le couple a oublié complètement l'argent emprunté par Christine pour ses études. Puis, les parents de Christine ont commencé à recevoir des lettres officielles menaçantes et des coups de téléphone d'agences de recouvrement. Se fiant toujours aux conseils de son mari, Christine a dit à ses parents d'ignorer ces «intrusions». Mais ceux-ci ne pouvaient plus supporter le harcèlement dont ils étaient victimes et Christine était tiraillée. Contre l'avis d'Henri (croyant toujours qu'ils pourraient s'en tirer sans rembourser les prêts, il était furieux de voir les parents de Christine lui faire obstacle), elle a contacté les autorités concernées et s'est dite prête à rembourser par versements mensuels. Mais il était déjà trop tard pour sa cote de crédit personnelle. Même si elle avait maintenant une excellente profession, elle apprit qu'elle n'aurait pas droit à une carte de crédit avant sept ans. De plus, comme le couple voulait en même temps contracter une hypothèque, il n'était plus question que son nom apparaisse. Tout ce que le couple possédait en commun appartenait maintenant légalement à Henri. Ainsi, pendant sept ans, Christine se retrouva-t-elle totalement dépendante d'Henri sur le plan financier; résignée à son sort, elle lui abandonna sagement ses chèques de paie. Comme l'argent représente dans toute relation un symbole de pouvoir, elle se sentait humiliée d'avoir à quémander pour des besoins aussi personnels que des serviettes hygiéniques. Pendant ce temps, Henri jouait au despote bienveillant en exerçant parfois son droit de veto. Pendant sept longues années, Christine a souffert de cette dépendance à l'intérieur d'un mariage pourtant censé avoir été contracté par deux personnes égales ayant toutes deux un emploi.

Christine représente la jeune épouse typique qui a placé toute sa confiance dans l'homme qu'elle a épousé. Elle n'a jamais remis en doute ses compétences de comptable agréé, son honnêteté et son intégrité, et elle est restée absolument convaincue qu'il «prendrait soin» d'elle et de ses finances. Après cette expérience, elle a compris le besoin d'assumer plus de responsabilités dans la conduite de ses propres affaires. Les choses étant ce qu'elles sont, cela veut dire qu'elle a maintenant trois cartes de crédit en son nom propre. Mais après quinze ans de mariage et quatre enfants à faire vivre, elle laisse encore l'entière responsabilité du bien-être financier de la famille dans les mains de son comptable agréé de mari. Il y a des femmes qui n'apprennent pas.

Or, pour une femme, les moyens lui permettant d'acquérir son indispensable estime de soi tiennent en deux mots: liberté financière. Quand elle dispose de son propre argent, une femme est véritablement libre de décider comment elle va vivre sa vie — de décider si oui ou non elle a envie d'un mâle qui contrôle tout dans les parages. Mais dans cette société qui est la nôtre, on voit encore des femmes parfaitement indépendantes sur le plan financier abandonner tous leurs pouvoirs aux mains d'un homme.

Alice, une brillante directrice d'hôpital

Même lorsqu'une femme a obtenu dans sa vie professionnelle les succès les plus éclatants, qu'elle a un métier qui lui procure l'indépendance financière et qu'elle exerce toutes sortes de fonctions de direction au sein d'une entreprise, elle peut perdre tous ses moyens dès qu'il est question de relations amoureuses. Alice, docteure en médecine, était parvenue à la tête d'un grand hôpital. À l'occasion d'un souper-bénéfice, elle rencontra Marc qui faisait campagne pour un siège au conseil municipal. Marc craquait pour les femmes bien coiffées au teint de porcelaine, dont l'allure de vamp attirait les regards. Le physique d'Alice ne cadrait pas avec ses goûts habituels. Elle n'était pas éclatante mais simplement jolie, généralement peu maquillée et habillée sobrement. Mais à la différence des gravures de mode que Marc promenait en ville, elle était exceptionnellement brillante, avait l'esprit vif et s'exprimait bien. De fait, Marc s'est mis à rechercher la stimulation intellectuelle qu'elle lui apportait et, chaque fois qu'il traversait une crise, c'est auprès d'elle qu'il venait chercher le réconfort.

Alice avait divorcé d'un ingénieur quelques années auparavant et elle était maintenant prête à renouer une relation sérieuse. Le problème, c'est qu'elle n'avait guère le loisir de rencontrer des gens, car son poste d'avant-scène exigeait non seulement d'elle des journées de douze heures, mais l'enfermait dans un véritable aquarium où les médias s'en donnaient à cœur joie avec sa vie privée. Ainsi, Marc représentait-il un partenaire satisfaisant: c'était un homme politique respecté qui faisait une excellente escorte pour Alice dans des réceptions officielles.

Marc avait lui aussi été marié et il avait souvent la garde, les fins de semaine, de sa gamine de quatorze ans. Comme il ne voulait pas donner à l'adolescente l'exemple d'une vie sexuelle débridée, si Alice se retrouvait chez lui, elle devait se contenter du vieux sofa dans le salon. Elle se plia à cet arrangement parce qu'elle aimait Marc et croyait qu'ils se rendraient bientôt à l'étape suivante, celle du mariage.

Cette relation a duré pendant quatre ans. Pendant ce temps, la rumeur courait que Marc avait été vu en ville avec d'autres femmes qu'il gardait en réserve. Alice refusa d'entendre ces cancans car elle voulait préserver ce quelque chose de précieux qu'elle croyait partager avec Marc. Elle se persuadait qu'il finirait par se ressaisir, cesserait de la tromper et lui demanderait d'officialiser leur relation.

Du jour au lendemain, Marc se vit offrir un poste important dans une autre ville. Comme il détestait les déplacements, il fit cadeau à Alice de ses jetons de péage. Ce fut à elle de se taper l'aller-retour de trois heures si elle voulait passer un peu de temps avec lui. Quand la fille de Marc était là, elle continuait de se contenter du sofa. Elle supportait pourtant la situation sans broncher parce que le manque de temps l'empêchait de se faire de nouveaux amis.

Les rapports que Marc entretenait avec une top-modèle un peu tapageuse et pas très futée finirent par éclater au grand jour. Leurs photos apparurent dans les journaux locaux. Alice finit par accepter la vérité quand un de ses adjoints lui apporta une coupure de presse où l'on voyait le nouveau couple étaler son bonheur. Elle fut bouleversée. Elle avait patiemment investi des années de sa vie à attendre que Marc veuille bien s'engager envers elle. Elle avait donné plus que sa part de réconfort à cet homme et d'efforts pour aller le retrouver. Finalement, l'homme épousa son mannequin de pacotille. En désespoir de cause, Alice accepta un poste en Amérique du Sud.

À quel moment cette femme brillante et responsable a-t-elle commis l'erreur de miser sur son prince charmant? Elle attendait peu de choses de lui et c'est exactement ce qu'il lui a donné. Pour commencer, Alice connaissait les frasques de Marc mais elle a préféré les passer sous silence en se disant qu'il finirait par changer. Elle ne lui a jamais, non plus, reproché de la traiter comme une personne de second ordre devant sa fille. Bien sûr, aucune femme respectable n'irait exhiber la sexualité de son amant sous le nez d'une adolescente impressionnable. Mais l'adolescente en question aurait pu être amenée à comprendre que son père vivait une relation privilégiée avec Alice… si cela avait été le cas. Alors les petits arrangements concernant le coucher qui mettaient Alice mal à l'aise auraient disparu d'eux-mêmes. Manifestement, Alice avait préféré ne pas soulever cette question, espérant que Marc en arriverait lui-même à ce raisonnement. Enfin, Alice a consenti à se déplacer elle-même pour aller voir Marc en lui donnant le luxe de n'avoir, lui, rien à faire pour la retrouver. Elle a investi des années de sa vie gentiment, sans rechigner, et quand la vérité a éclaté, le coup a été dur et lui a fait très mal. Une femme qui s'aime d'abord elle-même aurait cessé d'espérer et pris le large bien avant... pour trouver quelqu'un qui lui rende son amour.

Nous venons de faire la connaissance de huit femmes, issues de milieux très différents, mais qui ont toutes cru que le prince charmant méritait d'être attendu. Et qui ont toutes appris à leurs dépens que miser sur ce prince charmant ne leur avait rien apporté.

L'auto-évaluation numéro 1 représente la dernière histoire que vous allez lire ici: votre histoire à vous. Vous connaissez votre vie mieux que personne. Faites comme si vous écriviez votre autobiographie pour un éditeur. Cette auto-évaluation vous prendra peut-être plusieurs jours à compléter, mais vous pouvez vous interrompre à tout moment et la reprendre plus tard. Remplissez les étapes 1 à 3 avec autant de détails que vous pouvez vous rappeler. Quand vous aurez fini, installez-vous dans un endroit tranquille où personne ne viendra vous déranger et relisez ce que vous avez écrit. Lisez comme s'il s'agissait de la vie de quelqu'un d'autre.

À l'étape 4, vous vous amuserez à réinventer votre vie *comme vous voudriez qu'elle se déroule*. C'est là votre plus grand défi. Vous aurez la chance de changer les règles que vous vous êtes imposées jusqu'à maintenant. Voyez jusqu'où vous êtes prête à aller pour donner des couleurs différentes à votre nouvelle vie. À l'étape 5, vous pourrez constater les différences qu'il y a entre la vie que vous menez vraiment et celle que vous avez réécrite. Et à l'étape 6, vous vous interrogerez sur vos sentiments quant à ces différences. Soyez honnête envers vous-même mais laissez-vous aller à vos fantaisies. Elles peuvent être le point de départ de votre *nouvelle* vie.

AUTO-ÉVALUATION 1

MON HISTOIRE

1. Écrivez votre histoire personnelle. Comment avez-vous misé sur un homme? Quand avez-vous senti que vous étiez déçue?
2. Décrivez les autres hommes sur lesquels vous avez misé dans le passé. Décrivez la façon dont ils vous ont déçue.
3. Quels modèles semblent revenir sans cesse dans toutes vos relations avec les hommes?
4. Racontez à nouveau votre relation la plus récente, mais réinventez vos actions pour que l'histoire se termine mieux. Même si vous ne pensez pas pouvoir vous conduire ainsi dans la vraie vie, faites semblant et prenez plaisir à votre audace. Une seule restriction: ne rien faire ou ne rien penser de mal à l'endroit de l'homme qui vous a fait souffrir. C'est un gaspillage d'énergie et vous valez bien mieux que ça. À son égard, vous avez le choix entre deux solutions: le mettre au pied du mur ou prendre vos jambes à votre cou! À l'intérieur de ces limites, réécrivez votre histoire et qu'elle soit magnifique! Donnez-lui le tour que *vous* voulez qu'elle prenne. C'est vous qui avez le contrôle total. Amusez-vous bien!
5. Comparez votre véritable histoire à la version réécrite.
6. Comment vous sentez-vous par rapport à ce que vous avez appris là?

Alice, notre directrice d'hôpital, a mis quatre jours à remplir l'auto-évaluation 1. À travers larmes et souvenirs, elle a fini par dégager un schéma dans sa façon de trouver des hommes à qui elle attribuait des qualités qu'ils n'avaient pas. Elle a vu comment elle avait tendance à faire passer ces hommes-là avant tout, même avant les impératifs pourtant importants de sa carrière. Elle a remarqué comment, au début, ils appréciaient les attentions dont elle les entourait mais finissaient après un certain temps par avoir l'impression d'étouffer. Tous ses hommes se sont trouvé des femmes dont ils pouvaient, eux, prendre soin plutôt que l'inverse. À l'issue de cet exercice, Alice s'est promis de se concentrer sur ses rêves de réussite professionnelle. Le prochain homme dans sa vie passera après le souci qu'elle a d'elle-même et il faudra qu'il comprenne.

Avec cette même auto-évaluation, Catherine, notre enseignante, a réalisé qu'elle n'accepterait plus jamais de se faire dénigrer comme elle avait laissé son mari le faire. Elle refait sa vie avec un professeur qui l'aime et la respecte et qui est un excellent modèle pour ses filles qui, jusqu'à maintenant, ne connaissaient les hommes que par les colères et les crises auxquelles ils leur paraissaient sujets.

Christine, la gestionnaire, a finalement pris conscience de la colère qu'elle éprouvait à l'endroit d'Henri. Celui-ci continue néanmoins à contrôler non seulement ses finances mais sa vie. Après avoir rempli l'auto-évaluation 1, elle a découvert qu'elle n'avait pas d'amis parce qu'Henri ne veut voir personne d'autre que lui-même auprès d'elle. Cette prise de conscience est un point de départ. Nous ne savons pas encore ce qu'elle va faire, mais nous allons la suivre tout au long de ce livre.

Si votre auto-évaluation vous a révélé que votre vie n'est pas idyllique, ne soyez pas découragée. Nous sommes toutes passées par là. Et jusqu'à un certain point nous allons probablement continuer à attirer des hommes présentant des traits complémentaires et opposés aux nôtres, avec en plus les pires défauts de nos parents. Mais cela n'empêchera pas nécessairement nos relations amoureuses de réussir. Le secret est simple:

 *Prenez-vous en main au lieu d'attendre le prince charmant.*

Rien de ce qui a de la valeur dans la vie ne peut se faire sans cet engagement personnel total vis-à-vis de soi-même. C'est seulement quand on s'accepte soi-même qu'on peut commencer à voir son partenaire comme il est réellement.

 *Le bonheur commence quand on regarde la réalité en face.*

Une fois qu'on sait où on en est, comme vous le saurez vous-même en remplissant les étapes 1 à 3 de l'auto-évaluation 1, on peut se construire un rêve plus séduisant mais encore réaliste. C'est une étape très importante, car on n'avance guère si on ne sait pas où l'on va. C'est pour cela que vous devez réécrire votre histoire à l'étape 4.

À l'étape 5, vous aurez relevé les différences frappantes entre la réalité et la fiction. Parfois cette fiction sert à faire naître ce qui, à première vue, semblait impossible, mais devient une saine incitation à prendre dans l'avenir des risques bien calculés. Cette étape permet de rêver à ses buts avant de s'atteler à les atteindre. Il n'est pas interdit de rêver à un avenir meilleur. L'étape 6 vous demande d'exprimer vos sentiments sur ce que vous avez appris. Après ce petit exercice, la plupart des femmes se demandent pourquoi elles ont mis tant de temps à voir la vérité. Elles s'en veulent souvent de ne pas avoir échappé plus tôt aux griffes de leur prince à problèmes. Ces sentiments sont parfaitement naturels pour quiconque voit enfin la lumière, mais se flageller soi-même ne donne rien et c'est de l'énergie dépensée en pure perte. Servez-vous plutôt de ce petit auto-examen comme d'un point de départ pour appliquer votre intention de prendre votre vie en main, même si cela consiste en peu de choses au départ. C'est un engagement que vous prenez vis-à-vis de vous-même d'apporter les changements qui s'imposent pour améliorer votre sort.

Maintenant que vous avez fait les premiers pas, la deuxième partie de ce livre va vous apprendre à vous servir des outils de base qui servent à accroître le pouvoir personnel d'un individu; ce sont des outils que la plupart des femmes ne songeraient pas un seul instant à utiliser quand elles se mettent en quête du prince charmant. Pour commencer, vous allez apprendre à demander ce qu'il vous faut et à vous persuader que vous le méritez.

MESSAGES ÉCLAIR
DU CHAPITRE 2

Des femmes qui ont misé sur le prince charmant: une histoire qui se répète

- *Le but d'une relation est de fournir le terrain propice à la croissance personnelle.*
- *Prenez-vous en main au lieu d'attendre le prince charmant.*
- *Le bonheur commence quand on regarde la réalité en face.*

Deuxième partie

Comment trouver l'homme de vos désirs

Chapitre 3

Demandez ce dont vous avez besoin et persuadez-vous que vous le méritez

 *On finit toujours par recevoir ce qu'on croit mériter.*

Souvenez-vous de certaines bandes dessinées que vous avez pu lire dans les journaux. On y voyait souvent des personnages de femmes qui s'opposaient en tous points et reprenaient les oppositions classiques des contes de fées. Il y avait d'un côté la femme fatale. Elle attirait toujours les hommes rien qu'en étant persuadée qu'elle méritait de les avoir et en projetant son pouvoir dans leur direction. C'était ce que j'appelle une femme sûre d'elle-même, parce que toujours assurée d'avoir exactement ce qu'elle veut.

> **Portrait de la femme sûre d'elle-même**
> *Les femmes sûres d'elles-mêmes sont des femmes qui semblent tout avoir. Elles se servent de leurs mauvaises expériences pour réinvestir en elles-mêmes. Elles sont animées par leurs buts personnels et refusent de se laisser affecter par l'attitude des autres à leur endroit. L'hiver, les femmes sûres d'elles-mêmes ne restent pas là à grelotter, elles vont faire du ski. Les hommes de qualité aiment les femmes sûres d'elles-mêmes.*

À l'autre extrémité du spectre, il y a la résignée. C'est, par exemple, cette adolescente qui est la meilleure amie d'un garçon mais doit toujours intriguer contre une fille sûre d'elle-même pour avoir la première place dans son cœur. Même que le jour où ce garçon lui demande de l'accompagner au bal de l'école, elle pense qu'il plaisante parce qu'elle ne se sent pas à la hauteur. La résignée veut toujours *être comme quelqu'un d'autre* et ne croit jamais mériter un homme pour elle toute seule.

Portrait de la femme résignée

Les femmes résignées veulent être semblables aux femmes qui «ont tout» mais, au lieu de travailler à s'améliorer, elles ne font que se plaindre et restent comme elles sont. Comme elles manquent de confiance en elles, elles se sentent impuissantes à contrôler leur propre vie. L'envie et la jalousie aigrissent leur caractère et leur font distiller cynisme, pessimisme et désespoir à l'endroit de tous les gens qu'elles rencontrent. Les hommes qui n'ont pas grand-chose à offrir recherchent les résignées.

Malheureusement, beaucoup de femmes commencent par être comme ça. Ce type de femme va, par exemple, demander à l'amoureux d'une de ses amies de lui faire rencontrer quelqu'un et lui donnera une douzaine de cartes de visite à distribuer à ses connaissances masculines. Elle *a absolument besoin*, claironne-t-elle, de se trouver un homme bien. Le type va s'empresser de jeter ses cartes à la poubelle, dégoûté par tant d'insistance. Malgré tout ce qu'elles disent, les femmes qui cherchent ainsi sont persuadées, au fin fond d'elles-mêmes, qu'elles ne méritent pas la moindre forme d'amour ou à tout le moins qu'elles ne méritent pas d'être bien aimées par un homme de qualité. Souvent, ces femmes qui croient ne rien mériter attirent des hommes violents, distants ou non disponibles. Aucun homme de valeur ne voudrait d'une femme aussi perdue sur le plan émotionnel. Exactement comme les femmes qui s'en remettent à leur intuition, les hommes prennent bien soin d'éviter les femmes dont tout en elles crie: «Au secours, j'ai besoin d'amour!»

Même si ces femmes peuvent finir par en vouloir à leurs hommes de la piètre qualité des attentions qu'ils leur témoignent, ce sont elles qui ont tout d'abord invité ce genre d'hommes à entrer dans leur vie, puis leur ont permis d'y rester. Au bout du compte, on reçoit toujours ce qu'on croit mériter, rien de plus, rien de moins.

Êtes-vous une femme sûre d'elle-même ou une femme résignée?

Nous croyons trop souvent que nous avons deux vies bien distinctes, une vie privée et une vie professionnelle, et que nous pouvons être fortes dans l'une même si l'autre est en train de s'écrouler. Mais la réalité, c'est que nous projetons l'image que nous nous faisons de nous-mêmes sur toutes les scènes où se déroulent notre vie, aussi bien au travail que dans nos loisirs. Et le comportement que nous suscitons chez les autres est en rapport direct avec la façon dont nous nous voyons nous-mêmes, car:

On attire toujours son semblable.

J'ai déjà été, pour ma part, une de ces femmes qui croient qu'elles ne méritent rien. J'ai gardé un poste d'enseignante dans une école publique pendant dix-huit longues années à endurer des directeurs insupportables. Et j'ai conservé probablement tout aussi longtemps des relations amoureuses, plusieurs d'affilée, avec des hommes qui ne me respectaient pas. Je n'arrêtais pas de me plaindre, comme tous les gens dont je m'entourais, mais je ne partais pas. Beaucoup de femmes gardent des emplois qui sont de véritables culs-de-sac parce qu'elles craignent de ne pas pouvoir faire mieux ou de ne pas être en mesure de se passer de sécurité. Elles se trouvent toutes les raisons du monde pour rester en rade. Et de la même façon, bien plus de femmes encore restent à l'intérieur de couples où elles sont malheureuses et mettent le fait qu'elles y restent sur le dos des enfants, de la sécurité financière, du logement dont elles ont besoin et d'autres raisons bien commodes. Ce sont nos béquilles, chacune s'accroche à celle qui lui est la plus chère et va pleurnicher dans le giron de ses amies qui croient l'aider en l'écoutant.

Je n'arrêtais pas de rêver que quelqu'un, n'importe qui, allait me découvrir et me sauver de mes méchants partenaires et de mon horrible boulot, mais mes sauveurs fantômes apparaissaient et disparaissaient aussi vite. Je le sais maintenant, je ne me sentais pas assez valable pour attirer les vrais princes charmants. Je passais d'un homme à l'autre car aucun ne pouvait me donner le salut que j'attendais. C'est un fait, personne ne peut nous sauver. De façon curieuse, ce qui m'a délivrée de mes déboires amoureux et professionnels, c'est un terrible mal de dos qui m'a obligée à porter un appareil orthopédique lourd et douloureux. Oui, la douleur était insupportable et oui, elle m'a aussi donné une raison de changer car:

 *Quand une chose arrive, c'est toujours pour une bonne raison.*

La douleur ouvre les yeux: cette crise m'a fait prendre conscience que quelque chose devait changer dans ma vie. En me penchant sur mes malheurs, j'ai découvert que je devais me débarrasser des choses «sûres» qui, après tout, n'étaient pas du tout sûres mais me rendaient plutôt malade. Heureusement, une seule de mes nombreuses personnalités recherchait la permanence alors que les autres restaient libres d'exploiter leurs talents naturels. J'ai quitté mon horrible boulot, malgré la désapprobation de mes parents. Ils m'ont suppliée de rester encore seulement deux ans dans le système scolaire pour pouvoir bénéficier de la «sécurité» d'une retraite après vingt ans. Mais j'étais au bout de mon rouleau. Je savais que je serais un peu coincée financièrement pendant un certain temps et j'étais très, très inquiète de ne plus recevoir régulièrement mon chèque de paie. Mais je souffrais trop physiquement. Je ne savais pas ce que l'avenir me réservait quand j'ai quitté mon emploi, mais presque immédiatement, il s'est passé quelque chose. En lieu et place de la «sécurité», j'ai découvert la liberté, l'indépendance et la conviction que je méritais d'être heureuse.

Quand nous sommes poussées à la limite, nous puisons dans des forces que nous ne soupçonnions pas avoir. Ayant besoin de gagner ma vie, j'ai développé la consultation en management que j'avais commencée à donner tranquillement tout en enseignant. À ma grande surprise, j'ai créé une affaire formidable, j'ai gagné plus d'argent que je n'aurais jamais pu l'imaginer et j'ai découvert que j'adorais intervenir positivement dans la vie des gens, de beaucoup de gens. J'ai créé et animé des ateliers de formation pour cadres et je suis devenue professeure à plein temps à l'éducation permanente, le soir, pour des adultes qui retournaient à l'école. Mes conférences sur la motivation m'ont valu de nombreuses apparitions à la télévision, puis ma propre émission sur l'amour et enfin un poste de porte-parole d'une compagnie spécialisée dans les cartes de vœux pour discuter de la nécessité d'introduire le jeu dans les relations amoureuses. J'ai commencé à pouvoir refuser les offres qui ne m'intéressaient pas. Quel changement pour une femme qui avait pointé matin et soir pendant dix-huit ans, une femme si coincée, si malheureuse et finalement si handicapée qu'elle ne pensait pas pouvoir survivre sans «sécurité»!

Il restait un dernier changement à effectuer. J'avais maintenant assez de confiance en moi pour sauter de l'arche où Noé protégeait les couples du déluge à l'extérieur. J'avais enfin réalisé que je n'avais pas besoin d'un homme pour me conduire à la cachette où se terrait mon âme. Ma nouvelle vie était une expédition que je devais absolument mener toute seule. Quand j'aurais appris à me tenir bien droite sur mes deux jambes, sans béquilles, je pourrais songer à nouveau à la vie de couple. Mais la prochaine fois, je serais une bien meilleure partenaire et comme telle, j'attirerais un bien meilleur prince.

Les femmes ont incontestablement commencé à accomplir de grandes choses et tout particulièrement dans le monde du travail. Un plus grand nombre d'entre elles se comportent dans leur métier comme des femmes sûres d'elles. Mais comme la femme qui travaille ne gagne encore, en moyenne, que 72 % de ce que gagne un homme, il y a certainement quelque chose qui ne va toujours pas. Se pourrait-il que ce soit la façon dont les femmes se considèrent elles-mêmes et projettent cette impression? Des études ont montré l'une après l'autre que les femmes, lorsqu'il est question de leurs revenus futurs, voient leur verre à moitié vide plutôt qu'à moitié plein. En désespoir de cause, elles se cherchent des partenaires qui, croient-elles, prendront mieux soin d'elles qu'elles-mêmes. Manifestement, peu importe l'ampleur de leurs aspirations sur le plan du travail, la plupart des femmes restent engoncées dans une attitude perdante quand il est question des hommes.

Dans le chapitre 2, nous avons évoqué le cas de huit femmes de niveaux socio-économiques différents, de niveaux d'éducation variés, qui étaient attirantes à des degrés divers et réussissaient plus ou moins dans la vie. Peu importe la qualité des atouts dont elles disposaient, les images négatives qu'elles avaient d'elles-mêmes les conduisaient à éprouver *le besoin* d'un protecteur quelconque qui soit auprès d'elles en permanence, même s'il ne faisait rien pour elles. Je me souviens, quant à moi, qu'une des raisons pour lesquelles je me suis mariée est que je croyais avoir *besoin* d'un homme pour s'occuper de ma voiture. Je sais, je sais, ça a vraiment l'air terrible mais, hélas, c'est la pure vérité sur mon triste passé de dépendance. Je peux dire aujourd'hui à quel point j'ai été pitoyable, mais je me demande ce qui se serait passé si j'avais pris le temps de faire la différence entre avoir *besoin* d'un homme et seulement *désirer* en avoir un. Si j'avais su qu'avoir un homme dans sa vie pour accomplir certains petits rituels sans importance n'est au fond qu'une commodité — un *désir*, peut-être, mais certainement pas un *besoin* — je n'en aurais jamais épousé un pour avoir droit à une révision gratuite tous les 48 000 kilomètres.

Les femmes sûres d'elles-mêmes savent faire la différence entre un *besoin* et un *désir*, et quand elles ont établi leurs priorités, elles envoient le message qu'elles *méritent de recevoir* ce qu'elles demandent. La femme sûre d'elle-même projette ses *désirs*, la femme résignée projette ses *besoins*. Il n'est pas difficile de savoir laquelle des deux est la plus intéressante pour un homme digne de ce nom. Quand nous projetons l'image de tout ce que nous méritons au niveau des *désirs* plutôt que des *besoins*, cela se voit, à la fois professionnellement et dans notre vie privée. Mais pour pouvoir le faire, il faut connaître la différence entre les deux termes.

Savoir faire la différence entre nos besoins et nos désirs

Avant de chercher l'âme sœur, il faut mettre son âme à nu. Cette opération se fait en trois parties. Premièrement, il faut identifier ce dont on a besoin. Deuxièmement, il faut déterminer ce qu'on désire et apprendre à le demander. Troisièmement, il faut projeter l'impression qu'on mérite d'obtenir ce qu'on veut.

De toutes les forces qui nous motivent, nos besoins sont les plus fondamentales. Ils sont nettement différents de nos désirs. Les désirs sont moins pressants, ils n'exigent pas notre attention immédiate et ne demandent pas d'être satisfaits avec autant d'insistance. En tant qu'êtres humains, nous avons d'abord *besoin* de survivre, ce qui fait que nos exigences fondamentales sont 1) nos besoins physiologiques et 2) tout ce qui a trait à notre sécurité. En d'autres mots, nous devons nous nourrir, nous vêtir, nous protéger et gagner assez d'argent pour vivre.

Quand nos besoins physiologiques sont comblés et notre sécurité assurée, nous montons d'un échelon pour atteindre trois besoins essentiels moins immédiats: 3) l'amour et l'appartenance; 4) la satisfaction quant à notre situation dans la vie (l'estime de soi); et 5) l'atteinte de nos objectifs et la réalisation de nos rêves (l'affirmation de soi). Si l'on en croit la psychologie comportementale, nul ne cherchera à satisfaire un besoin supérieur tant que le besoin de l'échelon précédent n'a pas été comblé, au moins en partie. À quel niveau de cette échelle des besoins êtes-vous rendue actuellement? Pour le savoir, remplissez le questionnaire d'auto-évaluation 2 .

Mais d'abord une remarque, qui vaut pour toutes les auto-évaluations contenues dans ce livre. Les questions sont volontairement formulées de façon large et ouverte. En tant qu'éducatrice, c'est le genre de questions que je préconise dans mes ateliers. Il s'agit de questions, ou d'affirmations, qui commandent une réflexion en profondeur, en particulier si elles traitent de choses auxquelles on n'est pas habitué à penser. Il est souvent utile de discuter avec des parents ou des amis pour recueillir différents points de vue. Il n'y a pas de bonne ou de mauvaise réponse. Les questions devraient vous amener à accomplir une introspection qui se poursuivra pendant un certain temps. Mais ce qu'il y a de plus important, puisque nous façonnons tous nos vies selon nos spécificités propres, c'est que vos réactions à ce petit test vont commencer à composer l'esquisse de la femme plus sûre d'elle que vous allez bientôt devenir.

AUTO-ÉVALUATION 2

MON NIVEAU DE BESOINS

Classez les affirmations suivantes selon leur ordre d'importance pour vous, de la plus importante (1) à la moins importante (5).

____1. Quand j'ai faim, j'interromps ce que je suis en train de faire pour manger. (BESOINS PHYSIOLOGIQUES)

____2. Un emploi stable bien rémunéré est extrêmement important pour moi. (BESOIN DE SÉCURITÉ)

____3. Le bonheur est un de mes principaux objectifs. (BESOIN D'AFFIRMATION PERSONNELLE)

____4. Je n'ai pas de difficulté à me faire valoir. (BESOIN D'ESTIME DE SOI)

____5. Je ferais presque n'importe quoi pour mes amis. (BESOIN D'AMOUR ET D'APPARTENANCE)

Sur quel niveau de besoins avez-vous tendance à mettre le plus l'accent? Le moins d'accent?

Tenir compte de ses besoins, mais satisfaire les vôtres

Claire sortait avec Charles depuis six mois. Elle n'arrivait pas à comprendre pourquoi il ne lui témoignait pas plus d'affection et d'attention. Elle savait bien qu'il était en train de vivre un divorce difficile, mais elle pensait que leur passion sexuelle dévorante était assez puissante pour lui faire oublier son chagrin. Oui, Charles était très excité, mais cette excitation concernait essentiellement ses discussions à n'en plus finir avec celle qui serait bientôt son ex-femme et leurs avocats respectifs. Pour lui, chaque nouveau jour signifiait une autre empoignade, une autre discussion difficile.

J'ai expliqué à Claire qu'elle aurait beau être la reine de Saba, Charles en était encore aux deux premiers niveaux de ses besoins, les besoins physiologiques (combien d'argent il aurait pour se nourrir) et le besoin de sécurité (où il pourrait se permettre d'habiter). Ces deux besoins sont absolument fondamentaux pour la survie de n'importe qui et Charles, en fait, consacrait toute son énergie à se battre pour sauver sa peau. Bien sûr, leur relation était agréable et leurs rapports sexuels remplis de vitalité, mais tout ce que Claire pourrait faire *ne compterait pour rien* parce que:

Un homme en train de vivre quelque chose — un divorce, une séparation, une perte, un deuil — est rivé aux deux niveaux les plus élémentaires de ses besoins: besoins physiologiques et besoin de sécurité. Tant qu'il lutte pour sa survie, il reste incapable de s'élever au troisième niveau, le besoin d'amour.

J'ai dit à Claire qu'elle avait le choix entre adopter une approche plus décontractée dans sa relation avec Charles ou — si elle tenait absolument à ce besoin d'entretenir une relation intime avec quelqu'un en ce moment — se trouver quelqu'un d'autre, quelqu'un qui aurait déjà reçu son «certificat de libération émotionnelle» après son divorce. Actuellement, Charles ne voyageait pas léger, il traînait derrière lui des bagages gros comme des conteneurs. Il n'était décidément pas prêt à donner à Claire ce dont elle prétendait avoir besoin. Mais notre discussion a amené Claire à se demander pourquoi elle désirait un homme dans la situation de Charles alors qu'elle disait qu'elle avait besoin de plus que ça.

Ah! toute la question est là, justement. Beaucoup de femmes pensent qu'elles ont *besoin* d'une relation intime alors qu'en réalité, elles ne font que *désirer* cette relation.

Quand on ne sait pas ce dont on a besoin, on ne peut pas obtenir ce qu'on veut.

Si Claire avait vraiment eu besoin d'une relation menant au mariage au lieu de simplement la désirer, elle n'aurait pas choisi Charles. Mais était-ce bien seulement une question de choix mal avisé de sa part? Claire a commencé à se demander pourquoi elle poursuivait de ses assiduités quelqu'un qui n'était pas libre émotionnellement.

Elle a rempli l'auto-évaluation 2 et elle a identifié le niveau 5, l'amour et l'appartenance, comme étant son besoin le plus important. Elle a réalisé qu'actuellement, Charles n'était pas au même niveau de besoins qu'elle. Elle avait tout bonnement omis d'identifier ses besoins avant de se choisir un partenaire. Elle a décidé que, son niveau de besoins étant celui de l'amour et de l'appartenance alors que Charles en était encore à la sécurité, elle se mettrait à sortir avec des partenaires potentiels plus disponibles. Claire a donc fait un pas dans la bonne direction puisque, après avoir pris conscience des besoins de son partenaire, elle n'en a pas moins décidé de commencer par satisfaire les siens propres.

Nous avons souvent tendance à confondre nos besoins avec nos désirs. Nos besoins programment ce qui nous est nécessaire pour vivre et ils produisent des tensions qui exigent la satisfaction. Par exemple, quand nous avons faim, notre corps nous signale que nous avons *besoin* de manger. Mais qu'allons-nous manger? Notre goût, qui détermine notre choix, représente notre désir. Dans les faits, cela veut dire que si, pour une raison quelconque, nous ne pouvons pas avoir de steak, un sac de bretzels fera peut-être l'affaire. Notre désir n'aura pas été comblé mais notre besoin physique de nourriture, lui, l'aura été et nous pourrons continuer de vivre.

Avez-vous *besoin* de conduire une voiture de luxe ou simplement le *désirez*-vous? Si vous avez *besoin* d'une voiture pour vous rendre à votre travail, n'importe quel engin à quatre roues, pourvu qu'il soit fiable, fera l'affaire. La voiture n'a pas besoin d'être luxueuse. De la même façon, demandez-vous si vous avez *besoin* d'un homme pour prêter l'oreille à ce que vous avez fait dans la journée ou si simplement vous en *désirez* un? Vous pouvez fort bien aimer que quelqu'un vous écoute, vous pouvez même parfois avoir besoin d'une épaule pour pleurer ou d'une personne pour partager avec vous un événement vraiment exceptionnel. Mais est-ce vraiment indispensable que ce soit *un homme*? En fait, un bon ami ou même un voisin sympathique pourrait faire l'affaire. Avant de savoir ce qu'on recherche vraiment, il faut d'abord distinguer ses besoins de ses désirs. Dans ce but, remplissez l'auto-évaluation 3 et n'oubliez pas de prendre tout votre temps pour répondre, car il s'agit avant tout d'apprendre quelque chose sur vous-même.

AUTO-ÉVALUATION 3

LA DIFFÉRENCE ENTRE MES BESOINS ET MES DÉSIRS

- Mes besoins, c'est ce qui est indispensable à ma survie.
- Mes désirs, c'est ce que je préfère avoir pour être bien dans ma peau.
  - Mes plus grands besoins sont…
  - Mes plus grands désirs sont…
- Si je n'arrivais pas à satisfaire ces besoins, il m'arriverait…
- Si je n'arrivais pas à combler ces désirs, il m'arriverait…

Après avoir rempli le questionnaire d'auto-évaluation 3, la plupart des gens prennent mieux conscience de ce qui est vraiment indispensable pour eux dans la vie. Ils découvrent souvent que leurs besoins sont assez limités tandis que leurs désirs sont considérables. Par exemple, une femme qui a soif d'amour et d'affection peut en arriver à coucher avec des tas d'hommes pour remplir son vide physiologique fondamental. Elle peut se faire croire qu'elle a *besoin* de sexe mais en réalité elle *désire* seulement être désirée. Le *désir* peut parfois être si fort qu'il finit en effet par ressembler à un *besoin*. Il n'est donc pas toujours facile de distinguer les deux. Beaucoup de femmes s'y efforcent pendant des années sans y parvenir. Et c'est justement parce que c'est si difficile qu'il faut y faire attention… et réussir à surmonter cette difficulté. Si nous parvenions vraiment à identifier nos besoins, plus souvent qu'autrement, nous arriverions à les satisfaire.

J'avais été vraiment naïve de me marier pour avoir quelqu'un qui s'occupe de ma voiture: j'aurais pourtant facilement pu conduire moi-même la voiture au garage. Dépendre d'un homme pour des choses qu'elle pourrait faire elle-même donne à une femme un faux sentiment de sécurité. Cela lui crée également toutes sortes de besoins et le problème, c'est qu'une femme ainsi accablée de besoins projette une impression d'avidité désespérée, laquelle souvent éloigne d'elle précisément l'âme sœur qu'elle voudrait attirer. Les femmes doivent absolument se persuader qu'elles peuvent survivre sans être en couple. Certes, pour la plupart d'entre nous, il est plus facile et plus agréable d'avoir un partenaire avec qui partager nos succès et nos échecs quotidiens. Mais avoir un homme dans notre vie est davantage un luxe qu'une nécessité. Et, bien entendu, avoir le *mauvais* homme, c'est l'enfer absolu.

Une femme devient bien plus séduisante quand son comportement, au lieu d'être une recherche avide basée sur ses *besoins,* se transforme en un comportement fondé sur ses *désirs*, avec la décontraction que cela entraîne. Et ce principe vaut pour tous les aspects de la vie, qu'il s'agisse d'une entrevue pour un emploi, d'une négociation en vue d'un achat ou tout simplement d'un flirt. La connotation du désir, contrairement à celle du besoin, c'est que si la personne ou la chose que nous voulons n'est pas disponible, cela ne nous empêchera pas de vivre.

Demander ce dont on a besoin… et ce qu'on désire

Une fois que vous avez déterminé ce que vous voulez, il va falloir franchir l'étape suivante: le demander. Tant que vous ne demanderez pas la place près du hublot, on vous donnera le siège du milieu. Demander ce qu'ils veulent représente un problème pour bien des gens. Les cours de formation à la vente apprennent spécifiquement aux futurs vendeurs à *demander* qu'on leur passe une commande. Mais les femmes semblent particulièrement affligées de cette incapacité à exprimer leurs désirs et subissent les conséquences de cette inhibition. Elles craignent peut-être de voir leurs demandes rejetées, ou de se faire accuser d'une trop grande agressivité ou, pis encore, de ne pas se faire aimer. Mais tant qu'on ne demande pas ce qu'on veut, on donne l'impression de ne pas croire qu'on *mérite* de l'avoir.

Chère docteure Gilda,
Je suis une femme libérée de vingt-cinq ans et je prends la pilule depuis deux ans c'est-à-dire depuis que je suis avec mon ami. Cela commence à devenir onéreux et je pense qu'il devrait partager les coûts avec moi. Le problème, c'est que je ne le connais pas suffisamment bien pour parler d'argent avec lui.

Au premier abord, cela peut paraître comique. Mais c'est l'exemple d'une femme qui, loin d'être libérée, éprouve manifestement beaucoup de difficulté à communiquer. Connaître intimement un homme depuis deux ans et ne pas être suffisamment à l'aise pour discuter de contraception avec lui? Vraiment! J'entends souvent évoquer cette difficulté par des femmes qui manquent trop de confiance en elles-mêmes pour assumer la responsabilité de leur sexualité. Quoi qu'il en soit, leurs lamentations à propos d'une grossesse accidentelle m'attristent terriblement. Dans une région moins extrême du spectre, je pense aussi à la réticence des femmes à dire ce qu'elles pensent quand elles se retrouvent aux prises avec la moitié de l'addition. Elles se sentent trop intimidées pour dire: «Mais c'est toi qui m'as invitée au restaurant!» Voilà, c'est ça le genre de craintes que nous avons, nous les femmes. Nous avons peur de nous exprimer et de faire ainsi le faux pas fatal qui va nous faire perdre cet homme dont nous sommes persuadées avoir *besoin* pour traverser les tempêtes de la vie. Alors nous tenons notre langue sur des choses qui vont d'une simple addition au restaurant à des questions beaucoup plus importantes, comme la contraception. Tout le problème est là: si nous permettons à nos craintes de nous paralyser pour de petites choses, elles vont très certainement nous empêcher d'exprimer nos désirs sur les questions importantes. Ces femmes qui se montrent incapables de demander ce qu'elles méritent sont celles à qui je dis de *prendre leur vie en main.* Et je sais de quoi je parle: tant que je n'ai pas réussi moi-même à prendre la parole, je n'ai tout simplement pas eu de vie à moi.

Avant qu'une rencontre aboutisse à une relation durable, toute femme a la responsabilité de faire connaître ses désirs, et encore plus ses besoins, à son partenaire. Si elle ne le fait pas, elle se prépare des désappointements perpétuels, car elle va toujours chercher à satisfaire les désirs et les besoins de son partenaire au détriment d'elle-même.

Dans l'auto-évaluation 4, vous allez vous exercer à demander ce dont vous avez *besoin* puis à demander ce que vous *désirez*. L'objectif, ici, est triple: 1) vous exercer à demander ce que vous pensez mériter, que ce soit un besoin ou un désir; 2) vous faire entendre la différence qu'il y a dans votre voix selon qu'il s'agit de l'un ou de l'autre; et 3) vérifier la réaction de celui qui vous écoute. Quand vous avez *besoin* de quelque chose, il y a dans votre voix une urgence qui alerte votre interlocuteur et le pousse à agir immédiatement. Mais s'il sent que vous mettez la même insistance dans tout (désirs comme besoins), il vous accusera bientôt d'être capricieuse et exigeante pour des choses qu'il ne juge ni importantes ni urgentes. C'est une façon sûre d'écarter tout homme intéressant.

AUTO-ÉVALUATION 4

COMMENT EST-CE QUE JE DEMANDE CE DONT J'AI BESOIN ET CE QUE JE DÉSIRE

Demandez à chacune des personnes suivantes une chose que vous avez négligé de leur demander dans le passé. Demandez-la d'abord comme s'il s'agissait d'un désir, puis comme s'il s'agissait d'un besoin. Même si votre demande vous semble exagérée, songez qu'elle est importante pour vous. Et que si vous ne demandez rien, vous n'aurez rien.

1. Demandez quelque chose à votre partenaire.
2. Demandez quelque chose à votre patron.
3. Demandez quelque chose à un étranger.

- Comment avez-vous vécu ces situations?
- Le ton de votre voix donnait-il une impression d'urgence? Trop?
- Quelles ont été les réactions des personnes interpellées?

Avez-vous eu de la difficulté à faire l'auto-évaluation 4? Avant d'y arriver, il est important d'avoir appris à distinguer vos besoins de vos désirs grâce à l'auto-évaluation 3, de façon à pouvoir identifier vos exigences les plus immédiates et les plus importantes. Vous aurez constaté que vos besoins sont en définitive peu nombreux. Mais au cas où vous auriez pris un *désir* pour un *besoin*, l'auto-évaluation 4 vous a permis de voir la façon dont vous vous y êtes prise pour demander l'un et l'autre, et cela devrait vous aider à les différencier. Et vous aurez vu la réaction des personnes à qui vous vous êtes adressée. Si vous avez exprimé un désir de la même façon que vous avez exprimé un besoin, avez-vous remarqué comme votre interlocuteur s'est crispé? Avez-vous pris conscience que vous deviez baisser le ton et parler de façon plus détendue quand vous demandiez quelque chose simplement pour vous sentir mieux? Votre interlocuteur se montre davantage porté à satisfaire vos désirs quand vous êtes capable de les communiquer avec calme.

Une femme qui suivait un de mes ateliers m'a raconté comment elle avait transmis à sa fille mes recommandations sur la façon de demander les choses. Au comptoir de son *fast-food* préféré, l'enfant avait choisi son repas et commandé elle-même. Une fois attablée, la fillette s'est mise à se lamenter: «Mais j'avais droit à une tasse en prime avec mon repas!» Sa mère n'en savait trop rien, mais elle a dit à l'enfant de retourner à la caisse et de réclamer sa tasse. L'enfant, intimidée, a refusé. La mère lui a demandé: «Est-ce que tu as *besoin* de cette tasse?» Sa fille a répondu que non. Mais elle était frustrée: manifestement, elle *désirait* cette tasse.

Mon étudiante aurait pu régler la question rapidement, mais elle a tenu à ce que sa fille demande elle-même ce qu'elle voulait. Finalement, la petite fille s'est levée et s'est placée timidement devant le comptoir. Elle a murmuré sa demande à voix si basse que la caissière a été obligée de la faire répéter. Eh bien, même si la réponse a été que le repas qu'elle avait commandé ne donnait pas droit à une tasse, la mère a remarqué qu'en revenant à table, sa fille marchait plus vite et se tenait plus droit. Elle a déclaré avec bonne humeur: «Maman, la prochaine fois, pour avoir une tasse gratuite, il va falloir que je commande un plus gros repas.» Elles ont ri toutes les deux et mon étudiante s'est rendu compte que sa fille venait d'apprendre une leçon importante et que cela n'avait rien à voir avec le fait d'avoir ou non une tasse gratuite. Il n'est jamais trop tard — ou trop tôt — pour apprendre à demander ce dont on a besoin et ce qu'on veut.

Si vous n'exprimez pas vos besoins et vos désirs librement, vous ne communiquez pas honnêtement. Les désirs enfouis ne disparaissent pas vraiment, ils refont finalement surface sous une autre forme, par exemple en vous faisant perdre votre calme lors d'une discussion à propos de tout autre chose, ou en accumulant la colère dans votre corps au point de vous pousser à trop manger ou trop boire. Vous souvenez-vous de Christine, notre gestionnaire du chapitre 2? Le tort de cette femme, c'était de ne pas demander. Et elle continue de vouloir préserver la paix à tout prix en ne demandant pas à son mari Henri ce qui lui revient de droit: sa liberté personnelle. Elle a récemment abandonné un emploi pourtant bien rémunéré pour mieux se mettre au service de ses quatre enfants turbulents et d'un mari qui se plaint toujours. Cela n'a fait qu'accroître sa dépendance économique et ajouter une nouvelle barrière à l'acquisition d'une saine estime de soi. Elle s'est laissée grossir. Avec cinquante kilos en trop, elle s'enferme dans un corps qui ne fait que refléter son lugubre mariage. Mais elle a peur de faire des vagues parce qu'Henri menace souvent de partir. Elle est profondément convaincue que les enfants et elle ont *besoin* de lui et qu'elle doit lui obéir si elle veut qu'il rentre à la maison tous les soirs. Pour gagner un peu d'argent de poche, elle a commencé à travailler à la pige pour de grosses compagnies comme celle dont elle a démissionné.

Voici comment Christine décrit une conversation typique avec son mari:

> *Henri m'a dit aujourd'hui qu'il prévoyait prendre congé lundi. Il m'a demandé si on ne pourrait pas faire quelque chose ensemble.*
>
> *Je lui ai répondu que le lundi, notre fils rentre plus tôt de l'école et que j'en profite pour garder la plus jeune avec moi toute la journée. Même si je pouvais me libérer, je n'ai pas de gardienne alors il faudrait que nous emmenions la petite avec nous. «Au fait, lui ai-je dit, je me demandais justement si tu ne pourrais pas garder les enfants à trois heures et demie, pendant que je vais rencontrer un de mes rares clients payants.»*
>
> *Henri a répondu: «Je ne vais tout de même pas gaspiller un de mes jours de congé à garder les enfants pour que tu puisses rencontrer tes clients!»*

Depuis qu'ils sont mariés, les demandes de Christine à son mari ont toujours été formulées de la sorte: elle se demande s'il ne pourrait pas et elle aimerait bien qu'il puisse. Jamais elle n'évoque ses propres besoins, ses propres désirs. Conséquemment, l'aide dont elle aurait eu besoin de la part de son mari n'est jamais venue. Elle n'en a pas demandé parce qu'elle ne croyait pas en mériter. De la même façon, depuis qu'elle a commencé à travailler à son compte, son affaire ne va pas fort: ses clients ne paient pas parce que son comportement avec eux est exactement le même qu'avec Henri.

Comme son mari rejetait constamment ses demandes en niant l'importance de son travail (et l'éventuelle indépendance économique qui pourrait en résulter), Christine a tout simplement arrêté de demander. À la place, elle a enfoui ses demandes et sa colère dans son corps devenu obèse.

Un soir, une des rares amies de Christine l'a appelée, après une journée épuisante au travail, pour lui proposer d'aller prendre un verre ensemble pendant qu'Henri garderait les enfants. Christine était en train de préparer à souper. Elle a chuchoté dans le récepteur qu'elle rappellerait plus tard. Quand elle a effectivement rappelé, c'était pour dire: «Désolée, j'aurais bien aimé te voir, mais le chef a dit non.»

Le lendemain, cette amie lui a apporté les auto-évaluation 3 et 4. En les remplissant, Christine s'est rendu compte à quel point elle en était venue à s'oublier. Elle a réalisé qu'elle avait des problèmes. Elle revoyait ses hésitations chaque fois qu'il s'agissait de demander une soirée de sortie. Et maintenant, son obésité l'épuisait. Ses chamailleries constantes avec Henri la vidaient de ses forces. Pouvoir passer quelques heures loin de la famille avait peut-être déjà représenté pour elle un simple *désir*, mais maintenant c'était devenu un véritable *besoin*. Elle s'est souvenue des sept années qu'elle avait passées sans la moindre autonomie financière. Pis encore, elle s'est aperçue que, dans son mariage, presque rien n'avait changé depuis lors. Elle a également compris que sa vie ne faisait qu'empirer au lieu de s'améliorer au fil des ans.

Ce soir-là, Christine a demandé à son mari si elle pouvait s'absenter pour quelques heures, mais cette fois, sa façon de communiquer était décidément différente. Elle n'a pas pris le ton pleurnichard qui est celui d'une femme perpétuellement en train de quémander. Elle est restée calme et concentrée et s'est montrée très ferme. Elle a *fait part* à Henri de son besoin de changer de décor. Elle lui a *annoncé* qu'elle rentrerait avant minuit. Oui, c'est vrai, c'était encore une demande, car elle avait besoin qu'il accepte de rester à la maison avec les enfants. Mais sa demande était formulée avec une telle force qu'elle sonnait comme si sa décision était déjà prise. C'était d'ailleurs le cas. Quand elle est partie ce soir-là, après souper, rencontrer une amie pour la première fois depuis très longtemps, elle a fermé la porte derrière elle avec un sourire de satisfaction. Et pour la première fois aussi depuis très longtemps, Henri est resté là, complètement abasourdi. C'est incroyable de voir avec quelle rapidité un homme *reçoit le message* dès qu'une femme revendique son pouvoir et dresse le décor de sa croissance personnelle. Peu importe qu'il se soit agi d'un besoin — en l'occurrence, c'était ça — ou d'un simple désir, Christine commençait à demander ce qu'elle était enfin persuadée de *mériter*.

Nous obtenons toujours ce que nous croyons mériter

Au fond d'eux-mêmes, bien des gens croient qu'ils ne méritent pas d'avoir ce dont ils ont besoin ou ce qu'ils désirent. Chaque individu a son propre niveau de mérite qui donne la mesure de ce que, en fin de compte, la vie lui apporte. J'ai découvert pour la première fois ce que voulait dire «niveau de mérite» en formant du personnel de vente lors d'un séminaire. J'ai demandé aux participants d'inscrire sur une carte le salaire qu'ils croyaient devoir mériter l'année suivante. Nous avons placé les cartes dans des enveloppes cachetées, je les ai ramassées et, un an plus tard, nous nous sommes revus. Plusieurs d'entre eux avaient oublié qu'ils s'étaient livrés à cette activité. Mais quand j'ai eu redistribué les cartes, ils ont été stupéfaits de voir qu'à peu de chose près, ils avaient gagné ce qu'ils avaient prédit.

J'ai continué à intégrer cet exercice dans les ateliers que je donne, en particulier quand ils portent sur les objectifs personnels, et les résultats ont toujours été les mêmes. Nous récoltons toujours ce que nous *croyons mériter*, rien de plus, rien de moins.

On finit toujours par recevoir ce qu'on croit mériter.

Ce que j'appelle votre niveau de mérite, c'est cette sorte de filage électrique qui détermine vos limites et commande le respect. Il fait connaître aux autres votre territoire, les choses auxquelles vous tenez, si bien qu'ils peuvent savoir où se situer par rapport à vous, à vos valeurs. Quand vous projetez votre valeur et ce que vous méritez, les gens inconsciemment vous traitent comme vous leur «dites» de le faire.

C'est donc ce que vous croyez mériter qui va déterminer la façon dont vous vivrez votre vie. Remplissez l'auto-évaluation 5 et découvrez comment votre niveau de mérite va déterminer votre avenir.

AUTO-ÉVALUATION 5

MON NIVEAU DE MÉRITE

Dressez la liste de tout ce que vous faites en une semaine et qui exige plus de dix minutes de votre temps.

1. Soulignez une fois tout ce que vous faites pour VOUS.
2. Soulignez deux fois tout ce que vous faites pour VOTRE PARTENAIRE.
3. Soulignez trois fois tout ce que vous faites pour VOS ENFANTS.
4. Encerclez tout ce que vous faites en rapport avec LA MAISON.
5. Identifiez d'un X tout ce que vous faites pour d'AUTRES PERSONNES.

- Auquel des cinq points consacrez-vous le plus de temps?
- Est-ce ainsi que vous avez besoin de passer votre temps?
- Est-ce ainsi que vous désirez passer votre temps?
- Comment pensez-vous mériter de passer votre temps?

Cette auto-évaluation est importante: elle va vous permettre de déterminer comment vous répartissez votre temps et cette répartition du temps claironne ouvertement la valeur que vous vous attribuez à vous-même. Est-ce que cela vous surprend? Quand je donnais des cours de gestion du temps à des cadres de grandes compagnies, les gestionnaires de haut niveau étaient stupéfaits de constater que leur emploi du temps en disait plus long sur eux que toute description qu'ils pouvaient donner d'eux-mêmes. Christine, par exemple, après avoir rempli cette auto-évaluation, a découvert qu'elle passait le plus clair de son temps à faire des choses pour ses enfants, pour la maison et pour Henri. Manifestement, elle avait toujours du temps pour les besoins des *autres*. Bien sûr, quand on tient maison, une partie de ce temps est obligatoire. Mais Christine ne se ménageait aucun temps pour des activités qui lui donneraient du plaisir à elle. En ne s'incluant pas dans la liste, elle lançait le message qu'elle n'avait aucune importance, qu'elle ne comptait pas et qu'elle méritait peu de choses quant au temps que les autres pouvaient lui consacrer.

Il est indispensable d'avoir un niveau de mérite élevé quand on cherche l'âme sœur et qu'on désire une relation durable. On voit bien comment le piètre niveau de mérite de Christine a entraîné le manque de respect avec lequel Henri la traite. Christine est assez intelligente pour s'être rendu compte que son conjoint la dépréciait et elle est furieuse contre lui depuis des années. Mais comme il lui manquait un haut niveau de mérite, sa colère ne l'a pas rendue plus forte, comme cela aurait été le cas pour d'autres femmes qui auraient su interpréter leur détresse comme un signe que quelque chose doit changer. Au contraire, la fureur de Christine l'a conduite à se bourrer de nourriture et à devenir obèse. Peut-être a-t-elle cherché à punir Henri en devenant moins séduisante pour lui. Ou peut-être son surplus de poids représentait-il une protection contre une frustration et une douleur pires encore. Quoi qu'il en soit, son estime de soi était en lambeaux.

Comme Christine, beaucoup de femmes commencent par être la fille de quelqu'un, puis deviennent la femme de quelqu'un, sans jamais découvrir qu'elles sont elles-mêmes *quelqu'un*, d'abord et avant tout. Tant qu'une femme ne s'est pas définie avec fermeté comme étant *quelqu'un*, elle ne sait pas, d'une part, qu'elle *mérite* quelque chose et elle ne comprend pas, d'autre part, *les choses* qu'elle mérite. En rebondissant d'une relation malheureuse à l'autre, ou bien elle demande trop timidement ce qu'elle veut, ou bien elle ne demande rien du tout. La conséquence est qu'elle n'obtient jamais ce qu'elle aurait pu avoir si seulement elle avait formulé sa demande avec suffisamment de force.

Toutes les femmes émotionnellement brisées et physiquement abusées avec qui j'ai travaillé étaient en déficit sur le plan du niveau de mérite. Chacune avait, pour une raison ou pour une autre, conclu qu'elle ne *méritait* rien de plus de la part d'un homme que le genre de traitement qu'elle avait reçu. Je pense à une femme que j'ai rencontrée sur un plateau de télévision: elle venait d'apprendre que son mari avait commis l'adultère. Sur le coup, elle a été atterrée et a fondu en larmes. Puis elle est vite retombée sur ses pieds: «Tous les hommes trompent leur femme», a-t-elle déclaré. Or, c'est précisément parce qu'elle croyait d'emblée que «tous les hommes trompent leur femme» qu'elle a épousé un homme adultère. Si bien que, malgré la peine que lui a causée cette découverte, elle s'est résignée en se disant que l'amour — et les hommes — sont comme ça. Elle se contentait manifestement du genre d'homme qu'elle se trouvait digne d'attirer. On reçoit toujours ce qu'on croit *mériter*.

Malheureusement, cette femme n'est pas la seule à avoir laissé tomber ses propres besoins et ses propres désirs parce qu'elle pensait ne pas mériter mieux. C'est pourquoi toutes celles qui, comme moi, servent de modèles doivent absolument fixer de nouvelles normes. Quand nous comprenons pourquoi nous attirons les hommes que nous attirons, nous prenons conscience que nos vieux schèmes de comportement ne doivent pas être remis sans cesse sous les yeux de celles qui constatent notre détresse. La seule façon de briser le moule des comportements négatifs consiste à se donner des modèles de comportements plus positifs. C'est ainsi que Christine a reproduit le modèle du mariage malheureux de ses parents (une mère qui faisait tout et un père absent sur le plan émotif, qui se plaignait tout le temps), mais qu'elle a réalisé que ses enfants devaient dorénavant avoir une plus belle image de l'amour.

Bien qu'elle doute encore de sa capacité d'être aimée, avec l'aide des auto-évaluations proposées ici, Christine commence à s'interroger non seulement sur les raisons qui la poussent à manger exagérément, mais aussi sur les choses et les personnes dont elle a vraiment besoin dans sa vie. Elle commence à faire la différence entre ses *besoins* et ses *désirs*. Elle commence à comprendre que lorsque nous reléguons nos propres exigences au dernier plan, tout le monde fait pareil.

 *On enseigne ce qu'on accepte.*

Devenir une femme sûre d'elle-même

Voici une petite idée en passant: non seulement méritez-vous de recevoir de bonnes choses de la vie, mais c'est à vous de déterminer quelles sont ces bonnes choses. Après avoir évalué votre niveau de mérite, il est maintenant temps d'évaluer votre volonté de vous hisser au premier rang. Si vous trouvez que vous méritez de consacrer un certain temps à la satisfaction de vos besoins et de vos désirs, vous devriez aussi n'éprouver aucune gêne à leur accorder la priorité absolue quand c'est nécessaire. C'est une chose particulièrement difficile pour les femmes qui pensent qu'en faisant passer leurs propres priorités avant celles des autres, elles font preuve d'égoïsme. Et ce n'est pas un joli mot dans une société qui fait des femmes des nourricières censées être là avant tout pour les autres. Éprouvez-vous de la gêne à satisfaire quelquefois vos propres besoins et vos propres désirs avant ceux des autres? Pour le savoir, dressez la liste de vos occupations quotidiennes comme vous le propose l'auto-évaluation 6.

Savoir passer en premier

AUTO-ÉVALUATION 6

EST-CE QUE JE SAIS QUAND PASSER EN PREMIER?

Divisez une feuille de papier en deux colonnes et suivez dans l'ordre chacune des quatre étapes suivantes:

1. Dans la colonne de gauche, avec la main dont vous vous servez généralement pour écrire, écrivez «je passe en premier».
2. Dans la colonne de droite, avec votre autre main, écrivez le commentaire qui vous vient en tête.
3. Dans la colonne de gauche, avec la main dont vous vous servez généralement pour écrire, écrivez «je passe en premier».
4. Dans la colonne de droite, avec votre autre main, écrivez le commentaire qui vous vient en tête.

Répétez cet exercice jusqu'à ce que vous soyez à court de commentaires dans la colonne de droite.

La main dont vous vous servez pour écrire représente votre moi conscient.

Votre autre main représente votre inconscient.

- Que vous dit votre inconscient dans la colonne de droite?
- Est-ce que vous vous faites vraiment passer en premier?

Qu'avez-vous appris sur la façon dont vous vous traitez vous-même? Quelles sont vos réticences à faire passer vos priorités avant celles de ceux que vous aimez?

Voici quelles furent les réponses de Christine à l'auto-évaluation 6:

COLONNE DE GAUCHE	COLONNE DE DROITE
(Voix du conscient)	(Voix de l'inconscient)
«Je passe en premier.»	«Non, je ne peux pas faire ça.»
«Je passe en premier.»	«Ça ne serait pas juste pour ma famille.»
«Je passe en premier.»	«Ça serait de l'égoïsme.»
«Je passe en premier.»	«Henri me tuerait.»
«Je passe en premier.»	«Henri me quitterait.»

Cet exercice a montré à Christine ce qu'elle ressentait au fond d'elle-même à propos de cette question. Elle a reconnu qu'elle trouvait cela «égoïste». Dans la colonne de droite, la main dont elle ne se servait jamais pour écrire lui rappelait que ses enfants et son mari devaient constituer ses priorités, qu'il fallait qu'elle oublie ses propres besoins, ses propres désirs. Parce qu'elle avait toujours été là quand quelqu'un avait besoin d'elle, personne n'avait jamais osé l'accuser d'«égoïsme». Mais pendant l'exercice, sa peur inconsciente a crié haut et fort que si elle apportait le moindre changement à sa vie, quelqu'un finirait par utiliser cet horrible mot à son sujet. Ce que son éducation lui avait appris, ce qu'elle avait elle-même véhiculé toute sa vie, c'est que pour être aimée, une femme doit faire fi de ses propres besoins. Si elle ne le fait pas, on l'*abandonnera.* Elle se sentait confirmée à ce sujet en voyant Henri menacer de partir chaque fois qu'elle exprimait ses besoins et ses désirs.

Maintenant que Christine connaissait les raisons cachées de son comportement, elle se retrouvait devant les conséquences qu'elle aurait à affronter si elle changeait de comportement. Le changement est une des choses les plus difficiles à affronter dans la vie. Personne ne veut abandonner la «sécurité» qu'il croit avoir. La peur constante d'être abandonnée allait fourrer son vilain nez dans les affaires de Christine et elle allait devoir apprendre à exorciser ses démons. Il faudrait constamment lui rappeler qu'elle avait passé plus de trente ans de sa vie à se bâtir elle-même ce genre de vie et que cela prendrait sans doute du temps à le défaire. Il lui faudrait de la patience. C'est la pierre d'achoppement de beaucoup de femmes. Dans ce monde aseptisé et homogénéisé qui est le nôtre, nous avons souvent l'impression qu'il suffit d'un rien pour effacer nos taches et nos rides. Et hop! nous voilà reparties, tout nouveau, tout beau, la même personne en mieux. Non, le changement demande du temps.

Christine a refait ses auto-évaluations régulièrement et elle a commencé à observer un certain changement dans ses réponses. Finalement, elle s'est sentie mieux dans sa peau. Mais au moment même où elle commençait à s'épanouir, elle s'est retrouvée face à face avec une crainte qu'elle n'avait pas encore rencontrée.

Un soir, à table, elle a annoncé à Henri qu'elle avait besoin de lui pour garder les enfants. Elle voulait assister à un important cocktail où elle s'était entendue pour rencontrer un client potentiel. Sans avertissement aucun, son mari a lancé sa fourchette à l'autre bout de la table. Il s'est écrié: «Christine, je n'ai rien dit quand tu t'es embarquée dans tes rêves à la noix à propos de ton boulot débile. Mais depuis quelque temps, je ne sais pas ce qui t'arrive. Tu es devenue la femme la plus *égoïste* que je connaisse.»

Et voilà! Le mot obscène — «égoïste» — venait d'être lâché par son mari! Pour la plupart des femmes, ce mot est comme un fer rouge. Quand nous l'entendons, nous nous mettons presque invariablement sur la défensive. Et nous avons alors tendance à *réagir* défensivement. Cette réaction est destructive parce qu'elle confirme les propos de notre agresseur. Le cycle se répète encore et encore, et nous nous retrouvons souvent aussi frustrées que nous l'étions avant d'avoir demandé ce dont nous avions besoin. En réalité, en reléguant ses propres besoins et ses propres désirs au dernier rang, Christine avait été plus oublieuse d'elle-même que généreuse. Après tout, peut-être que le qualificatif d'«égoïste» était plus salutaire qu'autre chose dans son cas.

Il y a un autre point à souligner dans l'échange entre Christine et Henri: de même que nous recevons toujours ce que nous croyons mériter, le comportement que nous *acceptons* de la part des autres équivaut à la façon dont nous les habituons à nous traiter. Beaucoup de femmes acceptent les colères et l'ironie de leur mari parce qu'elles pensent que le type est en train de perdre les pédales et que l'orage émotionnel va bientôt passer. Je connais un homme qui avait dit à sa nouvelle fiancée que, sur les conseils de sa propre mère, son ex-femme avait l'habitude d'ignorer ses crises de colère et d'attendre que ça passe;

et c'est ce qu'il conseillait à sa prochaine épouse de faire. Mais en ne mettant pas le holà à toute agression verbale dès qu'elle commence à se produire, le message qu'on fait passer c'est que l'autre peut très bien continuer à se comporter ainsi. Le partenaire se rassure que son comportement est parfaitement correct parce qu'on ne lui a pas manifesté le contraire. Ce que je veux dire ici, c'est qu'en aucune circonstance et sous n'importe quelle forme, une femme *ne doit accepter* qu'on lui manque de respect; elle ne doit jamais, par son attitude complaisante, enseigner à son mari que c'est un comportement normal dans un couple. Il faut qu'elle tue ce comportement dans l'œuf dès qu'elle le perçoit. Il ne dépend que de vous de faire de votre vie quelque chose de bien. Il ne dépend que de vous d'être quelqu'un de bien!

Je suis la vedette!

Pour projeter sur les autres votre niveau de mérite, *apprenez à faire votre propre réclame.* Pour s'y exercer, j'ai l'habitude de recommander à mes clientes de se fabriquer une sorte de film publicitaire dans lequel elles vont demander ce qu'elles croient mériter. En général, se vanter est une chose qui ne nous a pas été enseignée. En fait, on nous aurait plutôt inculqué le contraire. Dès l'enfance, nous avons appris à réfuter les compliments quand nous avions la chance d'en recevoir. Pas étonnant que nous nous plaignions de ne pas en recevoir assez à l'âge adulte. J'ai pris conscience de cela un jour où j'ai dit à une petite fille de trois ans qu'elle était très jolie. Effrontément mais en toute innocence, elle m'a répondu: «Je sais.» Sa mère s'est empressée de la réprimander pour s'être montrée «prétentieuse». Le message que la mère envoyait à sa fille, c'était de se montrer plus modeste, de ne pas jouer la vedette. La petite fille a eu l'air perplexe. Pour ne pas contredire la mère devant l'enfant, j'ai cligné de l'œil en lui disant: «La seule chose à faire dans ces cas-là, c'est de sourire et de dire "merci". Comme ça tout le monde saura que tu sais que tu es quelqu'un de spécial.»

Et nous, les adultes, comment fait-on pour laisser entendre que l'on sait être quelqu'un de spécial? Comment allons-nous faire passer le message que nous «méritons» des choses sans avoir l'air de les «exiger»? Le truc, c'est d'arriver à vanter ses qualités sans les enfoncer à coups de marteau dans la tête de son interlocuteur. En d'autres mots, il faut apprendre à:

 *Projeter un ego de fer avec des manières de velours.*

Il est maintenant temps de mettre à l'épreuve les habiletés que vous avez acquises dans ce chapitre. Remplissez l'auto-évaluation 7 qui vous demande de tenir la vedette dans votre propre publicité. Cela va prendre trente secondes. Mais, en vérité, il est plus difficile de faire une publicité de trente secondes sur vous que de faire une présentation d'une heure sur tel ou tel aspect de votre travail. Dans ce court laps de temps, vous allez projeter l'essentiel de vous-même. Comme dans les véritables publicités télévisées, trente secondes c'est bien assez pour vanter les qualités de votre produit. Dans ce bref trente secondes, vous pouvez vous faire apprécier de quelqu'un et peut-être même vous faire aimer avec le temps. Exercez-vous souvent, jusqu'à ce que vous soyez parfaitement à l'aise. Il s'agit de vraiment laisser parler votre âme, de donner une image vraie et authentique de ce que vous êtes. Même si cela vous gêne au début, faites comme si vous vous sentiez parfaitement à l'aise. Le système nerveux ne fait pas la différence entre ce qui est vrai et ce qui est imaginaire. Alors simulez jusqu'à ce que vous ressentiez.

 *À la longue, votre masque devient votre âme.*

AUTO-ÉVALUATION 7

MON MESSAGE PUBLICITAIRE

Utilisez un chronomètre. En l'espace de trente secondes, la durée moyenne d'une annonce publicitaire, sachez retenir l'attention avec quelque chose de positif sur vous-même. Votre objectif est de faire en sorte qu'on se souvienne de vous et qu'on parle de vous ensuite. Prenez-vous un témoin ou enregistrez-vous sur vidéo.

1. Quelle impression retirez-vous de l'expérience?
2. Est-ce que les trente secondes ont suffi? Est-ce que c'était trop?
3. Comment vous sentez-vous quand vous faites ainsi votre propre publicité?
4. Si vous étiez votre témoin, est-ce que vous vous souviendriez de vous? Est-ce que vous parleriez de vous ensuite?

Rejouez ce scénario aussi souvent que possible jusqu'à ce que cela devienne une seconde nature. Plus vous serez capable de vous vendre, plus vous allez augmenter votre niveau de mérite et plus vous serez à l'aise pour exprimer vos besoins et vos désirs. Le fameux film ***Le Champ des rêves*** nous a appris que si nous arrivons à construire le décor pour notre prince, il finira par venir. Mais comment saurait-il que nous sommes là, quelque part, si nous ne nous affichons pas?

Un jour, j'ai donné à Christine la tâche de se faire valoir auprès de trois personnes différentes. Au début, cela lui a paru terrible et l'idée même de devoir hisser ses propres couleurs lui répugnait; elle avait peur d'être jugée comme prétentieuse et égocentrique. Il a donc fallu que je commence par lui montrer exactement quoi dire: à sa fille de cinq ans, elle devait dire: «Je suis séduisante.» À un nouveau client: «Je suis capable d'améliorer vos relations avec vos clients mieux que quiconque parce que j'ai le talent nécessaire pour assurer le suivi.» Et à son mari: «Quand tu me diras des choses blessantes, je te le ferai savoir.» Elle l'a fait et je lui ai ensuite demandé de s'enregistrer sur vidéo puis de se regarder. Ce processus s'est avéré encore plus douloureux pour elle, comme ça l'est pour tous ceux qui ne sont pas habitués à penser comment les autres les perçoivent. Mais j'ai insisté pour qu'elle répète ces trois phrases encore et encore. Et je lui ai fait enregistrer des conversations imaginaires qui devaient lui servir de tremplin pour lancer ses fameuses phrases. En quelques heures à peine, elle s'est sentie plus à l'aise de dire des choses aimables et positives sur elle-même et se regarder ensuite sur vidéo.

L'auto-publicité est une technique qui s'apprend. La seule chose qu'on risque, c'est de révéler des choses sur soi. En vieillissant, nous avons tendance à ne pas vouloir révéler trop de choses sur nous-mêmes pour ne pas nous rendre vulnérables. Toutes ces années où nous avons été blessées nous ont appris à craindre d'être abandonnées si un homme nouveau découvre notre «moi réel». Alors nous nous protégeons, nous nous cachons, nous prenons du poids, nous portons des lunettes noires, nous nous terrons sous une perruque ou un maquillage extravagants, nous nous habillons trop ou trop peu et nous finissons par abandonner toute honnêteté. Quand nous nous cachons, nous attirons des hommes qui se cachent, des hommes qui ne sont pas honnêtes avec eux-mêmes. N'en avez-vous pas assez de tous ces perdants qui peuplent votre vie? Maintenant que vous avez appris quels sont vos besoins et vos désirs, maintenant que vous admettez que vous méritez d'avoir ce que vous demandez, il est temps de projeter l'image de celle que vous êtes vraiment. Il est temps de projeter votre force.

MESSAGES ÉCLAIR
DU CHAPITRE 3

Demandez ce dont vous avez besoin et persuadez-vous que vous le méritez

- *On attire toujours son semblable.*
- *Quand une chose arrive, c'est toujours pour une bonne raison.*
- *Un homme en train de vivre quelque chose — un divorce, une séparation, une perte, un deuil — est rivé aux deux niveaux les plus élémentaires de ses besoins: besoins physiologiques et besoin de sécurité. Tant qu'il lutte pour sa survie, il reste incapable de s'élever au troisième niveau, le besoin d'amour.*
- *Quand on ne sait pas ce dont on a besoin, on ne peut pas obtenir ce qu'on veut.*
- *On finit toujours par recevoir ce qu'on croit mériter.*
- *On enseigne ce qu'on accepte.*
- *Projeter un ego de fer avec des manières de velours.*
- *À la longue, votre masque devient votre âme.*

Chapitre 4
Projeter une image de force

 *Chacun est responsable de son destin.*

Un superbe mannequin vous fixe à travers la vitre éclatante d'un grand magasin. Son corps parfait est dépourvu de toute sensation, il ne contient pas la moindre vitalité. Aussi splendide soit-il, il n'est rien de plus que la représentation d'une femme. Il manque à la fois de profondeur et de dynamisme. C'est une effigie sans aucun pouvoir. Une femme sans pouvoir est une femme faible. Elle demeure un mannequin pour toujours, à moins que quelqu'un ne lui installe des composantes électroniques pour l'animer, lui donner des pensées, des sensations, de l'énergie.

Beaucoup de femmes vivent des vies de mannequins: elles disent «oui» quand en fait elles pensent «non»; leur opinion est le reflet de celle de tout le monde sauf elles; le rôle de leur vie consiste à manipuler un homme pour qu'il les épouse; leur mission est de servir et d'être utiles. Puis un jour, ayant vendu leur âme pour l'aumône d'une approbation, leurs émotions incontrôlables se transforment en dépression pure et simple. Ce sont les femmes mannequins, les femmes sans pouvoir, les femmes qui court-circuitent leur branchement sur la vie. Elles ne peuvent pas acheter de pouvoir, elles ne peuvent non plus en emprunter. Les hommes qui en ont refusent de leur en céder. Elles n'ont qu'une solution pour avoir du pouvoir: s'en donner elles-mêmes. Pour beaucoup de femmes, acquérir du pouvoir et le garder demeure hors de question, parce que le pouvoir, pour elles, a une connotation négative qui va faire fuir celui qu'elles aspirent à attirer: l'homme.

> *Les hommes ne veulent pas partager le pouvoir. Et pourquoi le feraient-ils? Le pouvoir, c'est formidable. C'est un aphrodisiaque.*
> — *Cathleen Black, présidente de* Hearst Magazines *et ancienne directrice de* USA Today.

ALORS...

Il y a une chose que les femmes doivent apprendre, c'est que personne, jamais, ne vous donne du pouvoir. Il faut le prendre, un point c'est tout.

— Roseanne, vedette de l'émission télévisée du même nom

Nous voilà donc aux prises avec une situation bien difficile. Les hommes ne veulent pas se départir de leur pouvoir. Et pour que les femmes aient du pouvoir, elles doivent s'en créer elles-mêmes. Mais si les hommes pensent être les seuls à y avoir droit et que les femmes entreprennent de le conquérir malgré tout, attention à l'ego blessé du mâle! Un film romantique des années quatre-vingts, ***La Compétition,*** racontait l'histoire de deux pianistes classiques qui tombent amoureux l'un de l'autre alors qu'ils sont rivaux dans un concours. Elle gagne, il perd. Alors il lui annonce qu'ils doivent se séparer. Le fait qu'elle ait gagné empoisonnerait sa vie à lui et leur amour, dit-il. Le professeur de la jeune fille commente avec sagesse qu'il faudra attendre des siècles avant de trouver un homme capable d'accepter que sa femme soit une vedette. En tout cas, vingt ans après ce film, les hommes et les femmes sont encore pris dans ce conflit.

Qui a le plus droit au pouvoir? Et la question doit-elle nécessairement se formuler en termes d'homme ou de femme? Quand votre homme n'obtient pas toute l'attention qui lui revient, attention! Il se pourrait bien que l'avenir de votre mariage s'appelle divorce. L'anthropologue Helen Fischer émet l'hypothèse que les trois mots qui expliquent le taux élevé de divorce dans nos sociétés sont: «femme qui travaille». Sans doute, effectivement, l'indépendance économique permet-elle à une femme d'acquérir son propre pouvoir, tout en la rendant susceptible de se faire considérer comme «difficile à vivre» ou pis encore, comme «une garce». Souvenez-vous de Catherine, notre enseignante. Quand elle s'est mise à reconquérir son pouvoir et qu'elle a divorcé de son mari, celui-ci l'a traitée de «garce», qualificatif qu'il appliquait également à toutes ses amies qui appuyaient sa décision. Cette injure, en particulier devant les enfants, l'a terriblement perturbée, et c'est normal. «Garce» est le nom que portent la plupart des femmes qui se tiennent debout. Imaginez, dans ***Autant en emporte le vent,*** que les rôles eussent été inversés. Scarlett O'Hara aurait dit à Rhett Butler: «Franchement, Rhett, je m'en contrefiche.» Si, de la même façon, toute une génération de femmes avait décidé de jouer les «garces», le cours de l'histoire aurait été différent. De fait, comme le dit le personnage de Stephen King, Dolores Claiborne: «Parfois, être une garce est la seule chose à laquelle une femme puisse se raccrocher.»

Isabelle subissait un véritable tir de barrage de la part d'une ex-petite amie de son mari qui n'arrêtait pas de lui téléphoner. Elle appelait à huit heures du matin les fins de semaine, pour parler à Max de ses problèmes personnels, le considérant manifestement comme «un ami». Max était évidemment flatté et refusait de dire à son ex de ne plus appeler. Comme l'auraient fait la plupart des femmes dans la même situation, Isabelle a prié instamment son mari de faire preuve d'autorité pour que cessent les appels matinaux de son ex-petite amie. Mais je ne sais au nom de quelle logique, Max a tenu tête. À bout de patience, Isabelle a pris les choses en main. Elle a saisi le téléphone pour ordonner à l'intruse de ne plus se manifester. Dans la querelle qui, bien évidemment, s'en est suivi, la femme a traité Isabelle de «garce». Bon! Et pourquoi pas, si cela veut dire qu'Isabelle avait pris le contrôle de la situation?

> *Notre plus grande crainte, ce n'est pas de n'être pas à la hauteur.*
> *Notre plus grande crainte, c'est de devenir puissante au-delà de toute mesure.*
>
> — *Marianne Williamson*

Quel dommage que, de nos jours, trop de femmes craignent encore de projeter l'image de ce qu'elles sont vraiment!

Je venais de faire le plein d'essence et en payant le commis gras et édenté, je lui ai gentiment demandé de bien vouloir vérifier la pression d'un de mes pneus. Il a jeté un coup d'œil distrait à la roue en question, a nonchalamment grommelé qu'elle lui semblait en bon état et s'en est allé avec mon argent. Ça t'apprendra à être gentille, ma fille! Énervée par la façon dont il s'était cavalièrement débarrassé de moi, j'ai ouvert ma glace et j'ai grogné, sur un ton qui n'avait plus rien de charmant, qu'à moi, ce pneu ne paraissait pas en si bon état que ça. *Une vraie garce*! Il ne s'est pas retourné. Cette fois, complètement furieuse, j'ai ouvert ma portière à la volée, je suis sortie et j'ai exigé qu'il vérifie mon pneu. *Une super garce!* Je bouillais littéralement. Sentant venir la tempête, le propriétaire de la station-service est apparu et m'a assurée que son employé «se ferait un plaisir de vérifier *tous* les pneus de madame». Ce qu'il a fait, de mauvaise grâce. Et effectivement le pneu en question manquait d'air. Comme j'étais émotionnellement épuisée de toute cette histoire à propos d'un simple pneu, je n'ai pas songé à considérer ça comme une victoire. Mais j'étais tout de même fière de ne pas m'être laissée avoir et de m'être débrouillée pour obtenir ce que je voulais, même si l'homme qui était censé s'y connaître avait jugé que je n'en avais pas besoin.

En quittant la station-service, j'ai pensé au temps où j'aurais volontiers accepté la parole d'un homme pour une chose aussi importante que ma sécurité. Je me souvenais que des années auparavant, j'avais dit à mon petit ami de l'époque que notre voiture roulait de façon bizarre et qu'il n'en avait pas tenu compte. Mais grâce à mon insistance, et heureusement juste à temps, nous avons découvert que nous roulions sur deux pneus complètement lisses qui auraient pu éclater à n'importe quel moment. Et ça aurait pu nous coûter la vie!

J'ai assumé mon pouvoir et au début on m'a descendue en flammes. Et alors? Même si ce n'est pas une question de vie ou de mort, les femmes ne doivent jamais attendre qu'un homme leur cède une parcelle de pouvoir. Et à celles qui sont moins courageuses et craignent que leur partenaire les rayent de sa vie, je conseille ceci:

 *S'il ne veut pas de vous dans son équipe, formez la vôtre.*

Ce n'est probablement pas un hasard si beaucoup de femmes (moi y compris) se sentent le plus capables d'exprimer leur pouvoir dans l'espace restreint d'une voiture. D'abord, parce que quand on est soi-même au volant, on se sent puissante, on a le contrôle total. Ensuite, on est libre d'alimenter son sentiment de pouvoir avec des idées d'affirmation de soi que personne autour ne viendra démolir. Finalement, si on se retrouve, dans cet espace confiné, à côté d'un homme, on sait qu'il n'a pas d'autres choix que d'écouter sans interrompre. Pourtant, quand j'y réfléchis, je m'aperçois que cette dernière impression de pouvoir peut être tout à fait fausse. Mon obstination à vouloir lui faire entendre raison pendant qu'il conduisait faisait perdre les pédales à mon ex et il en est résulté un volant abîmé dans toutes les voitures que nous avons eues. Même si cette expérience m'a rendue réticente à faire plus tard du covoiturage, j'y ai appris à reconsidérer le pouvoir que j'avais vraiment dans cet espace particulier.

Oui, Roseanne a raison, il n'y a personne pour donner du pouvoir à une femme. Oui, Cathleen Black a raison elle aussi. Les hommes aiment trop leur pouvoir pour le partager. Même Henry Kissinger a dit que le pouvoir était un aphrodisiaque. Bien sûr, il faisait référence au pouvoir des *hommes*. Car pour avoir du pouvoir, les femmes, elles, doivent le prendre, le projeter, exiger des autres qu'ils le respectent. Et si quelqu'un veut nous critiquer, eh bien tant pis! Si ce pouvoir ne dépend de personne d'autre que nous, le fait qu'un homme accepte ou non la façon dont nous nous affirmons n'aura aucune importance. Il nous restera au moins toujours nous-mêmes. Et quand on s'apprécie déjà soi-même, c'est un bon départ. Bien sûr, il y a un prix à payer pour cette prise de contrôle. Mais au bout du compte, la plupart d'entre nous admettraient sans doute que ça en vaut la peine.

Pourquoi ne prenons-nous pas le contrôle quand nous en avons besoin, avant que notre sang ne se mette à bouillir? Il faut parfois qu'on nous pousse à l'extrême limite pour que nous reconnaissions qu'il y a un problème. Ce serait bien plus sain pour nous, les femmes, d'assumer notre pouvoir avant de nous énerver, de façon à pouvoir l'affirmer avec finesse, calmement mais fermement. Mais la plupart d'entre nous ne savent pas comment trouver l'équilibre sur ce point. Au contraire, nous passons sans cesse d'un extrême à l'autre, d'un manque total de pouvoir (ce que j'appelle le rôle de l'hôtesse) à un trop grand contrôle (ce que j'appelle le rôle du contremaître). Chacun de ces rôles a ses mérites en soi, mais aucun des deux ne nous sert vraiment quand il devient un comportement constant.

L'hôtesse et le contremaître

Toutes les femmes évoluées finissent par découvrir qu'elles sont seules en piste. Alors, si nous savons que de toute façon il va nous falloir prendre notre vie en main un jour ou l'autre, pourquoi nous montrer si humbles et ne pas nous donner dès maintenant du pouvoir? Peut-être est-ce de voir nos hommes se désespérer de n'avoir jamais assez de pouvoir qui nous paralyse. Nous les voyons se débattre et se démener avec leur beau casque et leurs belles bottes, pour parvenir à devenir le contremaître de tous les contremaîtres.

L'homme contremaître traditionnel

Dans leur vie professionnelle comme dans leur vie privée, les hommes sont entraînés à projeter leur pouvoir sous la forme d'une apparence extérieure forte et de tâches bien exécutées. En tant qu'êtres humains actifs, ils se définissent par ce qu'ils font pour vivre. Ce qu'ils perçoivent comme le pouvoir se traduit en obligations et en responsabilités. Tout en haut de la pyramide, on trouve les hommes brillants et sans pitié, doués d'une intelligence glaciale et ayant des vues agressives sur le monde. Freud range ces caractères bien organisés et obstinés dans le type «anal». Ce sont les dresseurs de listes de l'hémisphère gauche du cerveau. Les types qui disent aux femmes quoi faire et comment. Leurs décrets comprennent souvent des formules comme «tu ne comprendrais pas», «ça ne te regarde pas» et «je fais ça pour ton bien», un peu comme des parents qui parlent à des enfants.

Certains contremaîtres anaux canalisent dans leur travail des tendances latentes à la violence. Ils peuvent être des prédateurs de la finance qui assassinent tout à fait légalement des compagnies au lieu de tuer des gens. Ou ils peuvent être les petits Narcisse ordinaires dont le but dans la vie n'est pas tant d'aimer quelqu'un que de s'aimer eux-mêmes et d'aimer leur travail. Les contremaîtres font dépendre leur (très discutable) sens de la valeur personnelle de leurs réussites extérieures. Ils protègent leur sensibilité de toute relation significative de peur de paraître faibles. En fait, la plupart des contremaîtres ont une très faible estime personnelle. Les postes de pouvoir au travail ne sont plus la compensation qu'ils ont déjà été. Conséquemment, quand ils perdent brusquement leur poste, ils ont l'impression, à leur grand désarroi, que ce qui les définissait vient de disparaître. Le désir dévorant de faire partie du gratin est maintenant remplacé par la crainte de devenir personne. Que vont-ils faire maintenant?

Le contremaître manifeste souvent son amour sous la forme d'une protection qu'il étend complaisamment sur sa partenaire. Il pense que de naissance, il a le droit de dominer sa femme, qu'il peut la façonner à son image, comme le professeur Higgins l'a fait pour Eliza Doolittle dans ***My Fair Lady***. Ou il peut la placer sur un piédestal, la parfaite plate-forme pour mieux la posséder, bien à l'abri de l'atteinte des autres mortels. Dans sa tête, il pense avoir gagné le cœur d'une femme «parfaite». Au début, cette idéalisation peut sembler très flatteuse à celle qui en est l'objet. Mais c'est une façon détournée, pour un homme au fond dépendant et craintif, de se sentir valorisé en consolidant sa propre estime chancelante. Joseph promenait sa fiancée de trente-cinq ans dans les allées d'un grand hall d'exposition où il parlait constamment pour elle, demandant aux vendeurs d'expliquer leurs produits à «la jeune dame qui est là». Cette fiancée avait déjà derrière elle une belle carrière dans les affaires, mais en compagnie de Joseph, elle était traitée comme son enfant. Quand elle s'est sentie suffisamment sûre d'elle pour résister à son rustre compagnon, elle s'est rebellée et leur relation s'est arrêtée là. Pierre, lui, contrôlait sa femme d'une tout autre façon. Chaque fois qu'ils étaient dans une soirée, il s'accrochait à ses basques pour l'empêcher de parler à d'autres hommes. Il critiquait souvent son rire un peu rauque et la réprimandait devant tout le monde quand elle «ne se comportait pas comme la professeure» qu'elle avait été. Cette femme se sentait emprisonnée. Au moment le plus chaud de leur divorce, elle s'est moquée de lui en lui chantant une petite chanson enfantine sur le bel oiseau qu'on garde en cage et qui finit par s'envoler.

Dès que la femme «parfaite» du contremaître montre une faiblesse humaine quelconque, il se fâche contre elle pour lui avoir détruit son rêve. L'échec de la relation devient inévitable, puisque aucune femme ne peut tenir longtemps sur un piédestal étroit et glissant. Une femme forte finit par se lasser de tout le dorlotement qu'exige un homme de ce type. Fatiguée d'avoir à changer perpétuellement ses couches, elle peut elle aussi montrer de la colère parce qu'elle se sent flouée. Mais en désespoir de cause, le contremaître finira par la remplacer par une autre. Car pour lui *n'importe quelle femme* peut revêtir la signification qu'il attache à la *femme parfaite*. Pauvre contremaître, comme ce doit être lourd à porter, le monopole du pouvoir!

La femme contremaître non traditionnelle

Les leviers du pouvoir chez l'homme sont certainement situés du côté de la performance et de l'accomplissement. Mais qu'est-ce qui satisfait le goût du contrôle chez les femmes? Certes, dans nos cultures, quand on pense au pouvoir, on évoque généralement le sexe masculin. Mais certaines femmes affichent aussi des comportements de contremaître qui pourraient rivaliser avec ceux de n'importe quel homme. Du côté positif, la femme contremaître représente la quintessence de celle qui s'occupe de tout, la faiseuse de liste sur qui on peut toujours compter, l'éternelle organisatrice de soirées. On peut tellement compter sur cette femme que tout le monde vient immanquablement à elle pour se faire aider à remplir les obligations de sa tâche. Mais le côté négatif de cette femme peut être très peu séduisant. Il semble que les gens soient prêts à accepter la notion du «mâle qui contrôle» parce que notre culture assimile le contremaître à la *testostérone.* Mais l'idée d'une «femme qui contrôle» est synonyme — revoici le mot — de «garce» pour les autres femmes et, pire encore, de garce *castratrice* pour les hommes.

Arlette était une femme brillante et le poste qu'elle occupait lui valait d'être très connue dans le quartier cossu où elle et son mari résidaient. Mais le fait que tout le monde sache qu'elle avait grandi dans un quartier pauvre la mettait mal à l'aise. La plupart des hommes se définissent par leur travail et le fait d'épouser une femme d'un milieu socio-économique inférieur n'a guère d'importance pour eux. Les femmes, par contre, ont tendance à se marier «au-dessus de leur condition» pour se sentir mieux avec elles-mêmes. Mais Arlette était une exception. Elle était mariée à un avocat influent et la popularité dont jouissait cet homme charmant aux manières douces ne faisait que l'aiguillonner. Ses honoraires à lui étaient très élevés car on avait souvent recours à son expertise: il gagnait au moins quatre fois le salaire d'Arlette, ce qui représentait une source additionnelle d'insécurité pour elle. Elle cherchait donc désespérément à rétablir l'équilibre du pouvoir dans la perception des gens et cet appétit prenait l'aspect d'une soif de contrôle. Elle se moquait de lui de façon irrespectueuse devant leurs amis et il acceptait ce traitement sans broncher. Mais le paradoxe qui veut que les «femmes qui affichent le plus de besoins sont celles qui reçoivent le moins» n'allait pas tarder à se vérifier une fois de plus. Sans crier gare, il tomba amoureux d'une autre femme, une personne, avoua-t-il, qui le faisait se sentir comme «quelqu'un de spécial». Sans le moindre «désolé de te faire ça à toi» ou «j'espère que tu auras une belle vie sans moi», il a tout simplement plié bagages et ce fut tout.

Arlette s'est mise à harceler tous les gens qu'elle connaissait pour qu'ils lui trouvent un partenaire potentiel. Son ambition était de redevenir une femme désirable et elle était résolue à tout pour y parvenir. Elle alla jusqu'à supplier un couple de jeunes fiancés de lui céder un de leurs billets pour une soirée très exclusive réservée aux célibataires. Derrière son dos, toute le monde hochait la tête en signe de pitié et la traitait de barracuda affamé.

À la stupéfaction générale, elle mit effectivement la main sur un homme, naïf et aussi avide qu'elle, qui devint le mari numéro 2. Leur vie de couple, comme on pouvait s'y attendre, fut plutôt chaotique: les conjoints se connaissaient à peine. Arlette n'avait jamais non plus cherché à comprendre les raisons qui avaient poussé le mari numéro 1 à faire ses valises brusquement et elle n'avait pas entrepris sur elle-même la thérapie qui aurait pu empêcher sa volonté de domination de faire des ravages dans son nouveau mariage. Son honneur était de nouveau sauf, et c'est tout ce qui comptait pour elle.

Affichant triomphalement sa sécurité retrouvée, elle se fit élire à la présidence d'une organisation féminine locale. Mais, en dépit de son nouveau mariage et de sa nouvelle présidence, Arlette souffrait toujours du traumatisme de l'abandon. Elle se demandait si elle pourrait refaire confiance à quelqu'un. Serait-elle jamais vraiment sûre de l'amour d'un homme? Inconsciemment, elle était bien décidée à compenser dans sa vie professionnelle pour ce qu'elle avait été incapable de contrôler dans sa vie privée. Arlette régna donc comme une souveraine autocratique. L'organisme qu'elle dirigeait, un groupe de pression qui avait déjà exercé beaucoup d'influence et dont les membres étaient puissantes et dévouées, commença à péricliter. Finalement, on demanda à Arlette de démissionner.

Les femmes contremaîtres ne se montrent pas toujours aussi dominantes qu'Arlette. On les retrouve parfois sous les traits de l'intrigante et de la manipulatrice qui obtient toujours ce qu'elle veut. Ou elles apparaîtront comme des femmes complètement dépourvues et peu sûres d'elles-mêmes, jouant à merveille le jeu du «je suis incapable de faire *ça*» pour éveiller la pitié tout en assoyant leur pouvoir, comme Marilyn Monroe le faisait avec son armée d'hommes prêts à se battre pour elle. Quoi qu'il en soit, la femme contremaître est toujours une femme de contrôle et, peu importe qu'elle s'exprime d'une voix douce ou en hurlant, elle est prête à faire à peu près n'importe quoi pour obtenir ce qu'elle veut. Et elle demeure convaincue que ce qu'elle obtient, c'est par amour.

Avez-vous des tendances de contremaître? Pour le découvrir, remplissez l'auto-évaluation 8.

AUTO-ÉVALUATION 8

LE PROFIL DE LA FEMME CONTREMAÎTRE

Êtes-vous du type «femme contremaître»? Cochez ci-dessous les affirmations qui s'appliquent à vous:

- Avez-vous besoin d'avoir le nez dans tout?
- Vous obstinez-vous sur tous les points?
- Voulez-vous absolument avoir raison?
- Faites-vous toujours porter le tort aux autres?
- Êtes-vous impatiente et prompte à vous mettre en colère?
- Avez-vous du mal à écouter les autres?

Si vous avez coché ne serait-ce qu'un de ces points, vous pouvez fort bien avoir certaines tendances de contremaître.

Le pouvoir et le contrôle vont main dans la main. Mais tout dépend de la façon qu'on exhibe son pouvoir et de ceux sur qui on exerce le contrôle. Là où nous nous sentons le mieux, c'est quand nous avons le sentiment de choisir nos propres circonstances. Celles d'entre nous qui croient avoir perdu leur droit de choisir — réel ou imaginaire — éprouvent un sentiment de perte de pouvoir personnel. Et quand on sent son pouvoir chanceler, on tente de retrouver l'équilibre de toutes les façons possibles. Par exemple, une femme peut trouver un faux réconfort dans le fait d'exercer un métier dominant comme directrice, policière, enseignante, docteure — et même mère de famille — pour compenser pour son statut inférieur en tant qu'épouse. En effet, une personnalité de cet acabit est conduite à occuper des positions de pouvoir pour être toujours en haut de l'échelle. Malheureusement, même si Arlette avait la chance d'occuper un emploi très valorisant, cela ne suffisait pas pour l'empêcher d'avoir l'impression de vivre dans l'ombre de son mari. Elle ressentait constamment leurs différences d'éducation et de revenus. Elle avait le sentiment qu'il s'était attiré les bonnes grâces de la communauté à son détriment. Cela lui rappelait trop le statut social inférieur qu'elle avait eu dans son enfance. Pour essayer de rétablir l'équilibre, elle était entrée en compétition avec son mari pour voir lequel des deux obtiendrait l'approbation de leur milieu. Son insécurité la poussait à chercher à l'extérieur au lieu de regarder à l'intérieur d'elle-même, d'abord pour prendre conscience de ce qui la poussait à tant vouloir dominer et ensuite pour déterminer ce qu'elle pourrait faire pour se sentir mieux. Comme on peut le voir, la compétition entre époux peut s'avérer dangereuse quand l'un des deux veut absolument souffler la vedette à l'autre.

Une des techniques utilisées à cette fin par les femmes contremaîtres les plus autoritaires consiste à dénigrer les autres. La caissière désagréable, la femme de ménage cupide, le voisin irritable, le mari violent sont souvent des gens sans pouvoir qui tentent de contrôler leur vie en contrôlant celle des autres. Manifestement, Arlette tentait de contrôler son mari en l'humiliant en public, pensant à tort que cette fausse supériorité impressionnerait ceux qui la voyaient faire. Mais souvent les manigances de la femme contremaître se retournent contre elle. Se montrer dur envers les autres n'est rien d'autre qu'une forme de brutalité et les abus de pouvoir ne restent pas toujours impunis. Au bout du compte, le conjoint d'Arlette, à force d'humiliations, a fini par chercher la consolation chez quelqu'un qui le faisait se sentir «spécial» plutôt qu'opprimé.

La femme contremaître qui sent que sa vie échappe à son contrôle tente souvent de contrôler les autres, mais peu de gens sont prêts à subir longtemps une telle domination.

Une femme contremaître peut bien essayer de toutes ses forces de contrôler les autres; le problème, c'est qu'aucun adulte et même aucun enfant ne fait jamais tout le temps ce que nous voulons. Si bien que la femme contremaître dont le but est de contrôler les autres se sent constamment bafouée: elle se sent elle-même hors de contrôle. Elle ne peut pas continuer indéfiniment de jouer son rôle de dominante, qu'il s'agisse de celui de mère, de belle-mère, de femme ou de patronne. Ses sujets finissent par se sentir écrasés, ils retrouvent leur épine dorsale et s'en vont. Parfois, la femme contremaître se trouve quelqu'un d'autre pour remplacer celui qu'elle a perdu, mais ça ne dure pas longtemps. Avec le temps, les gens qui s'affirment en ont assez de supporter sa tyrannie.

Une femme peut très bien être persuadée de son pouvoir intérieur sans éprouver le besoin d'exercer le contrôle sur quelqu'un d'autre. La femme qui en est capable est la *véritable* femme forte. Nous verrons, plus loin dans ce chapitre, les façons d'actualiser ce pouvoir intérieur. Mais il nous faut d'abord examiner le cas d'un autre type de femmes, celles qui, éprouvant un sentiment d'insécurité et se sentant sans pouvoir, abandonnent complètement toute idée de pouvoir pour se rabattre sur le rôle mielleux de la «gentille hôtesse». Sans doute pensent-elles que ce comportement leur vaudra l'acceptation des autres, la sécurité et le contrôle intérieur. Mais comme vous allez le voir, cet autre extrême ne constitue pas plus une réponse que d'écraser les autres de son pouvoir.

Le rôle traditionnel de la gentille hôtesse

Nous, les femmes, savons bien que le mot pouvoir n'est pas un terme anodin ou gentil quand il s'applique à nous. Dans ce monde où tout est blanc ou noir, pour rester à la hauteur de notre image de sexe «faible», nous choisissons plus souvent qu'autrement de ne pas avoir de pouvoir. Pour ne déranger personne, certaines d'entre nous trouvent nettement plus estimable d'adopter le rôle de la gentille hôtesse. Tandis que les hommes contremaîtres sont des gens d'action, les femmes gentilles hôtesses sont des rêveuses. La gentille hôtesse souffre du syndrome de l'éternel sourire. Elle s'est donné pour mission de rendre les gens heureux, de ne pas faire de vagues et de reconnaître la sagesse des hommes contremaîtres qui s'occupent de tout. Ces hommes peuvent être le patron ou l'homme de leur vie mais, peu importe, la gentille hôtesse pense toujours que «Papa a raison», pour reprendre le titre d'une télésérie des années soixante. Dans son esprit, la mission de l'homme est d'être la viande du sandwich, alors que la sienne est d'en être le pain.

Avez-vous tendance à agir comme une gentille hôtesse? Remplissez l'auto-évaluation 9 pour le savoir.

AUTO-ÉVALUATION 9

LE PROFIL DE LA GENTILLE HÔTESSE

Êtes-vous du type «gentille hôtesse»? Cochez les points ci-dessous qui s'appliquent à vous:

- Quand quelque chose ne va pas dans votre couple, vous attribuez-vous le blâme?
- Marchez-vous sur des œufs pour ne pas perturber votre conjoint?
- Avez-vous renoncé à vos propres opinions?
- Avez-vous abandonné les activités que vous aimiez?
- Avez-vous changé votre apparence extérieure et votre comportement pour être conforme à ses goûts?
- Avez-vous pris vos distances avec vos amis et votre famille?
- Lui avez-vous donné tout pouvoir de prendre des décisions concernant votre vie?
- Cachez-vous vos sentiments?
- Cédez-vous aux exigences des autres au détriment de vos propres intérêts?

Si vous avez coché ne serait-ce qu'un seul de ces points, vous avez probablement des tendances de gentille hôtesse.

Ce qui caractérise les gentilles hôtesses, c'est qu'elles se précipitent pour satisfaire les demandes de tout le monde pendant qu'elles ignorent leurs propres besoins. Bien entendu, c'est à son conjoint qu'une gentille hôtesse cède le plus souvent, mais ce trait peut aussi s'étendre à toutes ses relations. Cela m'est apparu évident quand j'ai donné ce test à des infirmières lors d'un séminaire qui s'intitulait «Prendre soin de vous-même en prenant soin des autres». La salle était remplie d'infirmières fatiguées de tous les âges, toutes les corpulences et toutes les tailles. Beaucoup étaient obèses, la plupart réclamaient «une pause cigarette» et toutes admettaient être stressées au plus haut point. Il y avait dans ce groupe une véritable vedette, Caroline, petite femme ronde et joviale dans la quarantaine. S'il y avait eu un prix pour la femme la plus dévouée aux autres, elle l'aurait remporté. Alors que les autres femmes étaient affalées de fatigue, Caroline, elle, secouait sans cesse la tête avec un petit sourire satisfait, comme si elle connaissait ses résultats avant d'avoir terminé le test.

Elle s'est immédiatement portée volontaire pour communiquer ses réponses au groupe: «Oui, je me sens toujours coupable. Oui, j'ai de la peine quand vous me critiquez.» Elle montrait de plus en plus d'émotion et se leva pour continuer: «Oui, mon but est de vous faire plaisir. Oui, si vous insistez, je vais abandonner mes opinions pour les vôtres. Oui, je vais oublier mes propres problèmes, si vous m'appelez à l'aide. Oui, je me préoccupe de ce que vous dites de moi derrière mon dos. Oui, oui, oui, *je me donne trop et je suis complètement brûlée.* Alors je suis toujours en train de klaxonner dans la circulation, je suis vraiment perturbée quand les choses ne sont pas faites à la perfection et je préfère faire les choses moi-même que de voir quelqu'un d'autre les faire mal. J'ai coché tous les points à la fois dans le test de la femme contremaître et dans celui de la gentille hôtesse. Je suis perpétuellement paniquée, perpétuellement stressée! Au secours!»

Être à la fois une femme contremaître et une gentille hôtesse est une chose très courante chez les femmes. Il semble en effet qu'un comportement extrême dans un domaine nous catapulte souvent dans le comportement extrême de l'autre, et que ce soit un cycle sans fin.

La salle a croulé de rire en entendant Caroline. Ce rire n'était pas uniquement provoqué par la drôlerie de Caroline, mais surtout par le fait que chacune avait l'impression de se reconnaître. Car le rôle traditionnelle des infirmières, éternelles subordonnées des médecins et inépuisables dispensatrices de soins, exerce sur elles une pression considérable et constante qu'elles ne parviennent pas à oublier quand elles rentrent chez elles. Je leur ai demandé: «Êtes-vous devenues infirmières parce que vous vouliez servir ou avez-vous commencé par apprendre à servir les autres et décidé ensuite de devenir infirmières?» On pourrait poser la même question à toutes celles qui remplissent des rôles traditionnellement féminins de dispensatrices de soin et de services comme les enseignantes, les travailleuses sociales, les mères et les épouses. Mes infirmières à moi n'ont pas su quoi répondre à cette question qui mettait en cause des motifs apparemment trop profondément ancrés. Il n'y avait pas de réponse possible.

Prenez moi qui vous parle: je suis une personnalité connue à la télé, je publie des livres, j'enseigne à l'université, je donne des ateliers et des conférences sur la motivation, je détiens un doctorat et je suis une autorité médiatique nationale sur l'amour. Cela ne m'empêche pas, de temps en temps, de retomber dans le piège du *«il doit sûre-*

ment en savoir plus que moi là-dessus». C'est ce que j'ai fait, par exemple, avec un vétérinaire avec qui je sortais, et qui prétendait être un expert en informatique: il a effacé de mon disque dur mon document le plus important *parce que je lui ai permis de l'utiliser en dépit de mon bon jugement qui me dictait de ne pas le faire*. C'est ce que j'ai fait avec l'encadreur de tableaux qui insistait pour que je ne mette pas des vitres antireflets *malgré mes demandes répétées* et grâce à qui je contemple maintenant dans mon bureau des tableaux qui me renvoient mon reflet ou m'éblouissent. C'est ce que j'ai fait avec le peintre que j'ai engagé et qui n'a pas tenu compte *de mes instructions* lui enjoignant de plâtrer mes murs. Je voulais qu'il finisse au plus vite et qu'il s'en aille, alors je n'ai pas trop insisté; maintenant, je suis exaspérée chaque fois que je vois une fissure se former sous mes yeux. Et ces trois événements se sont passés dans l'espace d'une seule fin de semaine. Dans chaque cas, ignorant la voix intérieure qui me disait le contraire, j'ai compté sur le prince charmant, je lui ai abandonné tous mes pouvoirs et j'en ai payé le prix, parfois en argent, mais toujours en estime personnelle. Ces hommes n'ont pas pris le contrôle, c'est moi qui le leur ai *donné*. Exactement comme dans l'amour. C'est moi, la femme, qui tenais les rênes et pour une raison ou pour une autre, je les leur ai tendues. Après chaque incident de ce genre, j'ai regretté de ne pas m'en être tenue à mon intuition première pour obtenir ce que j'avais demandé, et même, dans certains cas, payé. Qu'est-ce donc qui nous fait croire que les hommes en savent plus long que nous? Ou qu'ils ont toujours *la meilleure* solution?

En étudiant trente-sept cultures différentes dans le monde, le psychologue David Buss a conclu qu'au début d'une relation, c'est toujours la femme qui a les cartes en main. Les psychologues évolutionnistes qui analysent l'instinct de procréation chez l'homme, instinct qui se manifeste dès que quelqu'un de disponible surgit dans les parages, nous disent que tout gène doit accomplir son destin de gène et que les gens agissent comme le leur dicte leur bagage génétique. Mais le pouvoir de la femme, qualifié péjorativement de «pouvoir du sexe» par nos pauvres hommes terrifiés, consiste à refuser quiconque leur paraît susceptible de les abandonner, elle et ses enfants. Les hommes peuvent bien vouloir une relation sexuelle, c'est la femme qui décide d'avoir ou non cette relation. Les femmes ouvrent ou ferment les portes.

Mais quand un couple se lance dans la grande aventure, il se passe une chose remarquable. La femme commence à accorder son emploi du temps à celui de l'homme, elle adopte ses goûts à lui comme si c'étaient les siens, elle prend ses opinions politiques pour parole d'évangile. Bref, même si elle a déjà gardé les portes en lançant joyeusement à cet homme le défi d'essayer de les franchir, elle lui renvoie maintenant une parfaite image de lui-même. C'était la fascination de leurs différences qui d'abord l'avait titillé et maintenant, il s'ennuie. Cette gentille hôtesse toujours souriante a renoncé à prendre la moindre décision et à tenter elle-même de résoudre les problèmes, au profit de son homme. Quand une femme lui remet tout son pouvoir, un homme en profite autant qu'il le peut. Ça, c'est au début. Car bientôt la monotonie le fait fuir aussi loin qu'il le peut.

Qu'est-il arrivé à la femme évoluée? Pourquoi ne nous faisons-nous pas une vie à nous et pourquoi, quand nous l'avons, ne sommes-nous pas capables de la garder? Pourquoi abdiquons-nous tous nos pouvoirs? À la différence des hommes qui y voient le but suprême, nous nous demandons anxieusement à partir de quand un certain pouvoir devient trop de pouvoir. Nous n'avons le choix qu'entre l'image de la garce invivable et celle du paillasson docile. Il n'y a pas de milieu. Les gens prennent souvent les femmes qui s'affirment pour des femmes agressives et tout ce qui n'est pas cela n'est que fleur fragile. Même si nous approchons d'un nouveau millénaire, aucune femme n'apprend encore dès la naissance à projeter une image de pouvoir. Nous sommes formées par nos mères, qui elles-mêmes ont été formées par leurs mères, qui elles-mêmes n'ont fait que répercuter les habitudes de vie des leurs. Aussi éclairées nous pensions-nous devenues, la vérité est que le changement prend du temps et que rien ne changera jamais si les générations successives continuent de reproduire les comportements de celles qui les ont précédées. Nous assimilons toujours l'asservissement à l'acceptation et nous voulons toujours que nos princes charmants nous aiment et prennent soin de nous.

Une étude menée conjointement par des chercheurs américains et britanniques sur les petites annonces a établi que cinq femmes contre un homme recherchaient des partenaires éventuels pour leurs moyens financiers.

*«Quand est-ce qu'on peut embrasser quelqu'un sans faire de mal?
Quand il est riche.»*

Isabelle, sept ans.

Les hommes connaissent les règles du jeu aussi bien que nous. Ils tentent d'augmenter leur pouvoir d'attraction en exhibant leurs jouets. En parcourant récemment les petites annonces d'un journal, j'ai trouvé un homme qui se vantait d'avoir ses propres appareils à faire des exercices, un autre qui offrait de partager ses gains à la loterie et un autre encore qui exprimait sa fierté d'avoir un Steinway (comme si le mot piano n'avait pas suffi). Apparemment, les femmes, jeunes ou vieilles, sont encore impressionnées par ces choses-là. Tout comme leurs ancêtres, les femmes d'aujourd'hui recherchent un homme grand et fort, au statut social élevé et qui a *de l'argent*, alors que les hommes cherchent encore la même chose que leurs aïeux: la jeunesse, la fécondité et la *tendresse*.

Mais, malgré nos comportements de gentilles hôtesses, notre vie nous appartient encore et nous le savons bien. Quand nous avons le sentiment d'avoir perdu notre «voix», perdu notre capacité de nous faire entendre, nous réprimons, nous supprimons même, notre vraie nature. Le résultat, c'est que nous devenons naturellement déprimées ou pleines de colère. La dépression est une colère qui se retourne contre celle qui l'éprouve et il est plus acceptable pour une femme d'être déprimée que de montrer de la colère. Pourquoi? Parce que dans notre société, une femme en colère est une femme laide, tout simplement.

La gentille hôtesse qui se sent dépourvue de tout pouvoir devient souvent dépressive ou furieuse d'avoir abandonné sa voix au chapitre.

Pour certaines femmes, la dépression et la colère ne sont pas assez. Les deux tiers des divorces sont initiés par des femmes, même si celles-ci ont tendance à y perdre davantage sur le plan économique. D'autres trouvent que rompre avec leurs maris ne représente pas un changement suffisant dans leurs vies de super femmes. Les femmes qui sont à bout fuient parfois leur famille entière, y compris leurs jeunes enfants. Approchez, approchez, venez voir la fabuleuse Esmeralda élever trois enfants toute seule, tenir maison, gérer une petite entreprise dans son sous-sol, faire la cuisine, la lessive et repasser les vêtements, soigner les bobos physiques et moraux de tous ceux qui vivent sous son toit, y compris le chat qui vient d'avoir de petits problèmes avec un raton laveur... Venez vite la voir aujourd'hui, c'est sa toute dernière représentation. La plupart des décrocheuses ne voient plus que deux possibilités: la fuite ou la mort. C'est une affaire sérieuse. Quelqu'un aurait-il pu prédire que la gentille hôtesse paierait jamais un tel prix? Tout le monde pariait au contraire sur le désir naturel qu'ont les femmes de plaire.

Choisir entre deux rôles pour mieux plaire

Au plus fort des rires soulevés par Caroline, dans mon séminaire d'infirmières, je suis allée au tableau écrire le mot «NON». Contrairement à ce qu'on nous a appris, la question n'est pas de savoir si les femmes sont capables de dire ce mot. Certainement qu'à l'heure actuelle, la plupart d'entre nous savent bien que c'est dans leur intérêt d'éviter le mot «oui» dans certaines circonstances. Le véritable problème, c'est notre incapacité à dire «non» ***sans nous sentir coupables***. Nous vivons nos vies dans le sentiment de culpabilité que nous ont légué le catholicisme, le judaïsme ou le protestantisme et nous nous sentons même coupables de notre sentiment de culpabilité. Une de mes amies avoue s'être sentie coupable de l'accident nucléaire de Tchernobyl. Une autre se sent coupable de manger de la viande rouge. Il m'arrive parfois aussi d'avoir des élans de culpabilité parfaitement irrationnels. Mais au-delà de la culpabilité catholique, juive, protestante, nucléaire, ou même la culpabilité de la culpabilité, il existe une forme de culpabilité qui les surpasse toutes: la culpabilité féminine. Dans une étude sur les femmes adultes récemment divorcées ou séparées, on a découvert que les femmes qui avaient des aventures extraconjugales les prenaient plus au sérieux mais éprouvaient également plus de culpabilité que leur contrepartie masculine. Comme nous pensons que les relations sont l'unique responsabilité des femmes, quand nous faisons un écart, *cela ne peut être que de notre faute* et le résultat sera que *personne ne nous aimera plus jamais.*

En relisant les mots que je viens d'écrire, je me revois dans la cours de l'école, quand les filles formaient des petites cliques dont je ne faisais pas partie. Ah, ce fameux besoin de plaire! Pendant que les hommes luttent pour *le respect*, les petites filles puis les femmes se contentent d'un sourire et se battent pour faire partie d'un groupe. Le besoin de plaire aux autres, voilà ce qui explique le comportement de gentille hôtesse et le dévouement de Caroline tout autant que le comportement de femme contremaître et l'agressivité d'Arlette. Mon propre désir de faire plaisir et ma réticence à faire des vagues m'ont amenée, à diverses reprises, à ne pas utiliser mes pouvoirs. Mais chez certaines femmes, cela prend des proportions extrêmes.

De façon fort banale, Bernadette s'est mise à se questionner, après un divorce difficile et douloureux, sur sa valeur en tant que femme. Plutôt habituée à jouer les femmes contremaîtres agressives, elle est passée à l'autre extrême en arborant des traits de l'hôtesse soumise dans les bras d'hommes qui ne demandaient que ça et qui étaient souvent d'ignobles individus. Comme c'est souvent le cas dans des périodes de dépression, l'apparition de ces tristes personnages était commandée par le besoin désespéré qu'avait Bernadette de plaire à nouveau. Elle se disait pour se consoler que s'ils voulaient tous coucher avec elle, c'est qu'elle devait être désirable.

De façon plus positive, Bernadette s'est inscrite à un programme de doctorat dans une université prestigieuse. Sans l'ombre d'un doute, cette femme était brillante et elle avait raison de vouloir développer ses talents. Mais aussi intelligente fût-elle, depuis l'échec de son mariage, son estime de soi était chancelante. Malheureusement, elle s'est mise à compenser ce manque en allant encore plus loin et en se montrant très «amicale» envers le corps professoral composé exclusivement d'hommes. Ces rapports privilégiés lui valurent de nombreuses faveurs auxquelles les autres étudiants n'avaient pas accès, y compris une bourse spéciale, toutes dépenses payées, pour la durée de ses études. Devenue l'un des principaux sujets de commérages égrillards dans la communauté universitaire, elle n'en continua pas moins de «sortir» avec les professeurs, célibataires aussi bien que mariés, qui avaient la tâche de lui faire passer ses examens.

Au retour des vacances, ses confrères et consœurs ont appris que Bernadette avait miraculeusement reçu son doctorat pendant que tout le monde était absent et que la bibliothèque était fermée pour cause de travaux. Tout le monde a compris comment Bernadette s'y était prise. L'art de passer de lit en lit jusqu'au sommet n'était certainement pas un mystère pour les étudiants. Cela ne les empêcha pas de rager à l'idée que quelqu'un qui n'était pas plus avancé qu'eux avait pu «s'en tirer» avec autant de succès pour si peu de travail.

Avec sa mentalité de femme contremaître toujours en éveil, Bernadette a continué à coucher avec quiconque pouvait la faire avancer. Jouant les hôtesses délurées avec les hommes, elle était en quête d'un regain d'estime personnelle et d'une plus grande crédibilité. Mais elle eut beau gravir rapidement les échelons de sa profession, elle se sentait toujours misérable et solitaire. On ne s'en tire pas comme ça dans la vie.

Où placez-vous votre pouvoir? Penchez-vous pour un trop grand contrôle? Abdiquez-vous trop facilement? Hésitez-vous entre les deux comportements? Remplissez l'auto-évaluation 10 pour le savoir.

AUTO-ÉVALUATION 10

SUIS-JE PLUTÔT CONTREMAÎTRE OU HÔTESSE?

Répondez par vrai ou faux à chacun de ces énoncés:

_____1. Je fais ce que j'ai à faire le plus vite possible.

_____2. Quand les gens ne tiennent pas leurs engagements, je les harcèle jusqu'à ce qu'ils le fassent.

_____3. Quand mes plans ne se réalisent pas comme prévu, je deviens stressée.

_____4. Je klaxonne souvent quand la circulation est difficile.

_____5. La meilleure façon d'obtenir que les choses se fassent, c'est de les faire moi-même.

_____6. Je suis très sensible à la critique.

_____7. Je veux faire plaisir à ceux avec qui je suis.

_____8. Je change d'avis quand les autres s'y opposent avec fermeté.

_____9. J'oublie mes besoins personnels quand les autres font appel à moi.

_____10. Je me soucie de ce que les gens disent derrière mon dos.

RÉSULTATS

POINTS 1 à 5: Comportements de femme contremaître.
Si vous répondez «vrai» deux fois ou plus dans cette catégorie, examinez vos traits de contremaître. Vous servent-ils ou vous nuisent-ils?

POINTS 6 à 10: Comportements d'hôtesse.
Si vous répondez «vrai» deux fois ou plus dans cette catégorie, examinez vos traits d'hôtesse. Vous servent-ils ou vous nuisent-ils?

Ce n'est pas le comportement de femme contremaître ou d'hôtesse qui est dommageable en soi. Posez-vous deux questions: 1) Est-ce que l'un de ces comportements est excessif chez moi? 2) Est-ce que ce comportement me sert ou me nuit?

Thérèse, une femme dans la vingtaine, a rempli l'auto-évaluation 10. Elle a répondu «vrai» aux points 3, 4, 7, 9 et 10. Or, les deux premiers points font partie de la catégorie «femme contremaître» et les trois derniers de la catégorie «gentille hôtesse». Elle a commencé par se pencher sur ses réactions excessives quand ses plans ne se réalisaient pas. Elle a remarqué qu'elle n'arrêtait pas de klaxonner quand la circulation était dense. Même si elle justifiait ce comportement par le mode de vie dans une grande ville, il n'en reste pas moins que la manie du klaxon est un signe d'impatience. C'est une manifestation enfantine de quelqu'un qui veut avoir satisfaction *tout de suite*, qui réclame l'attention de tout le monde. *Tut-tut!* Elle a dû admettre que les manifestations d'impatience de la femme contremaître sont à la fois assourdissantes et assommantes.

Thérèse a ensuite examiné les points 7, 9 et 10. Elle a relevé à quel point il était important pour elle de paraître parfaite, manifestation évidente d'une recherche d'approbation. Elle s'est demandée si ce n'est pas son comportement de gentille hôtesse qui la poussait à la désolation quand la tâche n'était pas accomplie à la perfection et qu'on ne lui témoignait pas l'approbation espérée. Elle se sentait toujours trop fatiguée par son travail, même pour aller dîner avec des amis, à plus forte raison pour sortir avec un homme les fins de semaine. Bien accomplir sa tâche doit apporter de la joie, certes, mais il faut aussi savoir trouver de la joie en y renonçant de temps à autre. Thérèse a compris que si elle voulait réussir dans la vie et en amour, il faudrait qu'elle modifie son comportement avant de se brûler complètement. L'auto-évaluation 10 lui a fait prendre conscience des quelques changements à apporter: s'efforcer d'être moins perfectionniste, attendre patiemment les bienfaits de la vie et ne pas perdre contenance quand ses plans échouaient.

Au lieu de sauter frénétiquement d'un extrême à l'autre, les femmes doivent apprendre à passer souplement de l'un à l'autre. Pour le plus grand bien de notre santé physique et mentale, la chose la plus importante permettant d'acquérir cette flexibilité est d'apprendre à faire confiance à notre intuition quant au moment d'utiliser l'une ou l'autre technique. Ce genre de confiance exige qu'on apprenne à s'aimer soi-même.

Quand nous nous aimons nous-mêmes, nous nous faisons confiance... Quand nous nous faisons confiance, nous faisons les bons choix

Nous avons vu comment de nombreuses femmes passent d'un extrême à l'autre. C'est souvent parce qu'elles s'interrogent sur le comportement approprié aux yeux du monde actuel. Nous avons vu aussi que la motivation d'une femme repose généralement sur son besoin de plaire. Sa quête désespérée de l'amour et de l'acceptation peut aller jusqu'à lui faire entretenir des relations amoureuses qui ne sont pas saines du tout. Il n'y a qu'une façon de sortir de cet imbroglio:

 *Avant de chercher à plaire aux autres, il faut commencer par se plaire à soi.*

Quand on se plaît suffisamment à soi-même, on n'a pas besoin d'osciller entre les deux extrêmes. On choisit son propre style, celui qui nous convient le mieux. Mais si pour se plaire, il faut commencer par se donner du pouvoir et si le pouvoir représente, pour beaucoup de femmes, un concept difficile à manier, comment faire pour passer de l'un à l'autre sans rebuter tout le monde et en particulier nos hommes? La réponse consiste à éviter les extrêmes et à choisir le type de pouvoir dont on ressent le besoin — celui de la femme contremaître ou celui de la gentille hôtesse — selon les circonstances. Pour arriver à faire le bon choix, il faut non seulement se plaire à soi-même et se faire confiance, mais aussi apprendre à se sentir à l'aise dans l'un et l'autre comportement.

Apprendre à acquérir un équilibre entre les deux comportements

Vous aurez compris qu'il n'y a pas, s'agissant de femmes contremaîtres et d'hôtesses, de rôle qui appartienne en propre à notre sexe. Même si nous avons mis en évidence les modèles classiques, les femmes peuvent très bien s'orienter vers un comportement de femme contremaître et les hommes peuvent devenir les meilleurs hôtes en ville. Votre objectif doit être d'équilibrer les deux comportements de façon à ce qu'aucun des deux n'échappe à votre contrôle. Équilibrer les deux ne veut pas du tout dire osciller perpétuellement de l'un à l'autre en cherchant à bien paraître et à plaire à tout le monde. Bernadette, la vamp au doctorat, n'a jamais compris l'art de l'équilibre, pas plus que Caroline l'infirmière ou Thérèse la maniaque du klaxon.

Il est important d'avoir le contrôle, mais il l'est tout autant de savoir céder le sceptre et faire des compromis. Les traits positifs de la femme contremaître sont sa rapidité, sa compétence et la façon méthodique dont elle s'acquitte de ses tâches. Les traits positifs de la gentille hôtesse sont reliés à l'importance qu'elle attache aux sentiments et aux besoins des autres. Aucun de ces traits n'est mauvais en soi, mais chaque trait positif comporte son revers. Un trop grand souci d'accomplissement peut brûler une femme tout autant que la manie de faire passer le bonheur des autres avant le sien. Les femmes saines manifestent un équilibre entre les deux: elles ne se livrent jamais à des excès dans l'un ou l'autre de ces comportements et choisissent entre les deux comportements, selon le moment et les circonstances. C'est la capacité d'évaluer les circonstances pour ce qu'elles sont et d'infléchir son pouvoir en conséquence qui donne la véritable mesure du pouvoir d'une femme. Le pouvoir vient du sentiment d'être assez forte pour être capable de faire des compromis. Mais cela ne signifie pas céder à un point tel qu'on se sent complètement démunie.

Chaque compromis que fait une femme doit être fondé sur ce qu'elle juge bon pour elle; ce ne doit pas être quelque chose qu'elle sacrifie superficiellement pour son homme «juste pour cette fois». Une femme vraiment équilibrée peut passer en souplesse du rôle de contremaître au rôle d'hôtesse pour reprendre le rôle de contremaître et ainsi de suite, sans se sentir coupable et sans se soucier de ce que les autres peuvent penser, mais toujours dans le but de faire pour le mieux au regard de ses objectifs du moment. De son propre aveu, Caroline s'efforçait tellement de faire plaisir qu'elle se démenait frénétiquement pour satisfaire les autres, même quand leurs demandes étaient absurdes ou exagérées. Parce que Thérèse avait conscience d'avoir cédé une trop grande part d'elle-même, elle essayait de boucher les trous laissés par ses pertes en klaxonnant furieusement. Les deux femmes ont eu besoin de comprendre que dire «non» sans se sentir coupables ne leur ferait pas perdre leur statut d'hôtesse. Elles ont dû se résigner au fait qu'on ne peut pas tout faire à la perfection. Caroline a pris la résolution de déléguer davantage de ses tâches aux autres et de leur faire confiance pour les accomplir *de leur mieux*. Thérèse a décidé d'accepter la vie dans son imperfection et d'en prendre son parti quand tout ne tournait pas à son avantage.

Quand une femme se décide à descendre du manège des «bonnes filles gentilles comme tout», quand elle arrive à croire en elle-même et à se faire confiance pour bien choisir entre le rôle de femme contremaître et le rôle d'hôtesse, quand elle n'éprouve plus le besoin de s'accrocher avec la dernière énergie à un comportement extrême ou d'osciller d'un comportement à l'autre en se demandant ce qui est de mise, alors elle sait qu'elle est devenue une femme équilibrée. Une femme équilibrée sait s'adapter et reste libre de choisir. Elle est libre d'exercer son pouvoir. Parce qu'elle a le plein contrôle de sa vie. Et si les autres n'aiment pas ça, eh bien tant pis pour eux: ce n'est pas son problème, c'est le leur.

Qui mène ma vie? Choisir entre le contrôle interne et le contrôle externe

Une fois que nous avons reconnu que nous détenons du pouvoir, comment l'exercer avec fermeté? Comment faire pour nous débarrasser de notre fameuse peur d'intimider les autres? C'est simple. Il faut commencer par savoir en quoi consiste ce pouvoir: ce qu'il est et ce qu'il n'est pas. Ce n'est ni un contrôle étouffant comme celui qu'exerçait Arlette, ni une abdication épuisante comme celle que vivait Caroline. Ce n'est pas non plus une force bien délimitée qu'il faut crier sur tous les toits chaque fois qu'on a l'occasion de le faire. Notre pouvoir, c'est notre force intérieure. Nous savons que nous la possédons, alors nous n'avons pas besoin de l'exhiber. Une fois que nous nous la sommes donnée, elle reste là pour toujours, toujours à nous. Dans nos moments de faiblesse, nous pouvons la perdre, mais c'est temporaire et il nous est toujours possible de la récupérer.

Le pouvoir n'est jamais le contrôle qu'on exerce *sur* quelqu'un. Les gens qui se glorifient aux dépens des autres pour prouver leur puissance ne font que montrer leur insécurité. Le véritable pouvoir est un sentiment profond de paix intérieure, la satisfaction de savoir qui on est et ce qu'on mérite. Savoir ce qu'on vaut et être prête à l'affirmer, voilà ce qui peut faire notre force. Notre pouvoir, c'est aussi l'instrument qui nous sert à tracer nos frontières. Quand quelqu'un franchit ces lignes sacrées de notre territoire privé, notre pouvoir nous conduit à dire «non» fermement. Quand nous respectons cet engagement et savons nous montrer fermes, il ne saurait y avoir de culpabilité.

Pour éviter de compter sur le prince charmant, nous devons nous servir de notre pouvoir pour observer nos sentiments les plus profonds et suivre la direction qu'ils nous indiquent. Nos sentiments profonds sont fondés sur le contrôle interne. Malgré les cris de la foule, les personnes dont le contrôle est interne savent rester fixées sur leur but sans dévier. Les personnalités tournées vers l'intérieur s'enorgueillissent de leur individualité. Dans les cas extrêmes, on les qualifie de «farfelues», «différentes» ou «excentriques». Mais se moquer des conventions et marcher à leur propre pas les rend plus heureuses et plus saines, comme les médecins vous le confirmeront. Ces personnes-là n'hésiteront jamais entre le rôle de contremaître ou d'hôtesse pour se conformer aux normes des autres. Elles savent qui elles sont, elles poursuivent les buts qu'elles se sont choisis et elles passent d'une forme de pouvoir à l'autre en fonction de ces buts.

À l'opposé des gens dont le contrôle vient de l'intérieur, il y a ceux qui s'alignent sur un contrôle externe. Les gens influencés par les pressions extérieures se laissent mener par les décrets arbitraires des autres. Dans la confusion qui aboutit à lécher les bonnes bottes, les personnalités contrôlées de l'extérieur veulent impressionner ou plaire et cherchent à se faire accepter par les gens qui comptent. Les adolescentes influençables qui se joignent à des bandes, les anorexiques qui se laissent mourir de faim et s'identifient aux starlettes d'Hollywood, les ambitieuses de *country club* occupées à gravir les échelons de la société et les travailleuses serviles montrent toutes le prix à payer pour se faire accepter. Malheureusement, les femmes tombent souvent dans cette catégorie. Une étude récente montre que les opinions des autres sur le futur conjoint d'une femme comptent deux fois plus que la façon dont, à son avis, elle et lui communiquent. Je reçois des lettres innombrables sur ce sujet, comme celle-ci, par exemple, qui me vient d'une jeune femme de dix-huit ans:

> *Chère docteure Gilda,*
> *Il y a à l'école un garçon qui m'aime bien. Il est vraiment gentil et je l'aime bien aussi. Mais du point de vue de son apparence physique, il n'est pas très beau. J'ai peur de ce que les gens vont penser si je me mets à sortir avec lui. Que devrais-je faire?*

Toutes les femmes comme celles-ci, qui sont soumises au contrôle externe, vont continuer à louvoyer en suivant la chorégraphie des gens qui ne savent probablement pas danser, rien que pour gagner l'approbation des autres. Elles forment de remarquables hôtesses, ce sont des femmes qui rendent tout le monde heureux et tiennent compte des impressions des autres avant de considérer les leurs. Pourquoi est-ce que cette jeune femme de dix-huit ans devrait craindre ce que les autres pensent de l'allure extérieure de quelqu'un qu'*elle* apprécie? Je pense que ce qui tue le plus les femmes aujourd'hui, ce n'est pas une quelconque maladie physique, mais leur besoin insatiable d'être louangées, spécialement par les hommes. L'admiration est un besoin externe, indépendant de ce que nous avons besoin intérieurement.

Les gens contrôlés de l'extérieur vont, par exemple, travailler intensément quand le patron les regarde, se plaindre de sa mesquinerie derrière son dos, mais se montrer prêts aux pires bassesses à son égard si cela signifie une augmentation. Les personnalités contrôlées de l'extérieur peuvent être achetées par des récompenses externes, mais elles ne peuvent jamais être heureuses puisqu'elles dépendent pour leur renforcement de gens et de circonstances qui échappent à leur contrôle. Bernadette est le parfait exemple d'une femme menée par le contrôle externe. Pour recevoir leur approbation, elle couchait avec beaucoup d'hommes; mais quand il était question de bonheur, elle n'éprouvait qu'une terrible solitude.

De même que pour les tendances femme contremaître et hôtesse, toute personne saine doit équilibrer contrôle interne et contrôle externe. Les gens au contrôle interne font incontestablement montre de plus d'indépendance et de conscience de soi, mais vivre *complètement* sous contrôle interne pourrait vouloir dire un complet repli sur soi. À l'autre extrême, vivre en couple avec quelqu'un qui se montre abusif ou condescendant mais rester avec lui parce qu'on est «marié pour le meilleur et pour le pire» est un exemple de contrôle externe poussé jusqu'à l'oubli de soi. Comme pour toute chose, c'est toujours le degré de contrôle externe ou interne et la question de l'excès qui détermine ce que nous allons faire ensuite. L'équilibre optimal en matière de pouvoir consiste incontestablement à se faire *guider* par les contrôles internes et *motiver* par les contrôles externes.

Pour découvrir quelle source de pouvoir vous fait agir — le contrôle interne ou le contrôle externe — et voir où vous vous situez dans le spectre, remplissez l'auto-évaluation 11.

AUTO-ÉVALUATION 11

MA SOURCE DE POUVOIR EST-ELLE INTERNE OU EXTERNE?

Pour chaque ensemble d'affirmations ci-dessous, encerclez celle des deux (a ou b) qui vous semble s'appliquer à vous:

1. (a) En général, les gens ne réalisent pas tout ce que je fais pour eux.
   (b) Je suis généralement appréciée selon mes mérites.
2. (a) Je suis souvent malchanceuse.
   (b) Mes malchances surgissent souvent de mes propres erreurs.
3. (a) J'ai beau essayer de gagner leur faveur, certaines personnes ne m'aiment tout simplement pas.
   (b) Si quelqu'un ne m'aime pas, c'est souvent que je n'ai pas consacré assez de temps à parfaire notre relation.

4. (a) Il m'est difficile de déterminer qui a mes intérêts à cœur.
   (b) Mes amitiés exigent de moi temps et énergie.
5. (a) De façon générale, je n'ai pas grand-chose à voir avec ce qui m'arrive.
   (b) Quand je me sens seule, c'est souvent parce que je ne vais pas assez au-devant des autres.

RÉSULTATS

Comptez le nombre de réponses «a» que vous avez encerclées. Si vous n'en avez encerclé qu'une, vous êtes probablement contrôlée de façon interne. Si vous en avez encerclé deux ou plus, vous êtes probablement motivée par des forces externes.

Pour être équilibré, notre pouvoir peut trouver sa récompense à l'extérieur, mais il doit toujours être motivé de l'intérieur. Maintenant que vous avez rempli l'auto-évaluation 11, lisez tout haut chacune des affirmations «a». Remarquez comment elles font appel à un langage de victime et semblent dire implicitement «pauvre de moi». Voudriez-vous devenir l'amie de quelqu'un qui manifesterait un tel besoin? Voudriez-vous être l'amante de quelqu'un d'aussi désespéré? Voudriez-vous épouser quelqu'un d'aussi pleurnicheur? Les hommes ne sont pas stupides. De telles femmes ont vraiment trop besoin d'un homme. Les hommes intéressants évitent les femmes malheureuses et avides qui leur enlèveraient leur indépendance. Les femmes doivent se garder de projeter ce genre d'image si elles ne veulent pas voir les hommes prendre la poudre d'escampette.

Lisez à haute voix toutes les affirmations «b». Remarquez le contraste entre elles et les affirmations «a». Voyez comme chaque affirmation «b» semble annoncer une personne vraiment intéressante. Si ces affirmations étaient proférées par un homme que vous connaissez, serait-ce quelqu'un avec qui vous auriez envie de discuter, quelqu'un avec qui vous pourriez vouloir faire l'amour, quelqu'un avec qui vous auriez envie de passer votre vie? Les hommes recherchent dans une personne les mêmes qualités que les femmes.

S'il y a un dénominateur commun entre toutes les affirmations «b», c'est la volonté intérieure d'assumer la responsabilité de sa propre vie. Personne ne connaît mieux nos besoins que nous. À la différence des affirmations «a» qui claironnent une idée de dépendance, le mantra du contrôle interne se chante comme suit:

 *J'assume la responsabilité pleine et entière de mon propre bonheur.*

Chère docteure Gilda,
J'ai un ami qui n'arrête pas de me dire qu'il m'aime. Je n'ai jamais voulu l'avoir comme amoureux. Tout ce que je voulais, c'était sortir avec lui une fois de temps en temps. Mais maintenant, nous nous voyons tous les jours. Le jour où il m'a dit qu'il m'aimait, c'est justement le jour où j'avais prévu de rompre avec lui. Je ne l'aime pas. Je ne suis même plus bien avec lui. Mais je ne veux pas lui faire de peine. Que faire?

Cette femme de vingt ans a incontestablement un problème. Elle oublierait volontiers ses propres besoins et se rendrait malheureuse uniquement pour ne pas faire de peine à ce garçon. Je lui ai posé une série de questions précises: «Comment en êtes-vous arrivés tous les deux au stade de vous voir tous les jours?» «N'y avez-vous pas été pour quelque chose?» «N'aviez-vous pas la possibilité de dire non à n'importe quel moment?» «Quels sont les besoins les plus importants pour vous à l'heure actuelle, les siens ou les vôtres?» «Est-ce que la peur de lui faire du mal est plus importante pour vous que votre bien-être?»

Souvenez-vous de Christine, au chapitre 2, qui était mariée à Henri, un homme violent et dominateur. Un peu plus âgée que l'auteure de la lettre ci-dessus, quand elle a rempli le questionnaire d'auto-évaluation, elle a découvert que la majeure partie de son énergie passait à se plaindre de sa malchance, des gens malhonnêtes qu'elle rencontrait, des clients qui ne l'aimaient pas et de son mari qui était une brute. Quand ses clients ne la payaient pas, elle disait: «Est-ce que j'ai un signe sur le front qui dit "escroquez-moi"?» Quand Henri la dénigrait, elle pleurnichait: «Cet homme me prend vraiment pour sa chose!» Quand ses enfants avaient des problèmes à l'école, elle se plaignait: «Les professeurs ne savent pas reconnaître leur intelligence.» Quand les gardiennes des enfants la quittaient, elle se lamentait: «On ne peut plus compter sur personne de nos jours!» De son auto-évaluation, Christine a déduit que ses malheurs étaient toujours *la faute des autres.* Christine représente une mentalité qui préfère accuser les autres que d'assumer ses responsabilités. C'est une autre forme d'abandon de pouvoir qui débouche sur l'incapacité de s'occuper de soi. Christine a fini par réaliser que c'est elle qui devait prendre en main les rênes de sa propre vie.

Les hommes intéressants (j'ai bien dit «intéressants») sont attirés par les femmes responsables. Ceci ne veut pas dire que les femmes dépendantes et pleurnichardes restent seules. Mais qui voudrait de leurs «princes charmants»? En avez-vous déjà eu un à vous? En avez-vous un actuellement dans votre vie? Souvenez-vous que le but de ce livre est de vous aider à vous trouver des partenaires qui ont de la *substance*, des hommes qui apprécient vos capacités, qui vous appuient dans la réalisation de vos désirs, qui comprennent vos besoins et vos sentiments, des hommes qui ne cherchent pas à contrôler une femme malléable. Et si vous aviez été satisfaite des hommes que vous avez déjà connus ou épousés, vous n'auriez jamais acheté ce livre!

Pour devenir une personne motivée par le contrôle interne, il faut essayer de se changer, accepter d'abandonner certaines croyances dans lesquelles on a été élevée. Pour commencer, vous n'avez besoin que de trois choses fondamentales.

Les trois principes fondamentaux du contrôle interne

Principe numéro 1: Peu importe ce qu'on dit de vous, en bien ou en mal, dites-vous bien que:

Louange ou blâme, c'est du pareil au même.

Les gens passent leur temps à distribuer compliments et critiques — comme si on le leur demandait! Bien sûr, nous apprécions les remarques positives parce que nous aimons toutes être louangées. Mais nous sommes promptes à nous rebiffer quand les remarques sont négatives. Protégez-vous. Faites attention de ne pas vous laisser anéantir par vos critiques et de ne pas devenir dépendante de vos admirateurs car, au bout du compte, aucune de leurs remarques n'a vraiment d'importance. Ultimement, c'est à vous seule que vous devez satisfaire. Tant que vos intentions sont honnêtes et que vous faites de votre mieux, pourquoi vous soucier de ce que disent ces forces extérieures? Accueillez dans votre vie les gens positifs et ceux qui vous soutiennent et tenez-vous loin des autres. Ne retournez pas les appels de gens qui prennent un malin plaisir à émettre des jugements qu'on ne leur demande pas. Faites comme moi: évitez ces pompeurs d'énergie. Si vous misez vraiment sur vous, gardez votre énergie pour les choses importantes. Passez vous-même en revue chacune de vos actions. Savoir qu'on est soi-même son critique le plus exigeant est amplement suffisant.

Principe numéro 2: Persuadez-vous que vous êtes entièrement responsable de vos actions, de vos erreurs et de votre avenir car:

Chacun est responsable de son destin.

La vie n'est pas si dure qu'on le dit. Bien sûr, il se passe des choses sur lesquelles nous n'avons aucun contrôle. Mais nous pouvons au moins contrôler la façon dont nous réagissons à ces choses. Nous pouvons les prendre négativement ou positivement, rester passives ou agir, blâmer les autres ou prendre nos responsabilités, fuir ou aller chercher de l'aide. Nous avons même le choix de ne faire strictement rien. Il y a tellement de possibilités. Et pourtant, souvent les gens haussent les épaules et disent: «Je n'avais pas le choix.» Oubliez ça. Si nous sommes guidées par le contrôle interne, nous avons le choix, et quand nous exerçons ce choix, nous fabriquons notre destin. La pire conséquence qui puisse découler des choix que nous faisons, c'est qu'ils nous laissent sans personne d'autre à blâmer que nous-mêmes. Et ce n'est pas une sinécure.

Catherine, l'enseignante que nous avons rencontrée au chapitre 2, a divorcé de son mari après s'être faite battre une fois de trop. À partir du moment où elle a réalisé que son mariage était fini, elle s'est mise à sortir, à aller dans des soirées, des réceptions, partout où il y avait des hommes. Oh, elle continuait à porter le deuil de son ménage, elle continuait à pleurer, mais elle disait qu'elle ne voulait pas passer le reste de sa vie seule et elle était déterminée à se bâtir une nouvelle relation plus saine. Au bout de deux ans, elle a rencontré l'homme avec qui elle s'apprête à refaire sa vie. Plein de respect pour elle, il formait un contraste rafraîchissant avec sa brute d'ex-mari. Quand une amie lui demande: «Qu'est-ce que tu aurais fait si tu n'avais pas rencontré Léonard?», Catherine répond: «Je serais avec quelqu'un d'autre.» En d'autres mots, ce qu'elle a voulu, elle a pris les moyens de l'avoir, et ce, malgré tout ce que pouvait dire son ex-mari à leurs enfants (je vous épargne les épithètes dont il se servait). Catherine est la preuve vivante qu'on peut se donner un destin bien plus heureux, si on fait ce qu'il faut pour le faire arriver. Comme l'a dit l'écrivain anglais Somerset Maugham: «Si vous n'acceptez jamais que le meilleur, c'est souvent ce que vous recevez.»

Dites-vous que tous vos désirs seront satisfaits.
Dites-vous que vous allez les satisfaire vous-même.

Principe numéro 3: Ayez soin d'utiliser l'expression: «J'ai choisi de...» plutôt que «Je dois...» dans toutes vos formulations. Vous prétendez que vous devez vous lever le matin pour aller travailler. Mais comprenez bien ce que ce mot — devoir — fait à votre esprit et à votre corps. Il vous dit que votre travail est une corvée, quelque chose que vous devez supporter contre votre volonté. Même si c'est effectivement ce que vous pensez, comment pourriez-vous avoir une attitude positive si vous envisagez le jour qui commence comme une pénitence? Quand vous utilisez plutôt l'expression «j'ai choisi» de me lever ce matin pour aller travailler, remarquez la différence dans votre esprit et votre corps, dans votre attitude générale et chez les gens que vous fréquentez. Le même type de changement se produit quand une femme passe du «je ne peux plus le supporter» au «j'ai décidé de ne plus le supporter», ce qui peut se traduire par «j'ai déjà choisi de le supporter mais je choisis de ne plus de le faire maintenant.» Dans ce cas, une femme revendique l'entière responsabilité de toutes les décisions qu'elle choisit de prendre, ce qui lui donne accès à son pouvoir. La façon dont nous programmons nos pensées fait toute la différence car:

Le pouvoir est ce qu'on en fait.
On fait du pouvoir ce qu'on en ressent.
On ressent du pouvoir ce qu'on en pense.
Quand on pense pouvoir, on projette une impression de force.

Vous vous souvenez d'Alice, la directrice d'hôpital? Peu après avoir surmonté le départ de Marc, elle s'est fait dire un jour par le gérant de son condo que le peintre qu'elle avait engagé ne pouvait pas stationner sa voiture dans le stationnement. Il n'y avait aucune autre voiture ce jour-là et le peintre n'en avait pas pour longtemps. Elle s'est souvenue de plusieurs occasions récentes où ce même gérant avait fait une remarque un peu agressive sur «tout l'argent qu'elle gagnait». Elle savait bien qu'il ne se serait pas permis ce genre de comportement avec un homme. Mais elle s'est contentée de sourire de le voir ainsi apparemment intimidé par son succès au point de tenter par tous les moyens de relever son propre statut qu'il jugeait inférieur. Sans l'ombre d'un sarcasme, elle a dit à son peintre de déplacer sa voiture. Elle a dit «merci» au gérant et lui a refermé doucement la porte au nez. Même si son arrogance lui déplaisait énormément, elle considérait que c'était son problème à lui plutôt que le sien. Elle avait le contrôle de ceux à qui elle choisissait de s'ouvrir et elle avait *choisi* de lui fermer la porte au nez. Son expérience avec Marc lui en avait appris beaucoup, elle avait glané là une information qui lui servait dans tous les aspects de sa vie. Elle n'avait eu qu'à se mettre à *penser* pouvoir et elle s'était trouvée prête à faire le premier pas: *projeter* une impression de pouvoir. Elle était maintenant prête à faire les démarches spécifiques pour trouver un homme qui l'apprécie à sa juste valeur. Une femme qui projette une authentique image de force va attirer un homme authentiquement digne d'intérêt.

Comment projeter une image de force

Vous avez maintenant réalisé que votre pouvoir ne dépend que de vous. Vous savez également que ce pouvoir vient de l'intérieur, qu'il prend naissance dans votre esprit. Quand on connaît son pouvoir, on attire des gens qui sont à l'aise avec ce pouvoir, qui n'en ont pas peur, qui ne se sentent pas menacés. On projette une *image de force.*

Le concept d'image de force m'est venu alors que je faisais de la consultation pour de grandes entreprises, dont les dirigeants étaient pour la plupart des hommes. J'ai étudié la façon dont les plus puissants d'entre eux projetaient une impression de force sans se montrer despotiques. Leur maintien, leur timbre de voix, leur élocution, tout indiquait de façon subtile qu'ils détenaient le pouvoir. J'ai vu les gens qui les entouraient prêts à franchir toutes les murailles pour eux. Par contraste, il y avait ceux qui éprouvaient perpétuellement le besoin de rappeler à leurs employés que c'étaient eux le patron. J'ai remarqué que leurs subordonnés ne les aimaient guère et résistaient à leurs directives. Manifestement, leur pouvoir reposait purement et simplement sur l'autorité légitime que leur poste leur donnait. Mon expérience m'a appris qu'une image de pouvoir commence à la maison et dans notre tête. Puis elle se transcrit dans notre langage corporel, dans notre voix et dans les mots que nous utilisons. Il suffit de penser dans la bonne direction pour en être transformées.

Quand j'ai commencé à parler devant des groupes de femmes à travers le monde, j'ai incorporé ces intuitions dans mes ateliers et je les ai appliquées aux vies de ces femmes. Elles ont obtenu des résultats similaires et mes séminaires ont fait salle comble. Sans trop m'en rendre compte, j'avais trouvé la solution à un problème auquel toutes les femmes se heurtent sans savoir comment le régler. Plus spécifiquement, mes intuitions à propos de ce qui constitue une image de force ont fait surgir la réponse à la plainte que j'entends le plus souvent formuler par les femmes: qu'elles n'arrivent pas à se faire entendre, en particulier des hommes. Projeter une image de force est efficace, car cela ne donne pas l'impression qu'on crie: «Je suis une femme, écoutez-moi hurler!», pour reprendre les paroles d'une chanson populaire. Le paradoxe, c'est que *les vraies femmes n'ont pas besoin de hurler pour se faire entendre.* Les femmes n'ont pas à choisir entre botter des culs ou les lécher. Les femmes qui projettent une image de force savent ce qu'elles valent et ceux qui les écoutent le sentent. Un micro suffira là où naguère il fallait un mégaphone.

Des myriades d'études ont montré que nos communications non verbales représentent 93 % de l'impression que nous donnons, alors que nos paroles ne comptent que pour 7 %. Les femmes qui ont du succès avec les hommes *connaissent* leur pouvoir et le projettent en tête à tête par trois canaux différents: leur langage corporel, 55 % du temps; leur voix, 38 % du temps (les deux ensemble forment nos communications non verbales); et leurs mots, un maigre 7 % du temps. Eh oui, non seulement les mots comptent-ils pour peu, mais ils n'ont presque aucune valeur quand il s'agit de faire passer votre message. Souvenez-vous de Cendrillon: on n'a jamais entendu le moindre dialogue avec son prince. Nous avons vu des corps gracieux qui dansaient et nous avons imaginé des voix mélodieuses et rieuses. Donc, le pouvoir qu'il y a derrière une image de force dépend pour 55 % du langage corporel et pour 38 % du ton de la voix. C'est peut-être décourageant, mais 93 % de ce que nous communiquons est non verbal. Pas étonnant qu'à discuter sans cesse de nos problèmes de couple avec nos hommes, nous décrochions haut la main la palme du harcèlement. Peut-être qu'en parlant par signes et en roucoulant, nous convaincrions plus facilement notre homme de ne pas laisser traîner ses chaussettes!

Projection d'une image de pouvoir Première partie: le langage du corps

La première étape pour projeter une image de force consiste à se servir efficacement de son langage corporel. Malheureusement, beaucoup de femmes se trompent profondément dans la définition qu'elles se font d'un langage corporel efficace. J'ai participé à une infinité d'émissions de télévision où des femmes paradaient en décolletés profonds et en jupes très courtes qu'elles avaient adoptés comme vêtements de tous les jours dans l'espoir de se faire remarquer. Dans un tout autre contexte, j'ai rencontré, au cours de mes séminaires pour cadres supérieurs, des femmes qui portaient des chandails très révélateurs et des soutiens-gorge pigeonnants pour travailler. Dans toutes les sphères de la société, les femmes ont pris pour modèles les sveltes beautés des téléséries qui portent des jupes dépassant d'à peine quelques centimètres leurs vestes de grands couturiers. Mais elles auront beau faire, le puissant langage corporel d'une femme ne vient pas de son éventuelle ressemblance avec une prostituée toutes voiles dehors. C'est pitoyable de voir à quel point les femmes sont prêtes à altérer leur apparence extérieure pour plaire aux autres. Dans un concours de changement de look lancé par un grand quotidien, les lettres de femmes publiées étaient littéralement affligeantes:

J'ai désespérément besoin d'un changement de look. Je n'ai que douze ans mais ce n'est pas une question d'âge. Je n'ai encore jamais eu d'amoureux. Ce changement de look me permettra de montrer ma beauté intérieure. Quel que soit mon poids.

Chaque jour, à l'école, je vois mes amies et leurs amoureux être vraiment heureux ensemble. Si on n'a pas d'amoureux, on ne va pas bien loin à l'école. Ici, les garçons ne sortent qu'avec les jolies filles. Moi, je suis plutôt ordinaire. Je voudrais vraiment avoir un amoureux. Quand j'aurai trouvé celui qui me convient, je serai heureuse. S'il vous plaît, aidez-moi.

Dans l'ensemble je n'ai pas trop mauvaise apparence, mais j'ai encore beaucoup de choses à améliorer pour devenir irrésistible auprès des hommes. Je fais peut-être partie de la race des victimes. J'ai un besoin pressant d'épouser quelqu'un, non pas que je sois insatiable sexuellement mais parce que je veux rester dans ce pays et je veux que ce soit pour de bon. Aidez-moi, s'il vous plaît.

Vous êtes bien assis? Bon, je vais vous parler de moi. Regardez-moi, je suis grosse! J'ai quarante ans! Je suis aussi attrayante qu'une crise d'épilepsie! Allez, mettez-vous-y, fabriquez-moi une nouvelle vie. Et il va aussi vous falloir un avocat pour me débarrasser de mon mari pour le reste de ma vie.

Tu parles si j'aimerais ça, changer de peau complètement! Je suis toujours en tee-shirts et en tennis. J'ai oublié de quoi avait l'air une robe neuve. De toute ma vie, je ne suis jamais allée chez la manucure. Je suis âgée de soixante-dix ans, retraitée et divorcée depuis vingt ans d'un homme qui me battait. Peut-être que si je me refaisais une beauté, j'arriverais à attirer l'œil d'un homme intéressant!

Comme le montrent ces lettres pathétiques, si nous devions suivre l'image actuelle de la femme «parfaite», nous aurions toutes à la fois des jambes et des hanches d'adolescente et des seins de femme mûre. Avec les ventes de poupées Barbie qui se font à raison d'une toutes les deux secondes jusqu'à un million par semaine à l'échelle de la planète et la fillette moyenne qui en possède au moins sept ou huit, peut-on vraiment croire qu'un changement est en vue? On dirait que non. Il y a même une nouvelle Barbie, la Barbie «My Fair Lady». Et comme si cela ne déprimait déjà pas assez les femmes dont le miroir ne leur renvoie pas l'image d'une poupée, une marque concurrente fait la vie dure aux fabricants de Barbie en lançant sur le marché des poupées à l'image de mannequins célèbres portant des robes de grands couturiers.

Pas étonnant que tant de femmes adultes soient dépitées de leur apparence naturelle, la plupart d'entre elles se demandant constamment si les miroirs ne vont pas leur dire qu'elles sont trop grosses. Même avec la chirurgie esthétique, le plus gros os de notre corps — cet os de la cuisse que nous méprisons tant — ne sera jamais assez mince, quoi qu'on fasse. Les femmes qui n'ont pas de volonté obéissent au schéma «s'empiffrer maintenant, se faire faire une liposuccion plus tard» et cette chirurgie devient le traitement standard de la boulimie. Ce que nous ne sommes pas capables de contrôler nous-mêmes, voilà qu'un autre prince charmant, notre chirurgien esthétique, va le contrôler pour nous demain.

Quand la chirurgie ne suffit pas, un petit coup de vaporisateur et l'âge disparaît. Dans notre société, un homme est considéré comme handicapé s'il perd un membre alors que son âge suffit pour faire d'une femme une infirme. Avec des modèles comme Cher, qui a plus d'un demi-siècle mais dont toutes les parties du corps ont des âges différents, la pression monte encore. Mais que va faire la société maintenant que le segment de population qui augmente le plus vite est celui des femmes de plus de quatre-vingts ans? Les gens oublient toutes celles qui ont accédé au véritable succès à la fin de la cinquantaine. «On n'est jamais trop riche ni trop mince» est encore le mot d'ordre et il pénètre les esprits de nos impressionnables jeunes filles. Nous devons absolument leur apprendre que:

Rien de ce que vous pourrez faire ne changera jamais le simple fait que vous êtes qui vous êtes.

Soyons sérieuses, mesdames. Le pouvoir que nous avons est intérieur, il n'est pas dans l'emballage de celluloïd que nous promenons dans le monde. Il est temps que la femme «moyenne» se réveille. Qu'elle interprète l'opinion de celui qui la trouve grosse comme une façon de la voir «pulpeuse». Qu'elle réponde à l'homme qui la critique: «Moi je suis bien avec moi-même, c'est avec toi que je ne suis pas bien. Salut!» Qu'elle se considère comme une femme sans prétention, heureuse de l'être et qui sera aimée pour ses qualités intérieures. C'est particulièrement important maintenant qu'une étude menée dans une grande université a démontré que les hommes qui épousent des femmes laides — pardon, des femmes «esthétiquement handicapées» — vivent en moyenne douze ans de plus que ceux qui épousent des beautés! (Se pourrait-il que les femmes moins attirantes usent moins leurs hommes?) Nous devons nous rappeler constamment ceci:

> *La beauté est dans l'œil de celui qui regarde, oui, mais en partie seulement; l'autre partie est dans l'image qu'on se fait de soi.*

Par ailleurs, quelles que soient les améliorations qu'elle apporte à son apparence extérieure, une femme n'est pas plus écoutée pour autant, à moins d'avoir appris à reconnaître, accepter et projeter son pouvoir. Et ceci exige une nouvelle définition du langage du corps. Pour devenir une communicatrice ouverte et attrayante, commencez par vous servir du S.O.F.A. Ceci ne veut pas dire s'étendre voluptueusement à moitié nue avec un sourire invitant. S.O.F.A. est plutôt une technique qui garantit que vous allez retenir l'attention de votre interlocuteur sans risquer d'attraper froid en vous découvrant trop. Quand vous vous servez du S.O.F.A., vous entrez dans une pièce comme si elle était à vous. Vous vous visualisez en pleine possession de vos moyens. S.O.F.A. comprend quatre étapes:

S: Souriez.
O: Ouvrez votre posture.
F: Faites les premiers pas.
A: Appréciez le caractère unique de votre interlocuteur.

Quand vous rencontrez quelqu'un pour la première fois, *souriez.* On a dénombré plus d'une cinquantaine de sourires différents mais les seuls vrais sourires, je suis désolée de le dire, ce sont ceux qui font apparaître les pattes d'oie. Les sourires qui ne mobilisent pas tout le visage sont du cinéma. Les sourires bidon peuvent être asymétriques, apparaître au mauvais moment et durer plus de quelques secondes. Des études ont montré que les femmes souriaient plus que les hommes. Le problème, c'est que quand les gens sourient, leurs voix montent de registre et qu'avec des voix plus aiguës et des visages souriants, les femmes se font souvent accuser d'être trop émotives. En outre, le sourire peut devenir un problème pour les femmes dans la mesure où elles ont tendance à le substituer à des explications, pourtant nécessaires, sur leurs vrais sentiments. Il semble que nous soyons toujours perdantes. C'est pourquoi chaque femme doit se forger son propre sourire, un sourire authentique et plein d'autorité, qui exprime honnêtement ses désirs sans être trop émotif. La tâche est lourde mais pas impossible. Répétez devant le miroir et dotez-vous de votre propre signe distinctif.

Une posture qui laisse à penser qu'on peut vous bousculer facilement ne vous aidera guère. Chaque fois que vous rencontrez quelqu'un, *ouvrez votre posture* à partir du centre de votre corps, c'est-à-dire le bassin. C'est votre centre de gravité dans tous les sports. Plus vous avez une posture ouverte, plus vous occupez d'espace. Plus vous occupez d'espace, plus vous avez l'air puissante. Les gens qui se tiennent les bras croisés ou les mains dans les poches ou les jambes croisées, semblent fermés aux autres, à leurs idées et à la vie en général. Qui voudrait tenter de les séduire?

Observez votre posture quand vous êtes assise. Vous étalez-vous ou êtes-vous tassée sur un côté de la chaise? Les hommes s'assoient les jambes ouvertes et parfois les bras aussi. En fait, une enquête a révélé que si les passagers mâles d'un autobus ou d'un train refermaient leurs jambes au lieu de se répandre «comme si l'espace leur appartenait», 15 765 personnes de plus auraient une place assise dans les transports en commun. Le corps d'une femme est plus petit que celui d'un homme. Et pour avoir l'air plus formidable, nous pourrions aussi nous répandre, mais comment écarter les jambes quand on porte une jupe? Pour commencer, vous pouvez tirer le plus de profit possible des accoudoirs ou étendre un bras sur le dossier de la chaise. Ces postures vous grandissent. Quand vous êtes debout, imaginez qu'une ficelle court tout le long de votre colonne vertébrale et ressort au sommet de votre crâne. Laissez-vous tenir par la ficelle imaginaire comme si vous étiez une marionnette. Rentrez le bassin. Placez le haut et le bas de votre corps sur la même ligne en déployant votre colonne vertébrale. Tenez votre tête droite, le menton légèrement relevé. C'est la position du danseur et cela représente votre posture de pouvoir. Cette position vous donne de la concentration. Les gens puissants sont complètement concentrés sur leurs objectifs. Une posture ouverte vous permet d'être ouverte à la possibilité d'attirer dans votre vie les hommes les plus merveilleux qui soient.

Faites les premiers pas et touchez quelqu'un que vous voulez connaître davantage. Qu'il s'agisse d'une simple poignée de main ou d'une étreinte affectueuse, la peau, qui est le plus grand organe de notre corps, est infiniment plus puissante qu'un contact verbal ordinaire. Cela fait immédiatement sentir la force de votre pouvoir à la personne que vous touchez. C'est pour cela que nous prenons dans nos bras une amie ou un ami qui souffre et que nous caressons le front d'un enfant qui pleure. Quand le toucher se produit, cela libère dans le sang l'hormone qu'on appelle ocytocine. C'est cette même molécule qui favorise les contractions de l'utérus pendant l'orgasme et l'accouchement, réduit le stress et fonctionne comme une sorte de «supercolle» amoureuse ou amicale en déclenchant le désir de se lier avec quelqu'un et même de devenir accro au visage d'un partenaire, au parfum de sa peau, à sa voix et à son eau de Cologne. Le niveau d'ocytocine dans le sang augmente même à la simple *pensée* de se faire toucher par quelqu'un qui se soucie de nous. Rien de surprenant à ce qu'un homme ne connaisse pas de sensation qui vaille celle d'une femme qui lui tend la main ou lui ouvre les bras pour se rapprocher de lui.

Une étude menée à travers les États-Unis par la faculté de médecine d'une grande université et portant sur vingt mille personnes a démontré que 98 % des Américains aimeraient être touchés et étreints davantage. D'une façon générale, les gens ont besoin de toucher et d'être touchés pour survivre et la plupart du temps se sentent mieux après avoir été serrés dans les bras de quelqu'un. On recommande de donner ou recevoir l'accolade quatre fois par jour pour survivre, huit fois pour mieux se porter et douze fois pour s'épanouir. Faites-vous et recevez-vous largement votre part? Pour projeter une image de pouvoir, faites les premiers pas et établissez le contact.

La plupart des hommes se sentent submergés par les monologues fleuves des femmes et préfèrent plutôt participer à un dialogue qui ressemble à une partie de ping-pong, puisqu'ils ont plus de chances de s'exprimer. Mais il existe une étape, qui précède le monologue ou le dialogue, qui peut amener votre homme à faire attention à vous et à vous «écouter» *avant que vous ayez prononcé une seule syllabe.* C'est ce que j'appelle «l'œilalogue», le contact visuel prolongé qui enchaîne votre interlocuteur à vos yeux enchanteurs. Montrez que vous *appréciez le caractère unique de votre interlocuteur* par un contact visuel chaleureux. Tout le monde veut se sentir spécial et on peut facilement communiquer à quelqu'un l'impression qu'on le trouve spécial grâce à ces «fenêtres de l'âme» que sont les yeux. Comme la mémoire visuelle est réputée être deux cents fois plus puissante que la mémoire auditive, un œilalogue bien mené vous permettra de séduire l'homme que vous voulez impressionner.

On peut se forger un œilalogue le temps de le dire et le perfectionner tout aussi vite. Dans notre société, il est d'usage que les femmes aient davantage recours à l'œilalogue que les hommes, mais sans trop insister, de façon à ne pas suggérer une volonté d'intimider ou son contraire, une avance sexuelle. Dans nos cultures, un œilalogue d'environ cinq secondes est considéré comme normal. Les femmes plus timides s'en abstiennent souvent mais se demandent ensuite pourquoi «elles ne rencontrent jamais personne» lors des soirées ou des réceptions.

Incontestablement, les yeux sont les fenêtres de l'âme. Si vous voulez montrer que vous appréciez le caractère tout à fait spécial de votre interlocuteur, engagez-vous dans un œilalogue plus appuyé, *le regard de pouvoir*. Le regard de force en dit très long sans que vous ayez besoin d'émettre un seul son. Il comporte six étapes:

1. Fixez votre regard, en évitant de loucher.
2. Déplacez vos yeux d'un point A à un point B sur le visage de votre interlocuteur.
3. *Après* avoir ramené vos yeux à leur position initiale, refaites la même chose, cette fois en bougeant tout le visage.
4. Pour plus d'insistance, abaissez la tête et froncez un sourcil protecteur au-dessus de vos yeux.
5. Faites durer votre regard plus de cinq secondes. Ne vous contentez pas de regarder, livrez-vous à une véritable *intrusion oculaire.*
6. Ajoutez un sourire.

Ce qui me renverse, c'est de voir, après chacun de mes ateliers, tant de femmes encore réticentes à ouvrir leur cœur verbalement faire la queue pour repasser avec moi les six étapes du regard de force. Les femmes connaissent le pouvoir qu'il y a dans leurs yeux. Elles ont maintenant les moyens de s'en servir sans intimider quiconque.

Projection d'une image de pouvoir Deuxième partie: la voix

Alors que votre langage du corps est responsable de plus de la moitié de l'impact que vous produisez, votre voix, elle, compte pour plus d'un tiers. La voix de force se caractérise par son registre, son ton, son timbre, son débit et l'utilisation des pauses. Comme nous avons la voix plus haute que celle des hommes, en particulier quand nous sourions, et comme notre registre vocal est généralement plus étendu, nous devons prendre garde à ne pas émettre des sons que seuls les chiens pourraient entendre. Le fait est que la plupart des femmes utilisent une voix plus aiguë que leur voix naturelle. Votre voix peut donner l'impression d'avoir affaire à une mignonne petite fille, ce qui vous vaudra une attention positive mais peut aussi abîmer vos cordes vocales. J'ai suggéré à Christine de parler un ton ou deux plus bas, mais elle n'a pas compris tant qu'elle ne s'est pas vue et entendue sur vidéo. Parfois, la voix de petite fille qu'adoptent les femmes est si profondément ancrée qu'elles ne se rendent même plus compte qu'elles s'en servent.

Écoutez le ton que vous prenez pour dire quelque chose comme «Oh, quelle horreur!» La plupart des femmes vont filer les quatre notes de cette expression comme une suite de deux montées et descentes successives. Pour un homme, cela sonne comme un ton pleurnichard. Même si certains en ont fait le prototype de la femme sexy, dans la vraie vie la plupart des hommes trouvent ça peu attirant. Servez-vous d'un magnétophone. Exercez-vous à répéter «Oh, quelle horreur!» dans des registres de voix différents. Ne vous arrêtez pas tant que cette phrase n'aura pas atteint le stade d'un son non reconnaissable. Grâce à ce changement, vous allez commencer à augmenter les capacités de votre voix et ainsi assurer votre pouvoir.

Ensuite, trouvez votre meilleur timbre de voix et servez-vous-en. Levez les bras au-dessus de la tête ou assise, penchez-vous en avant. Ces deux postures libèrent votre coffre et votre gorge. Comptez: «Hum, hum, *un*; hum, hum, *deux*; hum, hum, *trois*...», jusqu'à *dix*. Sentez vibrer vos lèvres et votre nez à chaque «hum, hum». Sur le même ton, dites maintenant: «Bien le bonjour.» Dites votre nom. Reprenez votre posture initiale, soit en baissant les bras, soit en vous redressant. Continuez à utiliser le timbre que vous avez découvert quand vous étiez penchée en avant ou que vous aviez les bras au-dessus de la tête. Entendez-vous comme maintenant, cela sonne plus profond et plus rond? Cela veut dire que c'est votre meilleur timbre. Il est puissant. Adoptez ce timbre dans votre vie quotidienne et remarquerez à quel point les réactions des autres personnes envers vous deviendront plus positives.

Un autre impératif pour exprimer plus de force quand on parle, c'est de parler plus lentement. Les gens puissants ont beaucoup de temps et rien ne les pousse à combler les silences d'une conversation avec des propos insignifiants. Les hommes ont toujours accusé les femmes de trop parler. Mais la vérité, comme le montrent la plupart des études sur le sujet, c'est que les hommes sont les grands maîtres de la parlote et qu'ils parlent bien plus que nous. En fait, des années de soumission ont amené les femmes à se sentir mal à l'aise quand une conversation s'éteint. Assumant notre fonction de civilisatrices, nous nous chargeons de maintenir le flot de la communication en remplissant les vides. Abandonnez immédiatement cette habitude. Laissez sa place au silence. Mieux que ça, accueillez-le avec plaisir.

Il y a du pouvoir dans le fait de marquer une pause. Des pauses théâtrales vous donnent plus de présence et augmentent votre rayonnement. Cela réduit vos risques de dire des choses que vous pourriez regretter plus tard. Cela pousse les autres à parler plus que vous, ce qui vous permet de «recueillir de l'information» dont vous pourrez vous servir plus tard. Cela laisse le devant de la scène aux autres, ce que tout le monde apprécie, et en particulier les hommes. Finalement, cela oriente la conversation, en vous permettant de ne pas aborder certains sujets. Bref, la patience donne la stabilité; la patience, c'est le pouvoir. Soyez consciente que la personne qui prend la parole après un silence est la moins forte des deux. N'est-il pas temps pour vous d'abandonner votre position de subordonnée?

Projection d'une image de pouvoir Troisième partie: le choix des mots

Malheureusement, ce sont vos paroles qui ont le moins d'impact sur votre interlocuteur parce que, dans notre société, les gens ne savent guère écouter. Ce n'est pas parce que vous dites quelque chose que c'est entendu. Et même si on l'entend, le comprend-on dans le sens où vous l'avez dit? Alors qu'une personne qui parle peut formuler jusqu'à 250 mots à la minute, une personne qui écoute est capable d'en entendre deux fois plus dans le même laps de temps. Alors, que fait donc celui qui écoute? Nous savons en tout cas ce que font souvent les hommes quand une femme parle: ils se déconnectent. De fait, c'est une donnée physiologique: quand une personne divulgue plus lentement l'information qu'elle a à transmettre, cela empêche l'esprit de son interlocuteur de vagabonder. Mais au bout du compte, celui qui écoute n'enregistre que 25 % de ce qu'il entend et n'en retient que 10 %. Les hommes sont probablement pire que cela, quand ils écoutent, parce qu'ils ont une façon de traiter l'information qui les pousse à aller à l'essentiel sans tenir compte des détails dont les femmes sont si friandes. Plutôt déprimant pour les femmes qui, avec leur mentalité de premières de classe, insistent pour mettre des barres sur les «t» et des points sur les «i», se ravisent pour trouver le mot juste et se souviennent de chacun des termes utilisés dans chacune des disputes qu'elles ont eues avec les hommes depuis le déluge et même avant! Les hommes et les femmes ont incontestablement une façon différente d'écouter.

Il n'en reste pas moins que les femmes tirent un grand plaisir de la conversation. Pour que vos paroles aient le maximum d'impact, incorporez à votre discours les douze mots de pouvoir qu'a identifiés une recherche universitaire. Ils aident à éveiller et maintenir l'attention de vos interlocuteurs. Ce sont: «argent», «nouveau», «prouvé», «résultats», «économies», «découverte», «facilité», «garantie», «santé», «amour», «sécurité» et «vous». Servez-vous de ces mots avec des termes actifs plutôt que passifs. Les termes passifs constituent un langage de victime qui rend responsable de votre situation actuelle le contrôle externe exercé par les autres. Des expressions telles que «tu m'as fait faire le repas», ou «tu m'as rendue furieuse» montrent du doigt une autre personne que vous pour les ennuis dans lesquels vous vous trouvez. Un tel langage accusateur vous garantit de la part de l'autre une réaction de défense. Mais il vous prend également de l'énergie car pendant que vous montrez du doigt une autre personne, vos autres doigts vous désignent, vous, de façon négative. Vous ne sauriez avoir de pire ennemi que vous-même.

La meilleure approche consiste à utiliser des formulations au «Je». Et remarquez que j'ai dit au «Je», et non pas à «la première personne du singulier». Les formules au «Je» mettent toute la responsabilité de ce que vous vivez sur vos propres épaules. Des expressions comme «*J'ai décidé* de faire à souper» ou «*Je suis furieuse* parce que tu ne m'as pas téléphoné comme tu l'avais promis» sont puissantes parce que les hommes préfèrent entendre ce que vous avez en tête plutôt que de se faire bombarder de reproches. Bref, on écoute plus volontiers quelqu'un qui assume ses responsabilités. Avez-vous l'habitude de vous servir de formules au Je? Pour le savoir, remplissez l'auto-évaluation 12: La fierté de dire Je.

AUTO-ÉVALUATION 12

LA FIERTÉ DE DIRE JE

Prononcez à haute voix chacune des phrases qui forment le groupe I, en essayant de visualiser le petit «j» par lequel elles commencent. Comme c'est une façon inhabituelle d'écrire le début d'une phrase, pénétrez-vous bien du sens de chaque phrase avant de la visualiser et de la dire:

Groupe I:

1. «je vais aller travailler ce matin.»
2. «je suis heureuse.»
3. «je prends bien soin de moi.»
4. «je me fais des compliments.»

Dans le groupe II qui suit, placez une majuscule au début de chaque phrase.

Groupe II:

1. «Je vais aller travailler ce matin.»
2. «Je suis heureuse.»
3. «Je prends bien soin de moi.»
4. «Je me fais des compliments.»

- Quelle différence avez-vous remarquée entre la façon dont sonnaient les phrases du groupe I et celles du groupe II?
- Quelle différence avez-vous remarquée dans votre façon de ressentir chacun des deux groupes de phrases?
- En quoi votre langage corporel a-t-il changé quand vous êtes passée du groupe I au groupe II?
- Comment votre voix a-t-elle changé quand vous êtes passée du groupe I au groupe II?

La plupart des gens perçoivent une différence spectaculaire entre les phrases du groupe I et celles du groupe II. Non seulement voient-ils le changement évident qui se produit au niveau du pronom, mais ils constatent également qu'ils se sont redressés et que leur voix est devenue plus grave. Les participants à ce test avouent également qu'ils se sentent plus puissants et plus prêts à affronter le monde. Lors d'un déjeuner-conférence où j'avais proposé ce petit exercice, la différence a été si perceptible dans le groupe des trois cents participantes que j'ai dit en riant que j'hésitais à les laisser sortir comme ça en ville: «Dieu protège les gens que vous allez rencontrer!», leur ai-je lancé tandis qu'elles se pressaient vers la sortie, arborant une confiance en elles toute neuve.

Maintenant, le grand test. Quand vous additionnez votre langage corporel plus affirmé, votre voix plus confiante et votre choix de mots plus assuré, quelle image d'ensemble projetez-vous? Pour le savoir, remplissez l'auto-évaluation 13.

AUTO-ÉVALUATION 13

QUELLE EST L'IMAGE QUE JE PROJETTE?

Imaginez-vous en animal. Il ne s'agit pas de trouver les bonnes caractéristiques zoologiques d'un animal; la seule chose qui compte ici, c'est la façon dont vous percevez ces caractéristiques.

Répondez rapidement à chacune des questions suivantes:

1. Pourquoi avez-vous choisi cet animal?
2. Cet animal est-il un prédateur ou sert-il de proie à d'autres animaux?
3. S'agit-il d'un animal sociable ou solitaire?
4. Comment cet animal se comporte-t-il avec les autres animaux?
5. Qu'est-ce qui donne du plaisir à cet animal?
6. Comment les autres animaux perçoivent-ils la personnalité de cet animal?

Pensez à un homme que vous aimeriez attirer. Imaginez-le sous les traits d'un autre animal et répondez aux mêmes questions à son sujet. Comment vos deux animaux s'entendent-ils?

Denise s'est imaginée en ourse qui hiberne à la saison froide. Mais elle a imaginé l'homme qu'elle aimerait en colombe. Comment un animal qui hiberne peut-il bien attirer quelqu'un? Grâce à ce petit test, Denise a réalisé qu'elle devrait soit changer son image pour une autre capable d'attirer l'homme de ses rêves, soit changer l'image de cet homme. Patricia s'est imaginée en petit chat ronronnant. Le problème est qu'elle voulait attirer un tigre parce qu'elle aimait les hommes qui ont du cran, mais l'image qu'elle projetait lui attirait des abuseurs qui la prenaient pour leur proie. Elle a reconnu qu'elle devait absolument projeter une image différente. Au lieu du chaton, elle s'est redéfinie comme un cheval de course. Presque aussitôt elle a attiré un homme déterminé, mais qui ne semblait devoir ni la dévorer ni l'exploiter. Quel changement rafraîchissant! Quant à Sophie, c'était une très belle femme qui s'imaginait en tigresse. Elle était fière de ce que le tigre ait un caractère de puissance, mais elle s'est aussi rendu compte que c'était un prédateur et, en expliquant son choix, elle a dû reconnaître que les prédateurs suscitent la crainte, pas la confiance. Elle voulait désespérément rencontrer un homme qu'elle aimerait toute sa vie. Après avoir imaginé son animal, elle en a conclu qu'il lui fallait changer son comportement de prédatrice, car aucun homme ne voudrait avoir pour partenaire une carnivore assoiffée de sang qui pourrait le dévorer tout cru.

Comme je l'ai démontré plus haut, ce que nous projetons, les autres le reflètent. Un langage corporel, une voix et des mots pleins de confiance sont les outils qui donnent à une femme une image de force. Ils l'aident à passer en souplesse et plus facilement du rôle de contremaître à celui de l'hôtesse. Ils proviennent de son acceptation des motifs intérieurs qui la poussent à faire ce qu'elle fait malgré les barrières d'un monde extérieur qui représente le contrôle externe. Ils font qu'une femme se sent forte, parle avec force, donne une impression de force et agit avec force. Projeter une telle image de force donne du pouvoir. Les femmes fortes ont de l'esprit et du style. Elles attirent les hommes que la vie enthousiasme plutôt que ceux que la vie effraie. Quand votre force intérieure vous assure la maîtrise de votre environnement, vous attirez des hommes qui, eux-mêmes, maîtrisent leur vie et ces hommes n'ont nul besoin de vous contrôler ou de vous faire violence car:

Les gens fréquentent des gens qui leur plaisent et ceux qui leur plaisent sont ceux qui leur ressemblent.

On m'a demandé lors d'une émission de radio comment projeter une image de pouvoir. Comme d'habitude, cette question m'a valu des centaines d'appels tout au long de l'émission. L'animatrice a voulu terminer l'émission sur une conclusion forte dont les auditeurs se souviendraient. Elle m'a dit: «En d'autres mots, docteure Gilda, ce que vous nous conseillez, c'est un peu de faire tourner une sorte de petit moteur qui dirait: «Je crois que je peux, je crois que je peux...» J'ai souri et j'ai dit: «Eh bien non, pas exactement. Il s'agit plutôt d'un «Je sais que je peux, je sais que je peux...» Il y a une grande différence entre croire qu'on peut et être convaincue qu'on va le faire. La première formule donne l'image d'une femme timorée, la seconde celle d'une femme assurée. Une femme assurée est quelqu'un qui projette une image de pouvoir. Elle sait que son pouvoir est indubitable. Et parce qu'elle le sait, les hommes qu'elle attire le savent aussi.

Ce qu'il y a de mieux dans la projection d'une image de pouvoir, c'est que ça prépare le terrain pour permettre à une femme de mettre de l'avant l'aspect le plus honnête de sa personnalité et de le partager librement avec les autres. Mais elle doit apprendre à bien doser ce qu'elle offre pour ne pas faire oublier ses propres besoins et pouvoir encore les satisfaire. C'est la question que nous aborderons dans le prochain chapitre.

MESSAGES ÉCLAIR
DU CHAPITRE 4

Projeter une image de force

- *S'il ne veut pas de vous dans son équipe, formez la vôtre.*
- *La femme contremaître qui sent que sa vie échappe à son contrôle tente souvent de contrôler les autres, mais peu de gens sont prêts à subir longtemps une telle domination.*
- *La gentille hôtesse qui se sent dépourvue de tout pouvoir devient souvent dépressive ou furieuse d'avoir abandonné sa voix au chapitre.*
- *Avant de chercher à plaire aux autres, il faut commencer par se plaire à soi.*
- *J'assume la responsabilité pleine et entière de mon propre bonheur.*
- *Louange ou blâme, c'est du pareil au même.*
- *Chacun est responsable de son destin.*
- *Dites-vous que tous vos désirs seront satisfaits. Dites-vous que vous allez les satisfaire vous-même.*
- *Le pouvoir est ce qu'on en fait.*
On fait du pouvoir ce qu'on en ressent.
On ressent du pouvoir ce qu'on en pense.
Quand on pense pouvoir, on projette une impression de force.
- *Rien de ce que vous pourrez faire ne changera jamais le simple fait que vous êtes qui vous êtes.*
- *La beauté est dans l'œil de celui qui regarde, oui, mais en partie seulement; l'autre partie est dans l'image qu'on se fait de soi.*
- *Les gens fréquentent des gens qui leur plaisent et ceux qui leur plaisent sont ceux qui leur ressemblent.*

Chapitre 5
Donner le surplus, pas l'essentiel

On ne se fera pas aimer tant qu'on ne prend pas le risque de n'être pas aimée.

La vie d'une femme tourne autour des relations qu'elle entretient avec les autres. Le succès de ses relations est en effet tellement vital pour une femme qu'elle accepte volontiers le blâme pour tous les malentendus ou autres choses pires encore qui peuvent survenir. Comme nous l'avons vu, se dévouer pour les autres est la seule façon pour bien des femmes de prouver leur amour et malheureusement, cela veut souvent dire prendre soin des autres mieux que d'elles-mêmes. Une dévouement exagéré aux autres s'appelle «en faire trop» et cela a généralement un inconvénient majeur:

En faire trop pour les autres, c'est ne pas en faire assez pour soi.

Et pourquoi les femmes ont-elle tant tendance à en faire trop? Pour la même raison qui fait qu'un si grand nombre d'entre elles sont de superbes hôtesses et que certaines sont des contremaîtres si fiables. Nous nous imaginons que si personne ne nous écoute ou ne semble se soucier de tout ce que nous avons à offrir, nous devons nous rendre essentielles, irremplaçables, indispensables. Si nous nous rendons toujours disponibles, quelqu'un finira bien par nous aimer, voilà ce que nous nous disons. On nous remarquera. Le problème, c'est que si les femmes ne font pas assez attention à *la façon* dont elles veulent qu'on les remarque, elles se retrouvent sans énergie pour faire les choses qui leur sont indispensables à elles.

Le prix à payer quand on en fait trop

Ne nous leurrons pas, notre quantité d'énergie est limitée. Si nous la consacrons entièrement aux problèmes de nos hommes (ou de nos enfants, de notre patron, de nos amis), ou bien nous ne comblons pas nos propres besoins ou bien nous nous inquiétons à la fois des besoins des autres *et* des nôtres et nous sommes mortes de fatigue. Même la Bible nous met en garde: «Aime ton prochain *comme* toi-même», ce qui n'a jamais voulu dire *à la place*. Mais les femmes appartiennent à l'*armée du salut*. Et même si en faire trop n'apparaît pas comme un comportement désirable, il est incontestablement invitant. Car cela nous fait sentir importantes et désirées. Cela permet de penser: «Tant qu'il a besoin de moi, il ne me quittera pas.» Or, comme on l'a vu, *avoir besoin* ne veut pas dire *désirer* et *désirer* n'est pas la même chose qu'*aimer*. Un homme peut *avoir besoin* de vous et *se servir* de vous et des bonnes choses que vous lui apportez, mais la question qui se pose est de savoir s'il va rester avec vous après vous avoir pressée comme un citron.

À l'occasion, en faire trop peut constituer un faux-fuyant pour ne pas faire face à nos difficultés. Même si on n'échappe pas au moment de vérité, en faire trop pour quelqu'un nous donne un prétexte pour nous cacher de nous-mêmes et un lieu pour le faire. Le piège, c'est qu'au début, non seulement notre homme apprécie les attentions dont nous l'entourons, mais il en redemande. Cela lui rappelle la mère qui l'a entouré et dorloté et qui était toujours là pour soigner ses bobos. Mais ce même homme va finir par nous quitter comme il a fini par se séparer de sa mère en décidant de prendre sa propre identité. Si bien que nous quitter sera peut-être sa façon de rompre pour de bon le cordon ombilical.

Par-dessus tout, le déséquilibre qu'il y a entre celle qui en fait trop et celui qui n'en fait pas assez nuit aux deux partenaires. Celle qui en fait trop finit par être complètement vidée alors que son partenaire qui n'en fait pas assez se retrouve avec tout un travail émotionnel encore à faire. Par exemple, si vous vous disputez avec vos voisins parce que votre conjoint ne s'entend pas avec eux ou si vous appelez son patron afin de lui donner une fausse excuse pour son absence au travail, vous prenez la responsabilité de *sa* vie tandis que *lui* s'en lave les mains. Et quand il ne règle pas ses propres problèmes, il perd ses moyens. Au début, vous êtes flattée de sentir qu'il a besoin de vous. Mais regardez bien où va le mener son incapacité à satisfaire ses besoins au bout de quelques années. Même pour les spécialistes en sauvetage de relations que nous sommes toutes, le bon vouloir du début finit par céder la place au ras-le-bol. «Tu me demandes encore où on met le papier hygiénique? Après dix ans de vie commune?» Vient le temps où on décide de le laisser trouver tout seul le satané papier, même si cela doit le mettre dans une position... inconfortable. Il faut bien commencer un jour!

Catherine, l'enseignante du chapitre 2, était l'exemple par excellence d'une femme qui en fait trop. Parce qu'elle était malheureuse en ménage, cette femme mettait toute son énergie dans son travail et ses enfants. Les dispositions qu'elle montrait pour en faire trop la consolaient de la douleur que lui causait son mariage. Incontestablement, son mari était lui aussi un homme qui en faisait trop. C'était lui qui gérait l'argent, s'occupait de la maison, faisait les courses et, au début du moins, servait de chauffeur. Mais aucun des deux ne reconnaissait le besoin de communiquer à propos de ce qui comptait vraiment. Plus ils éprouvaient de colère l'un à l'égard de l'autre, plus chacun en faisait trop dans son domaine. Quand la séparation inévitable a eu lieu après vingt-cinq longues années, ils ont été tous les deux choqués de voir à quel point leurs émotions étaient à vif et de constater que ni l'un ni l'autre n'avait affronté les vrais problèmes. En faire trop amène facilement quelqu'un à fuir la réalité. Malheureusement, on ne peut pas fuir éternellement la réalité.

Une autre enseignante, Lisa, travaillait dans une école primaire tandis que son fiancé, Jérôme, était vendeur pendant la semaine et travaillait, les fins de semaine, comme garçon de café pour payer sa pension alimentaire. Lisa n'avait pas objection à passer ses fins de semaine toute seule parce que, au moment où ils se sont rencontrés, elle faisait des études de maîtrise et profitait de son absence pour étudier et rédiger sa thèse. Mais quand elle a mieux connu son futur mari, elle a découvert que son tempérament volcanique l'avait fait renvoyer d'un poste de vendeur après l'autre. Comme Jérôme avait absolument besoin de continuer à travailler comme garçon de café pour subvenir aux besoins des enfants qu'il avait eus d'un précédent mariage, Lisa se chargeait d'éplucher les journaux du dimanche à la recherche d'un emploi pour lui. Elle est également devenue la rédactrice officielle de ses curriculum vitæ, inventant divers modèles adaptés à chacun des emplois qu'il postulait. Puis elle est devenue sa secrétaire particulière, se chargeant d'envoyer les curriculum, puis les notes de remerciements. Elle était aussi sa conseillère en matière d'habillement, sa consolatrice, son souffre-douleur, et lui servait même de *punching-ball* quand son fiancé n'en pouvait plus d'attendre entre deux emplois. En fin de compte, outre son travail d'enseignante à temps plein, toute la vie de Lisa s'est mise à tourner autour de Jérôme, de son mauvais caractère, de sa recherche d'emplois et de sa déprime de sans-emploi. Même après s'être trouvé un emploi, il le gardait si peu de temps que bientôt le cycle recommençait.

Avec son bon naturel, Lisa ne pouvait pas imaginer qu'elle faisait face à une constante chez Jérôme. Parce qu'elle s'occupait trop de ses problèmes à lui, elle a pris une année de plus que prévu pour terminer sa maîtrise, ce qui a retardé d'autant son augmentation de salaire. Entre-temps, elle avait épousé Jérôme et elle étendait maintenant son dévouement exagéré à ses enfants, les aidant à faire leurs devoirs et les disciplinant quand Jérôme ou son ex-femme n'y parvenaient pas. Lisa était si fatiguée que le couple a renoncé à avoir des enfants, chose qui lui tenait pourtant à cœur. Ils ont continué dans la même veine pendant dix ans, Jérôme se faisant régulièrement renvoyer de son travail plusieurs fois par année. Finalement, Lisa n'a pas pu supporter plus longtemps les violences de Jérôme quand il était en chômage. Elle a demandé le divorce, sans reconnaître vraiment le rôle qu'elle avait joué dans leur petit pas de deux insensé.

Il y a celles qui donnent et celles qui prennent. Celles qui prennent mangent bien et celles qui donnent dorment bien… mais pas pour longtemps.

Celles qui donnent finissent par devenir complètement usées. Elles passent souvent des nuits entières à se demander ce qu'elles ont bien pu faire de mal. «Pourquoi ne m'aime-t-il pas assez?», «Qu'est-ce que j'aurais pu faire différemment?», «Qu'est-ce que j'aurais pu donner de plus?» Jusqu'à un certain point, elles reconnaissent que la relation telle qu'elles l'ont laissée se former ne deviendra jamais réciproque. Elles ne seront jamais l'égale de leur homme et n'auront jamais le plaisir de recevoir à leur tour. Mais en échange de leur dévouement, elles auront toujours le contrôle parce qu'on aura toujours besoin d'elles.

Êtes-vous une femme épuisée de consacrer trop d'énergie à donner aux autres et pas assez à s'occuper de soi? Dans l'auto-évaluation 14, déterminez comment vous vous comporteriez si c'était de *vous* qu'il s'agissait dans chacun des trois scénarios authentiques présentés ci-dessous:

AUTO-ÉVALUATION 14

EST-CE QUE J'EN DONNE TROP?

Scénario A

Gilbert est en train de se disputer au téléphone avec sa sœur, Françoise, qui se montre souvent très désagréable. Ils se disputent depuis des années et parfois ils en arrivent à ne plus se parler pendant des mois. Comme d'habitude, Gilbert est dans une colère noire quand il raccroche: il est visiblement furieux de ce qu'elle vient de lui dire. Il se décharge sur vous, sa femme, et aussitôt se sent mieux. Deux jours plus tard, comme si l'incident n'avait jamais eu lieu, Françoise appelle chez vous et demande à parler à Gilbert. Vous êtes encore furieuse de ce que Gilbert vous a rapporté de leur discussion. Décidant brusquement de faire la police et de mettre au pas votre belle-sœur et son exécrable caractère, vous traitez Françoise très froidement au téléphone. Mais Gilbert, lui, finit par décrocher le combiné et se montre très aimable envers sa sœur, comme s'il n'y avait jamais eu la moindre anicroche entre eux…

Scénario B

Vendredi, cinq heures et demie de l'après-midi: vous vous apprêtez à quitter votre travail pour une fin de semaine bien méritée après une semaine harassante. Votre amie Linda vous croise dans le hall et vous grommelle quelque chose sur un problème qu'elle a été incapable de régler à propos d'un compte important. Elle vous demande de rester quelques heures de plus pour l'aider à résoudre le problème. Vous êtes vraiment épuisée et vous avez un mal de tête carabiné. Vous avez hâte de changer d'air et de rentrer chez vous vous préparer pour un rendez-vous avec quelqu'un de nouveau et d'intéressant…

Scénario C

Vous et votre mari vous pressez pour attraper le train qui va vous conduire au travail. Il doit passer une entrevue pour un poste qu'il convoite depuis longtemps. Vous avez répété ensemble la façon dont il devra répondre à quelques-unes des questions prévisibles qu'on va lui poser. Soudain, dans la précipitation du départ, un de ses boutons de chemise saute. Même s'il sait se servir d'un fil et d'une aiguille et est parfaitement capable de le recoudre lui-même, il vous demande de le faire pour lui. Si vous faites ça, vous allez arriver en retard pour votre rendez-vous de la matinée avec le patron. Récemment, votre patron et vous n'avez pas réussi à vous voir en tête à tête sur des questions importantes. Par ailleurs, il est particulièrement important pour votre mari qu'il ait fière allure ce matin et qu'on lui offre cet emploi. Mais votre relation avec votre patron est, elle aussi, importante…

- **Comment avez-vous réagi au scénario A?**

Quand j'ai fait jouer ce scénario dans un de mes ateliers, la femme a fait une scène à Gilbert quand il a raccroché le combiné du téléphone. Ça a dégénéré en dispute, même si, au départ, l'histoire ne concernait pas du tout le couple. Quelle aurait été votre réaction à vous?

- **Comment avez-vous réagi au scénario B?**

Dans un autre atelier, la femme s'est mise en colère contre Linda qui lui avait demandé de rester. Mais elle était encore plus furieuse contre elle-même de lui avoir cédé, ce qui l'avait forcée à annuler le rendez-vous qu'elle attendait depuis longtemps. Quelle aurait été votre réaction à vous?

- **Comment avez-vous réagi au scénario C?**

En jouant cette petite scène, une femme a dit au mari: « Chéri, est-ce que tu es en train de me dire que simplement parce que tu as un pénis, tu es incapable de coudre ton bouton toi-même?» Elle lui a souhaité bonne chance pour son entrevue, l'a embrassé sur la joue et est partie travailler. Son mari, complètement abasourdi, s'est résolu à coudre son bouton lui-même. Quelle aurait été votre réaction à vous?

À laquelle de ces trois réactions de femmes vous seriez-vous le plus identifiée? La première femme était quelqu'un qui en faisait trop pour son mari. Avez-vous remarqué, d'ailleurs, avec quelle rapidité Gilbert a orienté sa colère dans le giron accueillant de sa femme? Pour lui, une fois le Vésuve entré en éruption, l'affaire était réglée. Mais sa femme, elle, avait continué d'attiser les braises, sans se rendre compte qu'il ne s'agissait pas de ses braises à elle.

La seconde femme était elle aussi une femme qui en fait trop. Même si elle était physiquement vidée et aurait apprécié un rendez-vous rafraîchissant avec quelqu'un d'intéressant, elle ne s'est pas du tout préoccupée d'elle-même. Pas étonnant qu'elle se soit mise en colère. En vérité, ce n'était pas du tout la faute de Linda; ce n'est pas parce que quelqu'un vous demande quelque chose que vous êtes obligée de céder.

Quant à la femme numéro 3, même si son commentaire du tac au tac pouvait paraître un peu acerbe, elle a été la seule des trois à reconnaître ses propres besoins, à se souvenir de ses priorités et à faire ce qui lui paraissait le mieux pour la sécurité financière *du couple.* Si son mari, dans sa précipitation, a eu une petite crise de mauvaise humeur, tant pis. À l'occasion, chaque partenaire a bien le droit d'élever la voix. Ce qui importe, c'est qu'elle a fait le bon mouvement pour protéger son emploi, que son mari ait décroché ou non celui qu'il convoitait.

Vous considérez-vous comme une femme qui en fait trop? Remplissez l'auto-évaluation 15 et voyez si vous en avez les traits caractéristiques.

AUTO-ÉVALUATION 15

PROFIL DE LA FEMME QUI EN FAIT TROP

Attribuez une cote, de 0 à 2 (0 = rarement ou jamais, 1 = parfois ou à l'occasion, 2 = souvent ou fréquemment) à chacune des phrases suivantes, en remplaçant X par le nom de votre conjoint:

____1. Je repousse mes périodes de repos pour X.
____2. Je suis là pour rendre X heureux.
____3. Je me sens indispensable quand je me rends disponible pour X.
____4. Plus je lui consacrerai de mon temps, moins X sera tenté d'aller voir une autre femme.
____5. Quand X ne réussit pas à finir quelque chose, je le termine pour lui.
____6. Je renonce aux activités que j'aime si X ne les aime pas lui aussi.
____7. Je fais souvent des plans pour notre couple sans consulter X.
____8. J'abandonne généralement ce que je suis en train de faire si X m'appelle.
____9. Je donne des conseils à X même s'il ne me demande pas mon avis.
____10. Je termine parfois les phrases de X pour lui.

RÉSULTATS

Si vous avez trois points ou plus, il y a des chances que vous soyez une femme qui en fait trop.
Si vous avez cinq points ou plus, vous êtes probablement une femme qui en fait trop.

Comme la plupart des femmes, Marthe avait appris à en faire trop en grandissant. Dans sa famille, elle avait vite assumé le rôle de celle qui s'occupe de tous et de tout. Mais maintenant elle était mariée et, avec ce nouveau rôle, elle avait en plus un travail à temps plein, des études à temps partiel et son travail de mère de famille en temps supplémentaire. Elle était perpétuellement épuisée, c'est le moins qu'on puisse dire. Ce test d'évaluation, quand elle l'a passé, lui a ouvert les yeux sur la nécessité pour elle de se dégager de tout fardeau inutile, y compris le rôle qu'elle avait déjà tenu auprès de son père et de sa mère, rôle où elle s'était initiée aux rudiments du dévouement exagéré.

Un jour, sa mère a demandé à Marthe la dévouée de rappeler à son père que c'était bientôt son anniversaire, mais de ne pas souffler mot de ce qu'elle lui avait souvent demandé de lui acheter. Maman voulait voir si Papa avait oublié. (Remarquez, en passant, comment la mère voulait «prendre» Papa en flagrant délit d'*oubli* et non de *souvenir*. C'est le genre de petit jeu auquel se livrent les femmes, oui, *les femmes*!) Pour la première fois de sa vie, Marthe a refusé de se laisser prendre entre ses deux parents. Le temps venu, son père s'est effectivement souvenu de l'anniversaire de sa mère mais, au lieu du collier dont elle avait envie, il lui a offert un cadeau tout ce qu'il y a de plus impersonnel: un système d'alarme pour la maison! Maintenant que Marthe avait abandonné son rôle de femme qui en faisait trop, ses parents devraient négocier leurs propres différends sans son aide. Marthe s'est sentie bien d'avoir sorti sa vie des griffes de ses parents. Il lui restait maintenant à la sortir de celles de son mari.

Marthe a été particulièrement frappée par le point 2, celui qui disait que son rôle dans la vie était de rendre son mari heureux. Elle croyait vraiment que c'était sa responsabilité. Elle a reconnu qu'elle se sentait utile quand elle rendait son mari heureux (point 3) et était sûre que si elle continuait à en faire autant pour lui, il n'irait pas voir d'autres femmes (point 4) comme tant de maris de ses amies l'avaient fait. Bref, elle a marqué 10 points: ses propres besoins et désirs passaient loin derrière ceux de son mari. Manifestement, elle ne pouvait pas continuer ainsi. Elle a compris tout de suite que si elle voulait conserver son mariage, il lui faudrait abandonner ce rôle comme elle l'avait fait avec ses parents. Sans quoi, elle ne serait plus que la coquille vide d'une femme, ce qui pourrait bien en fin de compte faire se réaliser sa crainte la plus grande: que son mari perde intérêt et se cherche quelqu'un d'autre.

Souvent, les femmes comme Marthe pensent qu'elles ont *besoin* d'en faire trop pour se gagner l'approbation des autres. Cette approbation a le don de les faire se sentir mieux: elles sentent qu'on a besoin d'elles et qu'on applaudit à tout ce qu'elles font pour les autres. Malheureusement, elles finissent souvent stressées et déprimées parce que les choses dont elles ont, elles, besoin pour mener une vie heureuse, leur font cruellement défaut.

La drogue de l'approbation

Si vous n'êtes toujours pas sûre d'être une de ces femmes qui en font trop, demandez-vous si l'approbation des autres n'est pas une véritable drogue pour vous: l'indice en est l'usage répété de formules qui équivalent à demander «ai-je bien fait?». Il s'agit d'une forme de communication indirecte qui vous évite d'avoir à faire état de vos propres sentiments tandis que vous cherchez à satisfaire les sentiments de votre homme. Ai-je bien dit «*éviter*»? *Une femme* éviterait-elle ainsi de s'engager? Eh oui, car nous pouvons bien reprocher à nos hommes d'éviter de s'engager vraiment dans notre vie de couple, nous sommes certainement coupables, nous aussi, d'éviter de communiquer directement nos vrais sentiments. Bon, d'accord, c'est peut-être parce que nos sentiments ont été ignorés pendant si longtemps. Ce peut être aussi parce que nous avons peur d'être blessées. Ce peut même être notre seul moyen de protection. Mais ne cherchons plus d'excuses! La manifestation de la vérité de nos sentiments doit bien commencer quelque part. Tout ce qui n'est pas franchise envers votre partenaire est une forme de manipulation. Est-ce ainsi que vous voulez entreprendre une relation amoureuse ou la continuer?

Les formulations synonymes de «ai-je bien fait?» font partie du langage de trop de femmes. Il s'agit, en fait, de cinq expressions qui demandent indirectement l'approbation de l'autre, son acceptation, son amitié ou son amour.

Les cinq expressions qui veulent dire «ai-je bien fait?»
a. Les formulations qui se terminent par une question ajoutée en bout de phrase:
«*Le film était bon, pas vrai?*», «*Notre rendez-vous est bien à huit heures?*»
Ces formulations donnent à celle qui les utilise une porte de sortie au cas où son interlocuteur ne serait pas d'accord. Elles montrent à quel point celle qui parle n'est pas sûre d'elle.
b. L'hésitation et le refus de se compromettre:
«*Je crois que*», «*Plus ou moins*», «*Peut-être*», «*Tu sais bien*», «*En quelque sorte*». Les hésitations et le refus de se compromettre montrent que celle qui parle a peur d'imposer ses opinions aux autres.
c. Les italiques:
«Il fait *très* chaud», «Je suis *terriblement* fâchée», «Il est *vraiment* extraordinaire». Les italiques, marquées dans la parole par une accentuation du mot, disent poliment et indirectement à l'interlocuteur de quelle façon on veut qu'il réponde, comme si on craignait que les mots seuls n'aient pas assez de poids.
d. Les formules visant à attirer l'attention:
«*Sais-tu quoi?*», «*Veux-tu en apprendre une bonne?*», «*Tu ne vas pas le croire…*» Ces formules quémandent de l'interlocuteur une manifestation d'intérêt qui donnera à celle qui les utilise l'autorisation de continuer à parler.
e. Les dénégations:
«*Non, j'ai seulement voulu dire…*», «*Je sais que ça va avoir l'air fou mais…*», «*Je n'en sais trop rien mais…*». Ces formules affaiblissent la communication entre les personnes et la rendent confuse. L'interlocuteur ne sait pas s'il doit répondre et rassurer celle qui vient de parler d'un «bien sûr, ça ne me dérange pas du tout…» ou l'ignorer complètement et formuler sa réponse.

Cette façon de parler ne comprend pas seulement ces cinq types de formulations, elle consiste aussi à *tourner autour* de la question de façon à ne pas heurter l'interlocuteur. Dans l'auto-évaluation 16, comment réagiriez-vous à chacun de ces trois scénarios?

AUTO-ÉVALUATION 16

EST-CE QUE JE RECHERCHE L'APPROBATION?

1. Une amie vient de faire une remarque désagréable sur un homme que vous connaissez toutes les deux. Elle ne sait pas que lui et vous êtes liés. Vous n'êtes pas encore prête à avouer le fait, mais vous aimeriez quand même défendre l'honneur de cet homme.
   VOTRE RÉACTION:______________________
2. Votre voisine vient tout juste de vous poser une question personnelle sur votre vie sexuelle, ce qui ne la regarde absolument pas. Vous voulez trouver une façon de le lui dire, mais comme vous la voyez tous les jours, vous ne voulez pas déclencher une confrontation qui affecterait la cordialité de vos relations.
   VOTRE RÉACTION:______________________
3. Vous passez une entrevue pour un emploi et l'interviewer, un jeune homme, vous demande votre âge. Vous savez que c'est illégal, mais vous voulez cet emploi.
   VOTRE RÉACTION:______________________

- Dans des situations semblables, préférerez-vous utiliser un des cinq types de formules évoquées ci-dessus ou adopterez-vous une approche plus directe?
- Quel avantage trouvez-vous à utiliser le style que vous avez choisi?

Christine, la gestionnaire malheureuse du chapitre 2, a eu beaucoup de mal à remplir ce test. Elle n'arrivait pas à trouver des formulations assez «gentilles» pour que ses interlocuteurs ne se froissent pas. À partir de là, elle a reconnu qu'elle était parfaitement incapable de discuter de questions controversées tant son besoin d'être aimée était grand. Souvenez-vous, Christine était celle qui se demandait si les gens ne voyaient pas en elle une proie facile. C'est précisément ce qui se produit quand nous ne communiquons pas de façon directe, quand nous évitons les sujets qui nous touchent alors que:

 *Quand nous affirmons nos préférences, nous invitons les gens à agir comme nous le voulons.*

Nous avons commencé à pratiquer la façon dont Christine pourrait réagir aux scénarios de l'auto-évaluation 16. Au point 1, elle s'est sentie à l'aise avec: «Je ne trouve pas que ce soit le cas de Jean», accompagné d'un haussement d'épaules et d'un changement de sujet. Au point 2, elle a trouvé le moyen de faire appel à son sens de l'humour: «Ma vie sexuelle me tient si occupée que j'ai à peine le temps de manger ou de dormir» et de clore l'incident dans un éclat de rire. Au point 3, elle s'est entraînée à dire: «J'ai toujours pensé que j'étais assez jeune pour continuer d'apprendre», avec un sourire.

Nous avions enregistré sur un magnétophone les premières réponses de Christine. Elle a vite constaté que les expressions qu'elle utilisait auparavant l'empêchaient de communiquer directement et honnêtement. Elle a compris que s'en remettre à la franchise était pour elle la seule façon d'obtenir le respect.

Vous devez maintenant commencer à reconnaître qu'il faut faire plus d'efforts pour cacher ses sentiments que pour les communiquer. Les femmes qui en font trop s'épuisent à essayer de trouver la bonne formule et le bon comportement. Mais ce n'est pas la seule conséquence négative de leur attitude. Une femme qui en fait trop peut voir son sentiment de perte de soi exacerbé quand le bénéficiaire de ses attentions s'en prend brusquement à elle. Il est très douloureux de se faire accuser d'avoir mal pris soin de ceux pour lesquels on s'est dévouée. La remarque peut venir des enfants une fois devenus adultes, du mari, d'un employé, d'un patron ou même d'un des parents. Parfois l'accusation est lancée des années après qu'on a cessé d'exercer son rôle d'épouse, de mère, de directrice de compagnie, de travailleuse à la chaîne, d'adjointe administrative ou même de maîtresse. Comme elle a souvent sacrifié sa vie entière à la personne ingrate, la femme qui en fait trop est anéantie et pleine de colère.

Jeanne avait abandonné l'idée de mener sa propre carrière pour aider à mettre sur pied la compagnie de design intérieur de son mari. Et grâce à elle, l'entreprise avait vraiment décollé. Seize ans et deux enfants plus tard, son mari lui a annoncé qu'il ne l'aimait plus et qu'il voulait divorcer. Hélène, une femme divorcée, s'est souvent passée de nouveaux vêtements parce que ses trois enfants avaient besoin de vêtements pour l'école, de chaussures de sport, de leçons de musique et de camps de vacances. Maintenant, des années plus tard, deux de ses enfants lui reprochent de ne pas avoir été assez à la maison pendant qu'ils étaient petits. Quant au troisième, il ne lui parle même plus.

Ces deux femmes étaient des femmes qui en faisaient trop, qui se dévouaient sans compter pour les autres, un peu comme celles que nous avons rencontrées plus tôt, Christine, Catherine, Lisa et Marthe. Et qu'est-ce qu'elles avaient en retour? Jeanne a sacrifié sa carrière au bénéfice de son mari et Hélène, pour satisfaire les besoins de ses enfants, a peut-être perdu des chances d'avancement parce que ses vêtements n'étaient pas assez chics. Dans les cas de Christine et de Catherine, leur dévouement a occulté l'échec de leur mariage pendant qu'elles s'évertuaient à combler les besoins de toute la famille au détriment de leur propre besoin d'amour. Lisa et Marthe étaient accablées de fatigue et de stress parce qu'elles n'avaient jamais le sentiment d'en faire assez pour leur famille. Je ne peux pas m'empêcher de sourire quand je vois sur le pare-chocs de la voiture qui me précède un autocollant qui signale une «supermaman». Je me demande si la maternité peut vraiment être le seul titre de gloire de cette femme. J'aimerais bien pouvoir descendre de voiture et aller lui dire de faire attention à elle, mais j'ai été moi-même une femme qui en faisait trop, même si je m'en suis repentie, alors je poursuis ma route.

J'avais dans un de mes cours de maîtrise à l'université une femme particulièrement brillante et compétente. Elle souffrait d'une grave affection au genou et devait se faire opérer sous peu. Pendant un cours, ses yeux m'ont paru embués. Même si son genou la faisait beaucoup souffrir, ce n'était pas la douleur ni la perspective de l'opération qui lui tiraient ces larmes. La seule chose qui l'inquiétait, c'était la peur que son mari et sa fille de vingt-sept ans ne se retrouvent complètement démunis quand elle serait à l'hôpital. Elle se torturait: «Qu'est-ce qu'ils vont manger? Qui va leur faire la cuisine? Avec mon nouvel emploi, est-ce que je vais avoir assez de temps pour leur préparer trois semaines de repas d'avance?» Manifestement, c'était une de ces femmes qui en font trop. Son mari et sa fille étaient des adultes, mais elle leur avait appris à vivre comme des enfants dépendants. Son dévouement était littéralement en train de la tuer. Elle n'était pas seulement très fatiguée, elle avait aussi cent kilos de trop.

Un problème de poids peut être le signe d'un manque de considération pour son corps et ses limites. Souvent, quand les gens sont incapables de dire «non», ils se créent un corps qui va le dire pour eux. Ce n'est pas pour rien qu'il existe une chanson populaire dont les paroles sont: «Je ne suis qu'*une fille* qui ne sait pas dire non», plutôt qu'«*un gars* qui ne sait pas dire non». À cause de la peur que nous, les femmes, avons de faire de la peine, cette incapacité de dire «non» est manifestement un plus grand problème pour les femmes que pour les hommes. Dépourvues de la capacité d'opposer un non catégorique, les femmes obèses douées d'un bon naturel se protègent en édifiant une barrière physique que les autres ne peuvent franchir. Mais elles ne se rendent pas compte que leur forte corpulence, après tout, ne leur permet guère de se cacher.

J'ai enregistré cette femme sur vidéo pendant qu'elle manifestait ses craintes de ne pas jouer assez bien son rôle de mère poule. (Ou peut-être, après tout, craignait-elle que son opération n'apprenne aux membres de sa famille à se débrouiller tout seuls et qu'ils n'aient plus *besoin* d'elle?) Elle s'est effondrée. C'est à travers ses larmes qu'elle a regardé l'enregistrement. Mais elle a appris que le bienfait à retirer de son opération, ce n'était pas tant l'amélioration espérée de sa condition que l'occasion pour elle de lâcher prise. Ce fut un des exercices les plus profitables de toute sa vie.

Donner le surplus, pas l'essentiel.

Comprenez-moi bien: cette capacité que nous avons de donner à quelqu'un quelque chose qu'il ne trouverait nulle part ailleurs, c'est un don précieux et une des plus belles qualités des femmes est leur capacité de prendre soin des autres, de les nourrir et de les aider d'une façon dont les hommes sont généralement incapables. Mais il doit y avoir dans toute relation humaine un certain équilibre. Et celle qui donne doit de temps en temps changer de rôle avec celui qui reçoit, ne serait-ce que pour éviter de se retrouver prise dans un rôle immuable et stéréotypé, avec le ressentiment qui en découle. Si le fait de trop donner nous amène à faire passer nos propres besoins au second plan, il faut faire attention de ne pas disparaître pour de bon dans cet arrière-plan. Le dévouement excessif va peut-être nous valoir d'être aimées davantage à court terme, mais il ne nous apportera pas le respect à long terme. Et qui va s'occuper de nous quand nous serons brûlées au point d'être pratiquement réduites en cendres?

Comment nos relations avec les autres nous épuisent: c'est écrit dans les chiffres

Si le risque de vous brûler, de ne pas être appréciée, de ne pas être respectée, de vous faire littéralement traiter comme quantité négligeable et d'empêcher les autres de travailler à leur propre bien-être ne suffit pas à vous dissuader d'en faire trop, regardez les chiffres. Toutes les interactions qui peuvent se produire dans une relation donnée sont couvertes par la formule suivante:

$$\frac{n \times (n - 1)}{2}$$

où n = le nombre de personnes impliquées dans la relation.

Par exemple, dans le couple A, deux personnes seulement sont impliquées, ce qui donne la formule suivante:

$$\frac{2 \times (2 - 1)}{2} = 1 \text{ interaction}$$

Par exemple, Jacques et Lise forment le couple A, ce qui veut dire qu'ils n'ont à s'occuper que de la communication entre eux deux, c'est-à-dire une seule interaction à alimenter. Cela semble assez simple. Mais regardez ce qui se produit quand Jacques et Lise ont un enfant: le n qui se lisait 2 dans l'équation initiale est maintenant devenu 3, ce qui nous donne:

$$\frac{3 \times (3 - 1)}{2} = 3 \text{ interactions}$$

Rien qu'en ajoutant une autre (petite) personne, la relation monte à 3 interactions plutôt qu'une, comme auparavant: il y a l'interaction entre Lise et le bébé (interaction # 1), celle entre Jacques et le bébé (interaction # 2) et celle entre Lise et Jacques (interaction # 3). Non seulement il y a maintenant trois interactions fondamentales, mais chacune devient plus stressante dans le mesure où le bébé, comme il se doit, exige une attention constante de la part de ses parents.

Imaginons maintenant que Jacques et Lise agrandissent leur famille à deux enfants, soit quatre personnes en tout. La formule de la relation familiale deviendra la suivante:

$$\frac{4 \times (4 - 1)}{2} = 6 \text{ interactions}$$

Il y aurait alors Jacques et Lise (interaction #1), Jacques et l'enfant n°1 (interaction #2), Lise et l'enfant n°1 (interaction #3), Jacques et l'enfant n°2 (interaction #4), Lise et l'enfant n°2 (interaction #5), l'enfant n°1 et l'enfant n°2 (interaction #6). Encore une fois, plus les enfants sont jeunes, plus ils ont besoin de l'attention soutenue de leurs parents. Avec six interactions en tout, il est facile de comprendre à quel point la vie de famille peut devenir stressante, car chaque interaction a sa nature propre et développe un fonctionnement spécifique.

Beaucoup de familles ont trois ou quatre enfants, un parent plus âgé et un animal domestique ou deux. Imaginons, par exemple, que Jacques et Lise, mariés maintenant depuis dix ans, ont agrandi leur famille à quatre enfants, auxquels s'ajoute la vieille tante de Jacques et le chien, tout ce monde-là habitant sous le même toit. Cela représenterait huit personnes, si l'on compte le chien. La formule de ce groupe serait donc:

$$\frac{8 \times (8 - 1)}{2} = 28 \text{ interactions}$$

Bon d'accord, vous pensez qu'on ne devrait pas inclure le chien dans la formule? Alors ça ne nous laisserait que… vingt-quatre interactions! Aussi impressionnants que soient ces chiffres, *la formule telle qu'elle apparaît là ne dit pas tout.* Vous venez de voir la myriade d'interactions que chacun entretient avec les autres, mais la formule oublie une chose:

La plus fondamentale de toutes nos relations, c'est celle que nous entretenons avec nous-mêmes.

Qu'en est-il, en effet, de ces moments privilégiés que nous devrions consacrer à nous-mêmes? Du temps que nous devrions nous accorder pour être seules? Que dire de cette pause au milieu d'une journée bien remplie rien que pour regarder la télé, partir magasiner, aller au cinéma, faire l'amour avec notre conjoint ou exercer notre passe-temps favori? Habituellement, comme les femmes sont des pourvoyeuses exemplaires, ce temps qu'elles se réservent pour elles-mêmes passe après toutes les priorités de la journée; elles le reportent indéfiniment et il finit par ne jamais avoir lieu.

Imaginez ce qui se passerait si Lise était une de ces femmes qui en font trop. Plus ses rapports familiaux seraient complexes, plus elle essaierait de contrôler le flux des interactions entre toutes ces personnes. En réalité, nous ne pouvons pas contrôler le comportement des autres, même quand il s'agit de nos enfants, mais c'est particulièrement vrai pour notre partenaire adulte qui a sa propre volonté. Le choix qui s'offre alors à la femme qui en fait trop consiste soit à continuer de tout contrôler et chercher à mettre de l'ordre dans le désordre de tout le monde ou d'abandonner toute idée de contrôle et *prendre sa propre vie en main.* Le premier choix mène inévitablement à un stress tel que la femme qui en fait trop perd complètement les pédales. Il n'y a pas seulement qu'elle fait de l'angoisse, il y a aussi que c'est extrêmement dérangeant et désagréable pour les autres de se retrouver pris là-dedans. Son mari, par exemple, se mettra peut-être à crier après elle parce qu'elle s'occupe de tout le monde mais ne trouve jamais un moment à passer tranquille avec lui. Le voilà rempli de colère, et elle aussi. Comment peut-on ne pas apprécier ses bonnes intentions? Et le cycle se perpétue. Manifestement, il n'y a qu'un seul choix raisonnable, le second.

Lâcher prise

Si on me demandait d'identifier le défi le plus grand que j'aie rencontré dans ma vie adulte, ce serait d'apprendre à rester tranquille et à oublier les problèmes des autres. Je dois encore me retenir à deux mains pour ne pas intervenir quand je vois quelqu'un que j'aime gâcher sa vie. Comme la majorité des femmes que je connais, j'ai toujours considéré le fait d'essayer de régler les problèmes d'un autre comme une marque d'amour. Mais j'ai appris à mes dépens que le fait d'en faire trop pour les autres n'est pas du tout de l'amour mais plutôt une tentative pour imposer ma façon de penser et de me comporter. Il m'a fallu beaucoup de temps pour cesser d'intervenir dès que mon ex se disputait avec son ex à lui, à le laisser discipliner ses enfants sans lui donner de conseils, à dire à mes amies que c'était à elles de décider comment se comporter avec leurs maris, à permettre à la famille que j'aime d'apprendre à vivre avec ses erreurs et de grandir à travers elles. J'ai beau être une experte en relations humaines reconnue à la grandeur du pays, je me suis juré de ne plus jamais m'exposer à me faire dire: «Qu'est-ce que tu en sais?» ou «Comment peux-tu me donner des conseils sur x alors que toi tu n'es même pas y?» Mais c'est lui, ou c'est elle qui me l'avait demandé, me disais-je pour me justifier. Et je me sentais blessée par leur rebuffade. Eh bien, c'est fini maintenant. J'ai appris que pour vivre en paix, je devais laisser les autres suivre leur propre chemin. En outre, il était temps que je grandisse et que j'affronte mes propres problèmes. Et quand je l'ai fait, j'ai commencé à réussir dans la vie. Et ce n'est qu'à partir de ce moment-là que je me suis mise à rayonner de ma propre lumière et non de ma capacité à rallumer celle des autres.

Mais lâcher prise ne veut pas dire cesser de se préoccuper de quelqu'un. Cela veut simplement dire qu'on reconnaît que les gens doivent traverser seuls leurs propres zones d'ombre dans lesquelles ils apprennent à maîtriser les vents et marées de la vie. Lâcher prise veut dire ne plus *s'occuper des affaires de quelqu'un à sa place* mais plutôt *se préoccuper de lui.* À partir de là, on ne nous appellera plus pour se faire *consoler,* mais pour se faire *soutenir.* Essentiellement, cela exige de nous plus d'amour que nous n'en avons jamais donné dans le passé parce que maintenant notre amour va se fonder sur la confiance que nous lui faisons de pouvoir faire quelque chose pour lui-même. Et quand quelqu'un fait quelque chose pour lui-même, il accomplit le pas le plus responsable, celui qui mène à la croissance personnelle.

En regardant l'enregistrement vidéo que j'avais fait d'elle, mon étudiante de maîtrise a découvert qu'il était enfin temps pour elle de se mettre au monde après avoir mis au monde sa famille. Je lui ai fait voir que le fait de prendre la responsabilité de toutes les questions familiales l'avait empêchée d'adopter une position responsable à l'égard de sa propre vie. Comme elle se targuait d'être une acheteuse avisée, elle a compris quand je lui ai dit que cela lui coûtait trop cher. Malheureusement, si la plupart des femmes connaissent le prix de bien des choses, souvent elles ne comprennent pas la valeur de leur âme. Je préparais en plus cette étudiante à affronter le monde à visage découvert, sans avoir besoin de cette armure que représentait son poids. Se retrouver hors service tandis qu'elle se remettait de son opération au genou était probablement la meilleure chose qui pouvait lui arriver. Elle a ainsi réalisé que quand des choses *vous* arrivent, elles arrivent aussi *pour vous.* Quoi qu'il en soit, même si cette femme trouvait son besoin de lâcher prise rafraîchissant, elle était également terrifiée. Car maintenant, elle allait prendre la vedette dans son propre film publicitaire plutôt que mettre en scène les actions de son mari et de sa fille.

Cela fait plus d'un an que mon cours est terminé et je suis récemment tombée nez à nez avec elle sur le campus. Elle a déjà perdu environ cinquante kilos et jamais je ne lui avais vu un aussi large sourire. Elle m'a remerciée de lui avoir fait sauter les barrières. Mais en réalité, c'est elle qui a été capable de lever les obstacles artificiels qu'elle s'était imposés et de prendre une part plus active à sa vie. Elle m'a dit qu'elle n'avait plus guère le temps de contrôler les actions des adultes avec qui elle vivait. Et le résultat, c'est qu'ils en sont plus heureux. Sa fille s'étant enfin pris un appartement, mon étudiante et son mari disposent désormais de plus d'argent pour prendre des vacances ensemble et raviver leur amour. Ah! les merveilleux avantages qu'on retire en lâchant prise!

Sans limites, la vie n'a pas de sens

Nous devons d'abord nous imposer des limites à nous-mêmes de façon à bien savoir où nous nous situons. Mais le fait d'imposer des limites sert aussi à faire savoir aux autres à partir d'où ils commencent à franchir la frontière qui délimite notre territoire, celui que nous considérons comme interdit aux autres. Quand nous délimitons d'entrée de jeu notre périmètre personnel, nous apprenons et nous enseignons en même temps les règles de notre amour. Mais si, au contraire, une relation amoureuse devient la seule chose qui nous maintient en vie, nous rendons nos frontières élastiques rien que pour ne par perdre notre prince. Chaque femme doit, dès le début d'une relation, établir des limites personnelles dans le respect des deux partenaires. Ces limites définissent implicitement les règles quant au genre de traitement que nous nous attendons à recevoir.

Diane était une femme superbe, une véritable beauté qui vivait avec Robert depuis quatre ans. N'importe quelle femme aurait voulu avoir un corps et un visage comme les siens et nul n'aurait imaginé qu'un homme puisse ne pas désirer une femme aussi splendide. Entrepreneur en pleine ascension, Robert a décidé brusquement qu'il quittait la Californie pour New York où s'offraient à lui de nouvelles possibilités d'affaires. Diane, de son côté, avait une petite entreprise à elle en Californie et elle était en train de faire une maîtrise en administration. Mais comme elle aimait cet homme, elle a accepté de poursuivre leur relation, chose qui n'est pas facile quand on habite deux villes différentes, sans parler d'avoir à traverser tout un continent. Pendant qu'ils étaient séparés, elle a appris qu'il avait amené avec lui en voyage d'affaires la gardienne d'enfants de sa meilleure amie. Passons! Puis, une autre fois, un jour qu'ils passaient ensemble une fin de semaine prolongée, elle a remarqué à quel point il se montrait grossier à l'endroit du concierge de son immeuble. Finalement, en rentrant plus tôt que prévu, un beau jour, elle l'a surpris au lit avec une autre femme. Ce fut la fameuse goutte d'eau qui fait déborder le vase. Diane avait eu sa leçon. Après une expérience aussi dévastatrice, beaucoup de femmes se plaignent de leur manque de chance et se disent «si seulement j'étais plus jolie...», «si seulement j'étais plus intelligente...», «si seulement, j'avais été meilleure au lit...» Mais en fixant dès le départ ses limites et en annonçant clairement ce qu'elle ne supporterait pas, Diane a vu tout de suite que le problème, ce n'était pas elle mais Robert. Elle a décidé qu'il était plus que temps de tourner la page et de consacrer tous ses efforts à son propre bonheur.

 *Vos limites n'empêchent pas les autres d'entrer dans votre vie; elles vous retiennent de gaspiller votre énergie pour des gens qui ne le méritent pas.*

En connaissant ses limites, une femme sait aussi jusqu'où elle va permettre à son homme de les transgresser. Elle sait en effet qu'elle peut toujours le quitter. Quand les limites sont solidement établies, on n'a pas besoin de beaucoup d'élan pour faire le pas suivant:

 *Il faut brûler toutes les étapes inutiles. Une femme qui souffre n'a que deux mouvements à faire: se redresser, s'en aller.*

Les femmes qui quêtent toujours l'approbation des autres éprouvent de la difficulté à fixer des limites et à s'y tenir. J'ai travaillé pendant deux ans avec une très jolie femme qui était là essentiellement pour apprendre des méthodes de gestion plus assurées. Quand nous avons examiné son histoire personnelle, elle s'est rendu compte qu'elle devrait commencer par devenir une femme plus assurée et que ses interrogations quant à son style de gestion n'étaient qu'un écran de fumée qui cachait des problèmes plus profonds. Il lui fallait mettre des limites à la façon dont son mari la traitait à la maison avant de pouvoir commencer à en mettre dans son environnement extérieur. À un certain moment dans la thérapie qu'elle faisait avec moi, le défi s'est avéré si grand pour elle qu'elle m'a demandé à la blague si je ne connaissais pas un magasin où elle pourrait tout simplement s'acheter des limites. Cela aurait été en effet beaucoup plus facile d'acheter ce dont elle avait besoin que d'être obligée de s'aventurer sur un nouveau territoire. Mais une fois mission accomplie, non seulement a-t-elle été mieux traitée à la maison mais elle a obtenu des augmentations de salaire considérables à cause de ses formidables qualités de gestionnaire. Vous le voyez encore une fois, tout commence avec soi.

On a déjà dit que les bonnes clôtures font les bons voisins. Les intrusions dans l'intimité de quelqu'un sont toujours risquées et ce n'est pas seulement un espace physique qu'il faut protéger mais aussi un espace émotionnel. Si nous cédons à quelqu'un d'autre le contrôle de notre clôture, il se trouve investi du pouvoir de défaire cette clôture quand bon lui semble. S'il le fait et quand il le fait, à moins que nous n'ayons des forces en réserve, nous écopons. Mais l'amour nous submerge toujours et l'établissement de limites est vraiment la dernière chose à laquelle nous pensons quand nous commençons à éprouver un certain intérêt pour quelqu'un.

Quand ils ont décidé de faire vie commune, Catherine, notre enseignante, a remis toute sa vie entre les mains de Louis. C'est ce que font les femmes qui centrent leur vie sur un homme au lieu de la centrer sur elles-mêmes. Penser à soi veut dire qu'une femme se consacre à sa croissance personnelle, s'occupe de faire fructifier ses talents, de réaliser ses ambitions et de vivre ses passions. Parce qu'elle a placé son mari sur un piédestal, le début de son mariage a été pour Catherine le moment où elle a cessé de voir ses amis et sa famille et où elle n'a plus vécu que pour se réveiller le matin auprès de cet homme et rentrer le soir le retrouver. Placer un homme sur un piédestal peut s'avérer extrêmement dangereux. Quand finalement ils se sont séparés, elle s'est retrouvée toute seule. À part les enfants auxquels elle se dévouait de façon névrotique, Catherine n'avait absolument personne. Après une année passée à pleurer, elle a finalement décidé qu'elle ne pouvait pas continuer à vivre comme ça. Elle devait absolument se reprendre en main. Il lui a fallu deux longues années et de nombreuses sessions de thérapie pour s'en remettre, mais aujourd'hui, même si elle a un homme dans sa vie, elle continue à voir ses amis et sa famille régulièrement, signale ses limites au besoin et prend soin de se réserver du temps pour elle-même. L'expérience dévastatrice qu'elle a eue d'un amour excessif lui a appris à ne pas oublier sa propre personne dans l'équation de la vie. Son nouveau partenaire non seulement l'aime pour son indépendance, mais la respecte, ce qui a beaucoup plus de substance. Quand ses lumières clignotent pour dire «on ne passe pas», tout le monde respecte la consigne.

Priscille avait un autre genre de problème quant à ses limites. Quand elle est venue me voir, son mariage était sur le point de s'effondrer. Détentrice d'un diplôme universitaire, elle avait déjà occupé un emploi bien rémunéré mais l'avait abandonné à la naissance de son bébé. Maintenant, elle avouait s'en remettre à son mari pour absolument tout. On en revient au mythe du prince charmant! Mais voilà que cette femme en était venue à se dire qu'elle détestait la vie qu'elle menait. Elle sentait qu'elle stagnait, elle était trop grosse, n'avait aucune confiance en elle et attendait tout de son mari, y compris l'affection et l'adoration qu'il était souvent trop fatigué pour lui donner. Ensemble, nous avons déterminé ce qu'elle pourrait faire pour reprendre possession d'une vie qui lui avait déjà été agréable. Mais alors que nous dressions la liste des activités qu'elle aurait pu entreprendre, elle s'est effondrée. Elle m'a dit: «Si je deviens plus indépendante, je pense que mon mari ne m'aimera plus.» Tiens, le prince encore une fois! Il a fallu revenir sur les limites qu'elle avait établies au moment où son mari était tombé amoureux d'elle. «Est-ce qu'il vous aimait à ce moment-là?» lui ai-je demandé. «Oh oui.» Mais alors qu'est-ce qui lui faisait croire que les choses seraient différentes cette fois-ci? À travers la discussion que nous avons eue alors, il est devenu évident que la restriction des limites n'existait que dans l'esprit de Priscille et que son mari, lui, n'en savait rien. Priscille est retournée sur le marché du travail. Maintenant qu'elle a retrouvé l'estime de soi, son couple se porte bien.

Beaucoup de femmes pensent à tort que le fait d'abaisser ses frontières permet de se faire aimer à tout prix et de ne pas être abandonnée. Mais l'opinion que les autres ont de nous fluctue, souvent sans crier gare, et n'a souvent rien à voir avec ce que nous sommes vraiment. C'est une chose qui arrive avec nos amies à tout âge et ça commence à la petite école. Brusquement il y en a une qui se retourne contre l'autre, sans raison apparente, et celle qui est attaquée se retrouve complètement dévastée. Apprendre de bonne heure à affronter de tels renversements représente un excellent entraînement pour le reste de la vie. Au bout du compte, un homme peut finir par voir dans notre couleur de cheveux celle de sa patronne qu'il déteste ou nous pouvons sans le savoir avoir les mêmes manies qu'une mère avec laquelle il a eu beaucoup de mal à s'entendre. Et sans le moindre avertissement, il nous quitte. Une popularité qui ne se dément pas, c'est sans doute formidable mais pas très réaliste. On ne peut jamais faire plaisir à tout le monde tout le temps. J'ai certainement dû me débarrasser de ce besoin d'être aimée par tout le monde avant de pouvoir apparaître chaque jour à la télévision devant des millions de personnes. Maintenant je sais que, louangée ou blâmée par les autres, je rentre toujours chez moi avec le même pouvoir que j'avais en partant.

 *Quand on cesse d'essayer de faire plaisir à tout le monde, on fait plaisir à plus de gens qu'on ne le croit.*

C'est une leçon que nous devons toutes apprendre.

Qu'en est-il maintenant de la femme qui veut épouser Monsieur «je ne suis pas prêt à me marier»? Lancer un ultimatum à un homme est une autre forme de limite nécessaire. Tout le monde doit fixer ses règles et s'y tenir. Si un homme semble brandir une pancarte qui dit: «Je ne suis pas prêt», prenez-le au mot et reconnaissez qu'effectivement, il n'est pas prêt. Vous pourriez peut-être attendre un peu dans les parages au cas où il changerait d'avis. Mais aucune femme ne peut forcer un homme à la vouloir. Personne ne vient vers nous à moins de le vouloir, à moins d'être prêt. Vous devez déterminer dans le secret de votre cœur ce qui est bien pour *vous*. Donnez-vous — et à lui aussi, par le fait même — un délai. S'il le respecte, parfait. Sinon, passez à autre chose. Parfois, dès qu'une femme s'est réveillée, a décidé de jeter l'éponge sur une relation et de refaire sa vie, son ex, à la dérive, la rappelle et lui propose le mariage. La relation qui s'établit ensuite est bien plus respectueuse parce que cet homme a appris que cette femme s'en tient aux limites qu'elle s'est fixée. Mais n'oubliez pas qu'un ultimatum constitue un dernier recours car, une fois qu'il a été lancé, il n'y a plus de place pour les négociations. Et si vous ne tenez pas votre parole en laissant cet homme comme vous aviez dit que vous le feriez, on ne vous croira jamais plus.

Savoir faire respecter ses limites vous fait respecter. Ce respect provient de votre contrôle interne et vous laisse libre d'accomplir les tâches que vous aimez sans avoir besoin de l'approbation générale. Bien sûr, c'est formidable d'être appréciée, mais on ne devrait jamais compter sur les applaudissements des autres. Le respect, mieux que l'approbation, couronne les promesses que nous nous sommes faites à nous-mêmes. Les gens qui commencent par nous respecter peuvent fort bien en venir à nous aimer. Mais même si ça n'arrive pas, nous gardons le pouvoir de poursuivre nos objectifs. Nous sommes de notre propre côté et c'est ça qui compte vraiment.

Chaque femme devrait dresser une charte de ses limites. Ces règles non négociables nous protègent contre la tentation de permettre aux autres d'empiéter sur notre liberté et d'envahir notre territoire privé:

- Nous avons le droit de dire non.
- Nous avons le droit de donner notre opinion.
- Nous avons le droit de garder le silence.
- Nous avons le droit de nous amuser.
- Nous avons le droit de rechercher la passion.
- Nous avons le droit de préférer la solitude.

 *Dès qu'on sait qu'on a le droit de dire non, on peut choisir librement le moment de dire oui.*

Exercez-vous à faire respecter les limites de votre territoire. Est-ce qu'une des limites énoncées ci-dessus vous cause des problèmes? Est-ce que votre partenaire enfreint actuellement ces limites ou les a déjà enfreintes? Parfois, quelqu'un nous met à l'épreuve et cela nous oblige à défendre notre territoire. Quand on sait que c'est la façon qu'ont les autres de mesurer jusqu'où ils peuvent aller avec nous, on comprend mieux la nécessité de ne pas céder sur ce point. Nous devons satisfaire nos besoins avant de nous occuper de ceux d'un autre, quel qu'il soit. Et si cela entraîne comme conséquence, à l'occasion, de se faire traiter d'«égoïste», disons-nous que cette épithète est infiniment préférable au «paillasson» traditionnel.

Égoïste et fière de l'être

Oui, c'est vrai, certains vont nous lancer des injures s'ils n'obtiennent pas ce qu'ils veulent de nous. On ne gagne peut-être pas de concours de popularité quand on se défend, mais plus on réaffirme qu'on ne tolérera pas les mauvais traitements, plus on se gagne le respect. Le respect est le carburant principal des femmes assurées. Même s'il est très agréable d'être aimée — et il n'y a personne à la surface du globe qui ne désire être aimé de ceux qui l'entourent — c'est le respect qui en fin de compte rapporte le plus, en matière d'emplois, de revenus... et d'hommes.

Mieux vaut être respectées qu'aimées

Pourquoi les femmes ne cherchent-elles pas à se faire respecter avant de se faire aimer? Dans une large mesure, nous sommes gênées et peu sûres de nous quand il s'agit de dire non à quelqu'un. Nos interlocuteurs sentent l'hésitation dans notre voix et ils ne tiennent pas compte de nos paroles.

> *Si une dame dit «non», elle veut dire «peut-être».*
> *Si elle dit «peut-être», elle veut dire «oui».*
> *Si elle dit «oui», alors ce n'est pas une dame du tout.*
>
> — *Anonyme*

Depuis la tendre enfance, le mot «non» a toujours été associé dans notre esprit à la douleur, au danger, à la punition et à la privation d'amour. Pour les adultes que nous sommes devenues, «non» veut dire faire de la peine à quelqu'un, s'empêtrer dans des négociations indésirables, mettre quelqu'un en colère, démotiver quelqu'un sexuellement, dévoiler nos vrais sentiments et surtout pour nous, les femmes, se sentir coupables, comme nous l'avons vu. Les femmes annoncent souvent à leurs amies qu'elles ont rompu avec un homme avant d'avoir trouvé le courage de le lui dire à lui. Un magazine s'est chargé de nous apprendre à rompre avec notre coiffeur tandis qu'un autre nous a enseigné comment dire bye bye à votre psychanalyste.

Nous le savons, personne n'aime l'arbitre, celui qui porte des jugements, celui qui dit non. Alors, pour garder nos relations intactes, nous devenons la «chic fille». Les filles sympas ne heurtent personne. Les filles sympas acceptent de prendre un dernier verre avec les amis même si elles préféreraient rentrer chez elles. Elles prennent le dernier appel de leur patron même si elles sont en retard pour passer prendre leur mari. Elles acceptent de rendre un dernier service à leur petit ami même si elles en ont par-dessus la tête. Elles sont l'image parfaite de l'employée modèle, de l'épouse modèle, de l'amante modèle. Promptes à dire oui, elles oublient leurs désirs, leurs besoins, leurs sentiments et tout ce qui de près ou de loin ressemble à de la substance.

> *J'ai mis un terme à notre relation à cause de tout ce que sa gentillesse représentait pour moi. Il n'y avait pas de limites à ses émotions. Ses défenses étaient à terre. Je suis arrivé et j'ai pris le contrôle sans la moindre difficulté. Mes limites sont devenues les siennes. Ce sont les limites qui rendent une relation intéressante. On ne veut pas vraiment tomber amoureux de soi-même mais plutôt vivre la différence que représente quelqu'un qui a ses propres définitions.*
>
> *— Jacques, courrier des lecteurs d'un grand magazine*

Incontestablement, il semble que les femmes aient placé le mauvais concept au mauvais endroit. La vérité incontournable qu'on ne nous a jamais apprise, c'est que:

 *On ne se fera pas aimer tant qu'on ne prend pas le risque de n'être pas aimée.*

Pour la plupart d'entre nous, la capacité d'une femme de se faire aimer dépend de ses talents de gentille hôtesse ou, à l'opposé, de femme contremaître. Mais cette capacité de se faire aimer est une donnée arbitraire qui dépend des goûts changeants des gens. Triste à dire, mais notre désir de former un couple nous pousse parfois à changer nos propres goûts pour ceux de l'homme qui nous est cher. Une femme, par exemple, avait rencontré un homme qu'elle reluquait comme un mari potentiel. Lui était attiré par elle mais n'aimait pas sa façon de s'habiller. Il l'a donc amenée à changer toute sa garderobe en fonction de ses goûts à lui. C'est bien de faire plaisir à son homme, mais dans ses nouveaux vêtements cette femme se sentait un peu comme un animal de cirque. Fort heureusement, elle s'est aperçue avant qu'il ne soit trop tard (surtout avant de s'empêtrer dans un mariage qu'on pouvait prévoir malheureux) qu'elle s'était laissée transformer en quelqu'un qu'elle n'était pas. Elle a rompu la relation à point nommé pour pouvoir redevenir qui elle était avant et repartir en quête d'un partenaire qui saurait l'apprécier telle qu'elle était. Elle a décidé juste à temps qu'elle ne céderait pas son contrôle interne pour les bienfaits éventuels d'un prince charmant. Pour ne pas remettre en question son propre jugement, il vaut mieux connaître ses limites avant de se lier à quelqu'un. Cela évite en tout cas les dépenses inutiles pour des vêtements qui ne sont pas de notre style.

Par contraste, *le respect*, lui, se gagne par des réalisations qui attirent l'attention. La respectabilité doit *se gagner* et elle n'est pas négociable. Malheureusement, notre société ne considère généralement plus le mariage et la maternité comme des preuves de respectabilité. C'est pourquoi tout en dispensant l'amour si nécessaire à leurs fragiles bébés, tant de femmes s'interrogent sur le sens de leur vie. Quand on doute de sa valeur, on n'est pas sûr non plus d'être respectable.

Le problème se produit quand le besoin de bien remplir son rôle de nourricière devient si important qu'il supplante le désir d'atteindre des objectifs personnels. Beaucoup de femmes prennent plaisir à jouer les mères poules à la maison et à véhiculer la famille, mais cela ne devrait pas devenir un souci constant, à l'exclusion de tout autre passion. Une journaliste a parlé du rôle d'épouse et mère comme d'un métier plein d'aléas, avec rien à quoi on puisse se raccrocher si le prince trouve que le château n'est plus assez bien pour lui et vous laisse en rade un beau matin. Pour se protéger de Dieu sait quoi, les femmes qui font ce «métier» devraient aussi se donner une autre identité. Que cette «identité» veuille dire vendre des cosmétiques de porte en porte, faire du bénévolat pour une organisation caritative ou avoir un travail à temps plein, toute femme devrait se donner des objectifs personnels qui ne dépendent pas de l'amour de quelqu'un d'autre, un homme, un travail, des enfants ou des amis. Cette idée ne semble guère plaire à bien des hommes de nos jours et de fait, une femme qui cultive d'autres passions que le rôle d'épouse et mère se fait facilement accoler l'étiquette infamante d'«égoïste». Il n'y a pas très longtemps, une chaîne de grands magasins a retiré de ses rayons un tee-shirt à l'effigie d'un personnage féminin de bande dessinée célèbre qui proclamait: «Un jour une femme sera PRÉSIDENTE!» La direction a prétendu que c'était une atteinte aux «valeurs familiales». Après de nombreuses protestations de la part du public, la compagnie a changé sa position et on rapporte que les tee-shirts en question s'envolent maintenant comme des petits pains chauds. Un second tee-shirt a été fabriqué, avec le même personnage féminin dans des rôles traditionnellement réservés aux hommes, en particulier astronaute et pompier. Un acheteur pour une autre chaîne de magasins a refusé cette ligne de produits à moins qu'il n'y ait aussi dans le lot un tee-shirt montrant le même personnage en mère de famille. Apparemment, il y a encore beaucoup de résistance à l'idée qu'une femme puisse réaliser ses rêves. Commencez par vous mettre en position de pouvoir prendre soin de vous-même. Récoltez vos propres récompenses. Et si vous voulez qu'un homme se joigne à vous, vous attirerez quelqu'un qui sera digne de ce que vous êtes devenue. Inversez ce qu'on vous a appris:

Cherchez d'abord à vous faire respecter et ensuite seulement à vous faire aimer.

Décidez de ce que vous voulez vraiment dans votre vie. Avez-vous des objectifs particuliers? Des ambitions? Des rêves? Pour accomplir tout cela, votre objectif doit être non pas d'être aimée mais d'être entendue et comprise (souvenez-vous de la technique S.O.F.A., au chapitre 4). Les gens vous prêtent attention et vous écoutent quand ils sentent que vous avez quelque chose d'important à dire. C'est leur façon de montrer leur respect. Encore une fois, le respect est une chose qu'il faut mériter, quelque chose qu'on gagne par la force de son caractère et l'excellence de ses réalisations. Ce n'est pas quelque chose qu'on vous donne arbitrairement, sans raison. C'est quelque chose qu'il faut absolument mériter. Est-ce qu'on vous respecte? Faites l'auto-évaluation 17 et déterminez si vous donnez l'impression de mériter le respect de ceux qui vous écoutent.

AUTO-ÉVALUATION 17

EST-CE QUE JE PROJETTE LE RESPECT?
EST-CE QUE JE REÇOIS DU RESPECT?

1. Répétez dix fois à haute voix: «Je suis respectée», en visualisant la majuscule du «je».
2. Écrivez trois mots que vous associez à l'idée de respect.

   a.

   b.

   c.

   Ces mots sont-ils positifs ou négatifs?
3. Imaginez-vous avec un homme que vous respectez.

- Visualisez la façon dont il vous témoigne son respect.
- Sentez le respect qui émane de votre environnement.
- Touchez cette personne avec respect.
- Entendez les formules respectueuses qu'il emploie à votre égard.
- Changez votre langage corporel pour susciter son respect.
- Imaginez-vous en train de vous glisser dans une robe de soie avec le mot «respect» écrit dans le dos.

Vous réponses vous surprennent-elles? Un des moyens les plus sûrs de gagner le respect est de ne pas dire oui pour tout à tout le monde. Les «oui» ne doivent venir que de ce qui reste quand nous nous sommes servies nous-mêmes en premier. Dire non protège notre noyau fondamental d'émotions, celles que nous devons laisser intactes en tout temps. De plus, quand nous disons non, nous ne faisons que refuser les *demandes* de notre interlocuteur et non sa personne. Et s'il pense le contraire, c'est manifestement son problème, pas le nôtre. Quand on sait cela, on ne peut pas *se sentir mal* de refuser les demandes de quelqu'un.

Si votre sœur vous a emprunté toute une série de bijoux qu'elle ne vous a jamais rendus, c'est non seulement votre droit mais votre obligation de reprendre possession de vos biens. Si votre petit ami se mettait à répandre à tous vents un secret à vous que vous lui aviez demandé de ne pas dévoiler, vous auriez le droit de lui demander des comptes et de protéger vos autres secrets personnels à l'avenir. Il vaut mieux désappointer les autres que de l'être soi-même. Est-ce qu'ils vont le supporter? Ce n'est pas la bonne question. Demandez-vous plutôt si *cela vous préoccupe*. Et si c'est le cas, posez-vous des questions sur votre besoin d'être aimée.

Ce chapitre aura fait la démonstration qu'une femme qui en fait trop accorde une plus grande priorité au désir d'être aimée qu'à celui d'être respectée. Et, bien entendu, sa capacité d'être respectée est battue en brèche par son manque évident de respect pour elle-même. Car les gens qui se respectent ne s'éreintent pas à gagner l'amour des autres au point de devenir leur bouc émissaire. Manifestement, le but d'une femme qui en fait trop est de se faire aimer, fût-ce au prix d'une sous-évaluation de ses besoins, chose qu'elle est prête à faire volontiers pour obtenir de l'amour. Donc, en réalité, bien souvent ce n'est pas par désir véritable de servir qu'elle donne, mais pour obtenir quelque chose en échange. Ce qui en fait une manipulatrice consommée. Si elle est toujours là parce qu'on a toujours besoin d'elle, elle finit par avoir son mot à dire sur la vie des autres. Dans le siège du conducteur, elle jouit du pouvoir qu'elle exerce. Si bien que, en fin de compte, son attitude mérite aussi bien d'être qualifiée d'égoïste que d'altruiste et qu'elle pourrait pousser l'altruisme en question jusqu'à ne plus savoir qui elle est.

Bien entendu, aucune femme ne vend délibérément son âme contre un peu de pouvoir. De tels comportements sont inconscients et tant qu'une femme qui en fait trop n'a pas compris ce qu'elle est en train de faire, elle n'a généralement pas la moindre idée qu'elle est atteinte de la maladie de plaire à tout prix. On en viendrait à se demander si, avec toutes ses manipulations dont elle se montre capable, il ne serait pas plus facile pour ce type de femme de s'occuper de ses propres affaires et de se faire plaisir à elle. Mais malheureusement une femme qui en fait trop et qui a des années d'expérience dans le domaine ne sait généralement plus où sont ses propres intérêts. Si c'est votre cas, posez-vous la question: «Est-ce que je suis un porteur? Non? Alors pourquoi est-ce que je trimbale comme ça les valises des autres?»

Prenez bien soin de vous

Êtes-vous réticente à l'idée d'arrêter de donner sans compter? Vous trouvez-vous des excuses du genre: «Mais c'est mon fils!», «Jamais je ne décevrais un ami», «Il faut que je sois là pour l'homme que j'aime» ou «Je lui dois bien ça»? N'oubliez pas que toute vertu peut devenir un vice. Je ne prétends pas qu'une femme doive devenir une garce et cesser de se montrer polie et agréable dans l'expression de ses besoins. Ce que j'affirme, c'est qu'elle doit prendre soin de ses propres besoins sans compter sur l'approbation de quelqu'un d'autre. Faites-vous fi de l'opinion que des autres? Découvrez-le en classant chacune des affirmations suivantes de l'auto-évaluation 18:

AUTO-ÉVALUATION 18

SUIS-JE SUFFISAMMENT ÉGOÏSTE?

Quelle lettre accoleriez-vous à chacune des affirmations suivantes en vous basant sur le code suivant:

E = Égoïste: narcissique et centrée sur soi.

A = Altruiste: oublieuse de soi et en fin de compte flouée.

I = Intéressée: prête à faire des compromis et à donner mais pour recevoir quelque chose en échange.

Imaginez les conflits suivants avec votre conjoint:

_____*1. Je ne veux pas aller voir ce film: je déteste les films d'action.*

_____*2. Ton frère se montre si désagréable avec moi qu'à l'avenir je préférerais ne pas participer à vos réunions de famille.*

_____*3. J'ai fait vivre cette famille pendant trois ans tandis que tu te cherchais du travail. Maintenant je veux retourner aux études, alors c'est à ton tour de nous faire vivre.*

_____*4. Je trouve tes amis bruyants et plutôt gênants: je ne veux plus sortir avec eux.*

RÉSULTATS

(1). E, si vous refusez absolument de voir ce film.
A, si vous ne voulez pas le voir mais y allez quand même et le regrettez par la suite.
I, si vous y allez en échange d'une faveur de votre conjoint.

(2). E, si vous décidez de ne pas y aller.
A, si vous y allez contre votre gré uniquement pour faire plaisir à votre conjoint et que vous vous en mordiez les doigts.
I, si vous acceptez d'y aller en échange de la promesse de votre conjoint de vous défendre si on vous attaque.

(3). E, si vous vous inscrivez à un programme d'études.
A, si vous attendez pour le faire que votre conjoint vous en ait donné la permission formelle.
I, si vous acceptez de commencer lentement, pour voir comment la famille se tire de son nouvel emploi du temps.

(4). E, si vous prenez plaisir à faire autre chose tandis que votre conjoint voit ses amis.
A, si vous sortez avec votre conjoint et ses amis et que vous vous plaigniez encore après.
I, si vous négociez avec votre conjoint: vous sortez avec ses amis et lui mais il fait quelque chose pour vous en échange.

Comptez le nombre de E que vous avez inscrits. Si vous en avez moins de quatre, on peut se poser des questions sur votre volonté de vous occuper d'abord de vous.

J'utilise ici le terme d'«égoïste» avec une connotation positive pour désigner une femme qui s'occupe d'elle-même, par opposition à l'«altruiste» qui s'oublie pour penser aux autres. Si vous avez plusieurs A, cela peut vouloir dire que vous avez des problèmes parce que vous donnez trop généreusement. Mais, à certains moments, se montrer altruiste peut être la bonne attitude. Par exemple, au travail, vous pouvez être incitée à contribuer à une œuvre charitable parce que la règle non écrite veut que ceux qui ne participent pas n'aient pas de promotion. Dans un tel cas, même si vous vous en plaignez, votre contribution représente une décision prise pour l'avancement de votre carrière et c'est un compromis avec lequel vous vous sentez à l'aise. Le véritable test sera votre capacité de comprendre les motifs de chaque acte de dévouement aux autres et ensuite de déterminer ce qui vous convient. Vous devez être capable de différer la satisfaction de vos besoins si nécessaire aussi bien que de vous protéger en disant non. Vous devez pouvoir déterminer à quel moment mettre de côté vos propres valeurs pour quelqu'un ou quelque chose d'autre. J'ai déjà eu une cliente qui était si enragée de voir la compagnie pour laquelle elle travaillait forcer ses employés à verser une contribution à une œuvre de charité qu'elle est allée jusqu'à démissionner pour préserver sa liberté. La plupart des autres employés n'étaient pas très heureux de cette contribution obligatoire parce que cela voulait dire un salaire réduit. Mais ils avaient choisi de se soumettre pour pouvoir avancer dans leur carrière. Qui peut déterminer où chacun va placer son respect de soi?

Toute relation exige un certain équilibre entre l'égoïsme et l'altruisme, en fonction des personnes concernées et des circonstances. Chacune d'entre nous doit décider par elle-même de ce qui lui convient. Si vous vous opposez à une opinion courante, les témoins vont peut-être vous qualifier d'«égoïste», alors qu'à vos yeux il s'agit plutôt de quelque chose que vous faites pour vous. Une femme qui fonctionne à partir de son propre pouvoir sait ce qu'elle a à faire. Manger, réfléchir, respirer sont des activités égoïstes, mais qui songerait un seul instant à s'en abstenir?

Prouver son pouvoir en s'occupant de soi

La vie exige qu'on fasse des compromis. Le compromis que nous choisissons librement fait partie du soin que nous avons de nous-mêmes. Cette attitude pousse une femme à donner mais l'avertit aussi de se garder de trop donner. Il s'agit donc d'un compromis entre l'égoïsme et l'altruisme. J'appelle cela «le souci de soi».

Le souci de soi a trois composantes:

1. Les quatre vérités;
2. Le «non» qui fait du bien;
3. La règle des 3+1+1.

Finie la peur

Jusqu'à maintenant, qu'est-ce qui vous a freinée? Si vous êtes comme la plupart des gens, la réponse est «la peur». À un certain niveau, beaucoup de gens craignent qu'on les abandonne, qu'on ne les aime pas et qu'on les oublie dans leur coin s'ils laissent les autres savoir exactement ce qu'ils ressentent. C'est une menace très sérieuse pour quelqu'un qui attache beaucoup d'importance au fait d'être aimé.

Je vais vous dire quatre vérités qui calmeront vos peurs irrationnelles de faire mal à quelqu'un ou de le décevoir et ainsi de ne plus être aimée.

V1— Craindre fait partie de la croissance personnelle. Tant que nous continuons à nous développer, nous avons toujours quelque chose à craindre.
V2— Il est normal d'éprouver de la peur quand on se retrouve dans une situation qui n'est pas familière.
V3— La meilleure philosophie à adopter consiste à faire face et «vivre avec sa peur».
V4— Vaincre la peur donne plus de pouvoir que rester sans rien faire.

V1— Tant qu'on est dans un processus de croissance et qu'on vit de nouvelles expériences, il est absolument normal d'avoir certaines craintes. Une peur raisonnable est un moyen de protection qui vous avertit de vous montrer plus prudente avec les risques que vous prenez. Qui ne craint rien n'a rien: si on ne veut pas franchir les limites pour découvrir ce qu'il y a derrière, on reste tranquillement assise sur sa chaise. Beaucoup de gens sont englués de la sorte dans leur petit confort. Peut-être avez-vous déjà séduit des hommes de ce type. Si c'est le cas, se sont-ils montrés intéressants, excitants? Au début, ils peuvent paraître stables. Mais, avec le temps, ils risquent de devenir très ennuyants. Qui veut manger toujours au même restaurant? Faire ses achats dans les mêmes magasins? Se tenir avec les mêmes amis? Si vous voulez un peu d'aventure, il faut aussi accepter la peur de respirer un air nouveau et différent. Prenez des risques et voyez jusqu'où va votre contrôle.

V2— Il est normal d'avoir peur en certaines occasions, par exemple en se promenant le soir dans les allées désertes d'un stationnement. Une autre forme de peur est le «syndrome de l'imposteur», un problème psychologique qui peut atteindre des médecins, des juges, des avocats, des professeurs d'université et toutes sortes de personnes qui, parvenues au sommet de leur profession, craignent que les gens s'aperçoivent qu'ils ne sont pas aussi extraordinaires qu'on le croit. Sachez qu'avoir peur de temps en temps est une situation parfaitement naturelle que tout le monde connaît. Voilà bien un cas où l'on peut dire que le malheur non seulement aime la compagnie mais qu'il en *dépend*, en particulier une compagnie aussi relevée, pour nous rappeler que nous sommes encore bien normales.

V3 — Ne vous laissez pas paralyser par la peur. «Vivre avec sa peur», c'est agir quand même. Avouez-vous à vous-même que vous avez peur, quand c'est le cas. Posez-vous les questions: «Qu'est-ce qui m'effraie exactement là-dedans?», «Quelle est la pire chose qui puisse m'arriver?» Affrontez vos plus grandes peurs à tous petits pas et après chaque étape, récompensez-vous pour avoir traversé l'épreuve. Continuez à avancer. Vous avez le contrôle maintenant.

V4 — Pour vaincre votre peur, allez de l'avant et, à chaque étape, assurez votre position. Quand on ne fait rien pour surmonter sa peur, elle reste suspendue au-dessus de nos têtes comme un gros nuage noir. Agissez plutôt et débarrassez-vous-en, une fois pour toutes. À chaque petit pas, vous projetez plus de pouvoir et quand vous projetez du pouvoir, les autres vous renvoient ce pouvoir en le réfléchissant. Avant même de vous en apercevoir, on vous traite avec respect. Et après tout, ça n'a pas été si difficile.

Comme mes étudiantes de maîtrise ont pu le découvrir, apporter des changements dans sa vie veut dire abandonner la protection que donne la passivité. Et c'est effrayant parce que si on reste passif, on sait déjà quoi attendre de sa vie et c'est parfois le malheur. Mais en entreprenant quelque chose de différent, on affronte l'inconnu et cela peut s'avérer fort effrayant même pour les plus courageux et les plus aventureux. Êtes-vous en contact avec vos sentiments et vos craintes? Remplissez l'auto-évaluation 19 et vous le saurez.

AUTO-ÉVALUATION 19

SUIS-JE EN CONTACT AVEC MES SENTIMENTS ET MES CRAINTES?

1. Les sentiments que j'ai le plus de mal à témoigner sont:________________.
2. Trouvez quelles craintes vous retiennent de montrer vos sentiments. Complétez les phrases suivantes:
   a. Je ne montre pas aux gens que je suis______parce que j'ai peur de______.
   b. Je ne montre pas aux gens que je suis______parce que j'ai peur de______.
   c. Je ne montre pas aux gens que je suis______parce que j'ai peur de______.

Vos réponses vous ont-elles surprise? Pourquoi?

Après avoir rempli l'auto-évaluation 19, une femme a reconnu qu'elle n'arrivait pas à dire non à sa fille de dix-neuf ans quand celle-ci lui demandait de l'argent parce qu'elle avait peur qu'elle lui retire son amour. Une autre femme a admis qu'elle ne refusait pas de faire l'amour avec son mari violent de peur de le mettre encore plus en colère. Dans les deux cas, le refus de ces deux femmes de formuler un «non» ferme et définitif les rendait captives des personnes qu'elles refusaient d'affronter ou auxquelles elles n'osaient pas imposer de limites.

Comme nous l'avons vu maintes et maintes fois, dire «non» est une tâche difficile pour la plupart des femmes. Bien sûr, il existe d'autres façons d'exprimer son refus. J'ai entendu des gens dire sarcastiquement: «Je ne pense pas.» J'en ai entendu d'autres faire appel à l'artillerie lourde avec des: «Pas question, absolument pas, jamais, en aucune façon.» Toutes ces alternatives à «non» vous vaudront plus d'ennemis que d'amis et c'est justement ce que la plupart des femmes cherchent à éviter. À la place, un simple «non» peut paraître plus réconfortant. Il est possible de le prononcer et de se sentir effectivement bien.

Le «non» qui fait du bien

Oublions le vieux mythe qui veut que dire non nous fasse mal. On peut en fait se sentir *bien* en disant non quand on sait qu'on se protège, qu'on fait respecter ses limites et son droit à exprimer ses sentiments. Quand vous vous servez du «non» qui fait du bien, votre interlocuteur vous est reconnaissant de ce que vous partagez honnêtement vos sentiments avec lui. Suivez les étapes de 1 à 7 et voyez comme vous vous sentez nettement plus forte.

1. Commencez par vous rappeler que vous avez le droit de refuser les demandes de quelqu'un.
2. Soyez ferme dans votre œilalogue pour montrer votre force.
3. Utilisez la technique A.B.F: Montrez-vous *amicale*, *brève* et *ferme*.
4. Expliquez simplement pourquoi vous ne voulez ou ne pouvez pas.
5. Refusez de vous laisser entraîner dans des négociations où votre interlocuteur tenterait de vous convaincre par la logique.

6. Offrez une solution de rechange si vous en avez une.
7. Servez-vous des formules qui permettent de gagner du temps:
   «Laisse-moi réfléchir un peu à ta demande.»
   «Je ne peux pas régler ça maintenant. Je m'en occuperai à une heure cet après-midi.»
   «Si je te prête la voiture, il va falloir que je m'arrange autrement. Donne-moi le temps de voir ce que je peux faire.»

Une fois que vous avez préparé le terrain, la troisième étape implique que vous disiez effectivement non. Suivez la *Règle 3 + 1 + 1*. Elle vous protégera.

La règle 3+1+1

Cette règle, conçue pour votre protection, prend en sandwich votre «non» entre trois formules positives et une finale forte. Elle est si facile à suivre que vous constaterez que vous n'avez même pas eu besoin de prononcer le mot «non». En suivant cette formule, vous vous sentirez bien avec votre «non» parce que vous aurez installé un environnement où vous ne serez pas assaillie pour vous faire changer d'avis: votre interlocuteur aura compris votre message immédiatement.

La règle 3+1+1

Exemple A

Votre amoureux veut que vous passiez la fin de semaine avec lui et ses deux adolescentes. Habituellement vous auriez dit oui, mais cette fin de semaine-ci, vous êtes épuisée par le stress que vous a causé votre travail. Vous avez même peur de laisser échapper un mot de trop tant vos nerfs sont à vif. Vous êtes tout à fait sûre de vouloir refuser l'invitation, mais vous ne voulez pas faire de la peine à votre ami ou nuire à votre relation. Voici ce que vous allez dire:

Formule positive 1: *«Richard, je suis ravie que tu m'inclues dans tes projets de fin de semaine avec tes filles.»* (Servez-vous toujours de son prénom, pour qu'il soit plus attentif et pour personnaliser votre intimité.)

Formule positive 2: *«Je sais que passer du temps avec tes filles est important pour toi.»*

Formule positive 3: *«Vouloir me faire partager ça est une façon merveilleuse de me dire tout ce que je représente pour toi. Je t'en remercie et je t'aime.»*
Le «non»: *«Je suis littéralement vidée émotionnellement par la semaine d'enfer que je viens de passer au travail et j'ai vraiment besoin de me retrouver un peu seule.»* (Ne commencez jamais votre «non» par un «mais» parce que dès qu'il l'entendra, il effacera toutes les choses positives que vous venez de lui dire.)
La finale forte: *«J'aimerais bien que tu m'invites à nouveau la prochaine fois que tu sortiras avec tes filles.»* (En disant ces mots, touchez Richard si ça ne vous met pas mal à l'aise. Le fait de le toucher renforce le lien entre vous et le rend plus ouvert à recevoir votre message.) Une fois votre formule finale prononcée, rompez l'œilalogue et changez de sujet; il comprendra que votre décision est inébranlable.

La règle 3+1+1

Exemple B

Le supérieur de votre supérieur ne cesse de vous demander de sortir avec lui, sous prétexte de discuter de votre avenir au sein de la compagnie. Vous adorez travailler là et vous désirez gravir les échelons le plus vite possible. Par ailleurs, il est marié et, de plus, vous ne le trouvez pas séduisant du tout. Mais vous savez que si vous continuez à refuser ses avances, cela pourrait avoir des conséquences sur votre salaire et sur vos promotions.

Formule positive 1: *«Thomas, je suis très flattée que vous soyez prêt à me consacrer du temps en dehors du bureau pour discuter de mon avenir dans la compagnie.»*
Formule positive 2: *«Je sais que vous êtes un homme très occupé et que vous attachez un prix particulier à vos moments de loisir.»*
Formule positive 3: *«Je pense que tout ce que vous avez fait à titre de vice-président a eu un impact remarquable sur la compagnie et j'aimerais beaucoup discuter de mon avenir avec vous sur une base professionnelle...»*
Le «non»: *«Et j'ai une règle absolue: ne jamais mélanger le travail avec le plaisir.»* (Souriez gentiment: le but n'est pas de lui donner une leçon d'éthique professionnelle mais d'exprimer clairement votre position).

La finale forte: *«Prenons donc un café ensemble ou organisons-nous un déjeuner d'affaires la semaine prochaine. J'aimerais beaucoup discuter avec vous de quelques idées sur lesquelles notre division est en train de travailler. Quel jour vous conviendrait le mieux?»* (Vous n'allez certainement pas toucher ce vieux cochon pour faire rentrer votre message! Après avoir dit ça, rompez l'œilalogue et changez de sujet. Si vous êtes assise, levez-vous et partez. Il comprendra que vous voulez parler *travail*, pas *plaisir*.)

Pour donner le surplus et non l'essentiel, une femme doit pratiquer l'art du souci de soi, en donnant à l'occasion mais en se retenant aussi parfois. Savoir dire «non» de la façon qui lui convient le mieux représente pour une femme le cœur même du souci de soi. Le contraire du souci de soi consiste à se retenir. Quand une femme se retient d'exprimer ses véritables sentiments, elle se montre malhonnête envers elle-même et cette malhonnêteté peut causer chez les autres du désappointement, de la colère ou de l'hostilité quand ils s'aperçoivent qu'ils ont été floués. Pouvoir formuler un «non» honnête implique qu'on soit capable d'équilibrer les trois forces suivantes:

- *Hôtesse et contremaître.*
- *Contrôle interne et contrôle externe.*
- *Égoïsme et altruisme.*

Après avoir rempli les auto-évaluations de ce chapitre, Christine a trouvé qu'elle était en train, tranquillement, de progresser dans ses amours. Elle a trouvé, en particulier, qu'elle faisait des progrès considérables dans l'amour qu'elle se portait à *elle-même*. Elle comprenait qu'elle devait d'abord s'aimer elle-même si elle voulait réussir à bien aimer son mari. Elle a reconnu qu'elle n'avait jamais demandé ce dont elle avait besoin parce qu'elle n'avait jamais pensé qu'elle méritait grand-chose. Dans son besoin d'être aimée, elle avait manifesté bien plus de gentillesse d'hôtesse que de détermination de contremaître. Elle a reconnu que ce qui la motivait au premier chef, c'était le contrôle externe exercé par les autres et en particulier son mari, plutôt que la volonté intérieure de satisfaire ses besoins et de combler ses désirs. Elle a pris conscience que chaque fois qu'Henri menaçait de la priver de son amour, pour le rendre heureux, elle oubliait toutes les limites qu'elle avait pu se fixer et tolérait ses colères. Comme elle acceptait maintenant l'idée qu'*on enseigne ce qu'on accepte,* elle reconnaissait qu'en acceptant ses furieuses tirades, elle ne faisait que l'inciter à recommencer sans cesse.

Elle a finalement constaté à quel point son altruisme était fondé sur la crainte d'exprimer ses sentiments parce qu'elle avait peur d'être abandonnée, comme l'en menaçait souvent Henri. Bref, Christine avait tellement besoin d'amour qu'elle ne projetait pas une image de pouvoir et qu'en conséquence on la traitait rarement avec respect. Elle a pu constater que l'image négative qu'elle projetait d'elle-même s'insinuait dans toutes ses relations et se reflétait dans la façon dont les autres la traitaient. Ses parents lui préféraient son frère aîné, ses enfants ne lui obéissaient pas, ses clients ne la payaient pas. Finalement, elle a admis qu'elle aurait dû remporter le titre mondial de la bonne poire, car elle en arborait tous les signes.

La prise de conscience de Christine a été vraiment étonnante. Elle a compris que pour en arriver à miser sur elle-même, il lui fallait absolument d'abord acquérir ces habiletés particulières puis les affiner. Sous prétexte que, dans son enfance, elle avait mal appris ses leçons d'amour pour soi, elle n'allait pas rester prise dans ses erreurs toute sa vie. Chaque «non» qu'elle a trouvé le courage de dire l'encourageait à avancer. Chaque fois qu'elle a dit à son mari d'aller décharger sa colère ailleurs, son langage corporel devenait plus fort. La plupart des bêtises de ses enfants se sont heurtées à une discipline qu'elle faisait enfin respecter. Chaque client à qui elle a osé réclamé son dû renforçait ses défenses. Cela pouvait sembler de bien petits pas, mais chacun de ces pas prouvait à Christine qu'elle était sur la bonne voie. Elle a commencé à se sentir mieux.

Équilibrer les trois forces ne devrait pas s'avérer trop difficile pour une femme d'aujourd'hui car de tout temps nous avons, nous les femmes, joué la carte de l'équilibre dans un monde dominé par les hommes. Notre capacité de donner n'a rien de nouveau, mais notre capacité de prendre soin de nous-mêmes est en revanche un art que nous devons acquérir et développer. Après avoir perfectionné cet art, nous serons sur la bonne voie pour maîtriser l'autre aspect de l'art de donner: la capacité de recevoir.

MESSAGES ÉCLAIR
DU CHAPITRE 5

Donner le surplus, pas l'essentiel

- *En faire trop pour les autres c'est ne pas en faire assez pour soi.*
- *Il y a celles qui donnent et celles qui prennent. Celles qui prennent mangent bien et celles qui donnent dorment bien… mais pas pour longtemps.*
- *Quand nous affirmons nos préférences, nous invitons les gens à agir comme nous le voulons.*
- *Donner le surplus, pas l'essentiel.*
- *La plus fondamentale de toutes nos relations, c'est celle que nous entretenons avec nous-mêmes.*
- *Vos limites n'empêchent pas les autres d'entrer dans votre vie; elles vous retiennent de gaspiller votre énergie pour des gens qui ne le méritent pas.*
- *Il faut brûler toutes les étapes inutiles. Une femme qui souffre n'a que deux mouvements à faire: se redresser, s'en aller.*
- *Quand on cesse d'essayer de faire plaisir à tout le monde, on fait plaisir à plus de gens qu'on ne le croit.*
- *Dès qu'on sait qu'on a le droit de dire non, on peut choisir librement le moment de dire oui.*
- *On ne se fera pas aimer tant qu'on ne prend pas le risque de n'être pas aimée.*

Chapitre 6
Savoir recevoir

Apprendre à recevoir commence avec les cadeaux qu'on se fait à soi-même.

Un dimanche d'hiver, Claire est entrée pour se réchauffer dans un magasin de chaussures noir de monde. Elle y a trouvé des aubaines étonnantes sur des bottes de qualité. Prenant une paire sur le présentoir, elle s'est aperçue qu'un beau grand jeune homme était en train d'admirer son choix. Pour essayer les bottes, qui montaient jusqu'aux genoux, elle a constaté qu'il lui serait difficile de les enfiler par-dessus ses jeans. Il a offert de l'aider. Après l'essayage, ils ont échangé leurs cartes professionnelles. Il était de la Californie, elle de New York. Elle s'est par la suite demandé pourquoi ils avaient échangé leurs cartes professionnelles puisqu'ils habitaient si loin l'un de l'autre.

Mais deux semaines plus tard, le beau grand jeune homme a prétexté un voyage d'affaires pour revenir sur la côte Est rencontrer Claire. Ils sont retournés tous les deux sur les lieux du crime, le magasin de chaussures. Il en a profité pour lui faire cadeau de quatre superbes paires de bottes à talons hauts. En partageant ensuite avec lui le traditionnel verre de l'amitié, Claire était vraiment aux anges. Elle avait accepté le cadeau sans le moindre embarras.

C'est l'histoire vraie, et réconfortante, d'un homme fasciné par une femme et qui a voulu exprimer ses sentiments en exerçant sa capacité de donner. La générosité d'un homme pour une femme séduisante n'est rien de nouveau. Le Taj Mahal lui-même n'a-t-il pas été construit pour servir de cadeau à une femme? Mais la partie la plus intéressante de l'histoire de Claire a été la réaction de ses amies. Celles-ci fréquentaient ou avaient épousé des hommes qui se montraient généralement avares et peu démonstratifs. Plus souvent qu'à leur tour, elles se faisaient inviter au restaurant et se retrouvaient avec l'addition. Elles furent donc littéralement stupéfaites de la générosité de l'étranger. Mais dans l'esprit de Claire, une femme qui paie l'addition pour un homme, c'était un peu comme une vache qui aurait payé la moulée à son fermier. Claire était le genre de femme qui transforme comme par enchantement une chaumière en château. De fait, après avoir dîné avec un homme qui, quelques années auparavant, était sorti avec une de ses amies, Claire et celle-ci avaient comparé leurs expériences. L'amie avait trouvé le type très pingre, alors que Claire, à peine rendue à la salade, s'était fait proposer un voyage en Europe! Son acheteur de bottes était-il un fétichiste du pied? Peut-être bien. Mais il y avait autre chose.

Quel était le secret de Claire? Comme elle gagnait un gros salaire, elle aurait très bien pu s'offrir elle-même ces quatre paires de bottes ou ce voyage en Europe. Mais elle savait que le rôle de pourvoyeuse de la femme ne représente qu'un côté de la médaille. Bien sûr, nous aimons toutes donner, mais nous devons aussi savoir montrer notre ouverture et notre vulnérabilité en apprenant à recevoir. Et pour commencer, nous devons apprendre à accepter les bontés que nous avons pour nous-mêmes. En d'autres termes, savoir recevoir implique que nous commencions par avoir des égards pour nous-mêmes, en nous mettant en tête de notre propre liste et en sachant prendre nos propres besoins en considération.

Faites-vous des cadeaux à vous-même

Avant de pouvoir accepter la générosité d'un homme, une femme doit être capable de s'en manifester à elle-même. En prenant soin d'elle-même, elle montre aux hommes de quelle façon elle veut être traitée. Alors la première question à se poser, c'est: «Qu'est-ce que je peux faire pour me montrer généreuse envers moi-même?»

Carole s'était inscrite à un de mes ateliers. Conseillère d'orientation dans la quarantaine, elle était célibataire et vivait avec son vieux père fragile et impotent. Depuis des années elle avait mené, sans partenaire, une vie solitaire et totalement dévouée à son père. Non seulement recevait-elle en retour fort peu de considération, mais le séminaire lui a démontré qu'elle ne croyait tout simplement pas y avoir droit. Je lui ai demandé: «Que faites-vous pour vous rendre heureuse?» Elle a répondu tristement: «Rien.» Manifestement, elle n'avait même pas pensé que sa vie pouvait lui appartenir. Étant fille unique, elle considérait que son devoir était de ne pas laisser son père seul.

L'atelier a duré dix semaines. À notre dernière séance, Carole a surpris tout le monde dans le groupe. Elle avait eu une sorte d'illumination et s'est mise lentement à nous la décrire. C'était peu après Noël et il neigeait tous les jours. Noël peut être une période de profonde tristesse pour quelqu'un qui n'a personne dans sa vie pour l'aimer. Mais Carole a annoncé au groupe qu'elle n'avait pas eu l'intention de passer un autre Noël à broyer du noir. Elle nous a dit qu'elle s'était acheté une chose qu'elle désirait très fort, mais elle avait toujours cru qu'une femme devait absolument se la faire offrir par un homme. Comme il n'y avait pas d'homme dans sa vie, elle avait choisi de ne pas attendre plus longtemps. Elle a dit que les discussions que nous avions eues en classe lui avaient fait prendre conscience qu'il était temps pour elle de se faire des cadeaux *à elle-même*. Elle s'était enfin montrée prête à recevoir.

Ce Noël-là, Carole a placé une grosse boîte sous son sapin. Sur la carte, il était écrit: «De Carole à Carole. Affectueusement, Carole.» Et sous le bel emballage, le papier de soie et les rubans de toutes les couleurs, il y avait le manteau de vison qu'elle désirait depuis si longtemps. Le groupe est resté éberlué. Puis tout le monde a applaudi. Mais il y en a eu certaines qui pleuraient également. Elles pleuraient sur toutes celles qui ne prennent jamais le temps de s'occuper d'elles-mêmes, sur toutes celles qui passent de longues journées à se dévouer à leur famille sans la moindre appréciation, sur toutes celles qui ne se récompensent jamais pour le travail bien fait, sur toutes celles qui ne savent pas qu'elles méritent mieux. Trop d'entre elles avaient déjà vécu une situation semblable et certaines n'avaient toujours pas appris que pour arriver à connaître une relation amoureuse avec l'âme sœur, il fallait d'abord qu'elles s'aiment elles-mêmes.

En seulement dix semaines, Carole avait appris à se donner le bonheur dont elle ne savait même pas qu'elle était privée. Elle avait appris que:

Apprendre à recevoir commence avec les cadeaux qu'on se fait à soi-même.

Une fois que Carole a eu brisé la glace en décidant de s'offrir quelque chose qu'elle désirait depuis longtemps, elle était prête à recevoir l'amour d'un homme. Elle est maintenant mariée et heureuse, avec un homme merveilleux et très généreux dont elle accepte les largesses sans difficulté. Il a invité le père de Carole à venir vivre avec eux et elle vient d'aider son père à s'installer. L'art de se donner à soi-même prédispose à recevoir parce que:

 *Quand on a des égards pour soi, les autres apprennent comment on veut qu'ils nous traitent.*

Malheureusement, toutes les histoires ne finissent pas aussi bien que celle de Carole. Il y avait dans ce même atelier des femmes qui sont retournées à leurs vieilles habitudes d'oubli de soi. Il y a aussi les femmes qui deviennent des consommatrices compulsives et pensent que la folie des achats va satisfaire leurs besoins émotifs. D'autres encore «piquent» dans les magasins comme pour dérober les émotions qui leur ont été déniées. Évidemment, les objets matériels ne sauraient calmer la douleur qui sourd par tous les pores de ces femmes aux émotions rentrées. Mais quand le besoin d'affection est comblé, l'acceptation de dons matériels n'est rien d'autre qu'une extension de l'idée qu'on «mérite» tout cela.

Sachez recevoir quelque chose avec grâce

Après avoir appris à accepter ce qu'elle se donne à elle-même, une femme est prête à recevoir à la fois les attentions délicates et la générosité tangible d'un homme. L'empressement avec lequel une femme se montre prête à recevoir ce qu'on lui offre, sur le plan matériel comme sur le plan émotif, est un facteur capital pour le développement d'une relation. Les femmes qui n'acceptent pas de recevoir privent leur partenaire de la joie du partage et, à long terme, c'est leur union toute entière qui souffre de cette attention à sens unique.

Si certaines femmes sont incontestablement des «chercheuses d'or» qui tentent de soutirer aux hommes tout ce qu'elles peuvent, il est surprenant de voir le nombre de femmes qui se méfient de la cour que leur font les hommes généreux au moyen de cadeaux occasionnels. Autant on peut faire porter le blâme à l'ex-mari de Catherine pour ses infidélités, ses dettes de jeu et sa violence, autant Catherine elle-même était une femme incapable de recevoir. Au début de leur mariage, il arrivait à Louis de rentrer à la maison avec une surprise pour elle, un cadeau qu'il avait acheté en revenant du travail. Mais Catherine lui reprochait toujours de dépenser trop d'argent pour des choses frivoles qu'elle n'utiliserait jamais. Il a donc cessé de lui en apporter et il s'est trouvé d'autres femmes qui, elles, savaient recevoir et se montraient reconnaissantes.

Certaines femmes hésitent à demander ce qu'elles veulent, alors que d'autres veulent plus que ce qu'elles demandent. Ni les unes ni les autres ne pensent qu'elles *méritent* ce qui leur revient pourtant de plein droit. Catherine s'est mise à examiner la façon dont elle recevait les cadeaux, en remontant jusqu'au début de son ancien mariage. Comme donner et recevoir sont deux facettes d'une même médaille, il n'est pas étonnant qu'elle ait également découvert qu'elle se montrait parcimonieuse dans les cadeaux qu'elle faisait. Par exemple, elle avait toujours refusé à ses deux filles de leur organiser de petites fêtes d'anniversaire comme le font habituellement les parents. Elle leur tenait le raisonnement suivant: «Si j'organise une fête, vos invités vont vous apporter des cadeaux et nous leur en devrons quand ce sera leur tour. Je ne veux pas vous mettre en position de devoir quoi que ce soit à qui que ce soit.» Le résultat de l'attitude de leur mère, c'est que les deux filles ont grandi sans savoir que les anniversaires sont des moments où l'on vous fête, vous, personnellement. Et elles n'allaient pas non plus aux fêtes des autres enfants. Pis encore, elles ont fini par en déduire que recevoir coûtait toujours quelque chose. En avançant dans la vie, elles ont pris la plupart des gens pour des profiteurs qui cherchaient à leur soutirer quelque chose. Résultat, dans toutes leurs relations, elles ont eu beaucoup de difficultés à faire confiance aux autres.

Exactement comme les petits canards qui nagent sagement derrière la cane, les petites filles sont conditionnées par leur mère à prendre la vie d'une certaine façon. Plus encore que les mots avec lesquels elles tentent d'inculquer à leurs filles un certain nombre de préceptes, c'est le comportement des mères qui enseigne aux enfants quoi faire. Parfois les filles suivent leur mère pas à pas, à d'autres moments elles compensent pour ce qui leur a manqué. Âgée maintenant de trente ans et deux fois divorcée, la fille aînée de Catherine a été reçue un jour à un excellent repas chez sa meilleure amie. Se méfiant de toute forme de générosité qu'on pouvait manifester à son endroit, elle n'imaginait pas que quelqu'un puisse consacrer tant de temps et d'efforts à la préparation d'un repas rien que pour elle. En quittant la maison de son amie, elle lui a avoué, les larmes aux yeux: «C'est la première fois de ma vie que quelqu'un me fait à souper sans s'attendre à ce que je couche avec lui.»

La plus jeune, elle, au contraire, a compensé pour le comportement chiche de sa mère en tombant dans l'excès inverse: elle donne chaque année, pour ses deux enfants, de véritables banquets d'anniversaire qui lui coûtent fort cher. Que ce soit pour leur premier anniversaire ou pour leurs dix-huit ans, elle s'est souvent endettée pour prouver à ses enfants qu'ils étaient spéciaux et que c'était la façon traditionnelle pour une famille de célébrer cette journée très spéciale. Bien entendu, les dépenses inutiles encourues par la cadette ont été gaspillées en jeux vidéo et en *fast food*. C'est comme ça que nos traditions se transmettent! Voir ses filles refaire les mêmes erreurs qu'elle a aidé Catherine à reconnaître que sa principale faiblesse dans son premier mariage avait été son incapacité à recevoir. Elle s'est bien promis de ne pas répéter cette erreur dans son second mariage.

Toutes ces histoires ne parlent que d'une chose: la capacité de recevoir des dons matériels, une réceptivité qui commence, bien sûr, avec la capacité d'accepter ce qu'on se donne à soi-même. Pour avoir l'homme que vous voulez, et pour le garder, vous devez aussi vous fixer des règles de réceptivité *émotionnelle*. En d'autres mots, quand les gens autour de vous vous offrent de l'amour, sous la forme d'une simple gentillesse ou d'une aide quelconque ou d'un compliment bien senti, voyez si vous l'acceptez et de quelle façon vous l'acceptez. Certaines femmes éprouvent tellement de difficultés à se montrer réceptives sur le plan émotif qu'elles préfèrent se nuire en s'interdisant de ressentir des sentiments positifs plutôt que de récolter les bienfaits qu'on leur tend de la main.

La mère de Marguerite a eu une crise cardiaque. Quand une de ses bonnes amies lui a offert d'aller voir sa mère à l'hôpital, Marguerite n'a pas su comment accepter sa gentillesse, même si partager son fardeau émotionnel avec cette bonne amie eut été formidable pour elle. Au lieu d'acquiescer et de fixer un jour et une heure, Marguerite s'est trouvée toutes les raisons du monde pour l'écarter. Plus tard, quand sa mère a été complètement rétablie, Marguerite s'est lamentée sur son sort de fille unique, obligée de prendre soin toute seule de sa vieille mère. Mais la faute à qui? Cette femme s'était barricadée par crainte des sentiments.

Hélène était une femme d'allure ordinaire, mais avec un sourire capable d'illuminer une pièce entière. Son sourire était, de loin, sa caractéristique la plus remarquable, éclipsant tous les autres traits de son visage et de son corps. Mais quand quelqu'un la complimentait à ce sujet, elle l'écartait du revers: «Ah, mon sourire vous plaît vraiment? », disait-elle, ou «Je ne suis pas folle de mes dents d'en avant: elles sont de travers» ou, pis encore: «J'espère que ça compense pour mon gros nez.» Pas une seule fois elle n'a réussi à dire tout simplement «merci». À la longue, fatigués par ses réactions négatives, les gens ont cessé de lui faire des compliments. Hélène a fini par se demander si son sourire n'avait pas perdu tout son charme. Voilà une autre femme qui a enfermé ses émotions à double tour.

La chose intéressante avec les femmes qui ne sont pas réceptives sur le plan des émotions, c'est que non seulement elles n'acceptent pas de recevoir mais qu'elles n'ont guère, non plus, le sens du don. Cela va de pair, comme on le sait. Et comme accepter de recevoir des émotions et des sentiments semble être plus difficile que de recevoir des biens matériels, je recommande à ces femmes de commencer par s'offrir à elles-mêmes quelque chose de tangible, une chose qu'elles auraient toujours désirée mais se seraient toujours refusée. C'est d'ailleurs parce que les cadeaux matériels sont une chose évidente que j'ai commencé ce chapitre par une explication de la réceptivité sur le plan matériel. Si les femmes qui ne sont pas émotionnellement réceptives commencent par accepter une *chose* qui a de la valeur pour elles, elles finiront par transporter leur acceptation des dons dans la sphère émotionnelle.

Il y a un grand prix à payer pour une femme qui veut se montrer réceptive à l'égard de son homme: elle doit être prête à pardonner. Cela lui coûtera parfois son orgueil, mais ce n'est pas grand-chose en comparaison de toute la quantité d'amour qu'elle finira par en retirer. Le pardon représente la façon pour une femme d'oublier les raisons qui l'ont amenée à se barricader. La colère est un blocage. Mais pour beaucoup de femmes, le pardon est difficile. En substance:

 *On ne peut pas recevoir tant qu'on n'a pas appris à pardonner.*

Savoir recevoir implique de savoir pardonner

Mark Twain définissait joliment le pardon comme «le parfum qu'une violette répand sur le talon qui vient de l'écraser». La vérité c'est que, souvent sans la moindre raison, les êtres humains se font souffrir les uns les autres. Ce qui est plus bizarre encore, c'est que ce sont les gens que nous aimons le plus, et non nos ennemis, que nous faisons souffrir. Nous avons probablement toutes connu un moment dans la vie où il a été difficile de pardonner à quelqu'un qui nous avait fait souffrir. Mais ce n'est pas une raison pour que ça continue. Êtes-vous prête à oublier le mal que vous a fait votre ex? Êtes-vous prête à cesser de vous mettre en colère devant l'insistance d'un vendeur? À passer par-dessus ce coup de téléphone qui vous avait été promis et qui n'est pas venu? À tolérer votre voisine et ses soirées bruyantes? Les sorties un peu trop prolongées de votre mari avec ses copains? Faire semblant que les choses vont pour le mieux quand ça n'est vraiment pas le cas ne vous fera aucun bien, pas plus qu'à votre relation. Mais manifester vos sentiments et prendre la vie du bon côté desserrera le nœud dans lequel vos émotions négatives vous étranglent. Bref, le pardon que vous donnez aux autres vous libère *vous*, et pour cette raison, c'est une attitude saine et… égoïste, dans le bon sens du terme.

Le pardon est un acte d'élimination qui consiste à se débarrasser des choses qui ne nous servent pas. On ne peut pas faire entrer de bonnes choses dans sa vie tant qu'on n'a pas fait de la place pour les recevoir. Se fâcher contre les autres ne fait que nous irriter. Est-ce que ça vaut la peine? Comme de toute façon vous ne changerez jamais les autres — et que les autres ne verront sans doute jamais les choses comme vous — laissez-les vivre. Oubliez ces choses-là.

Ce que je recommande là représente le meilleur remède qui soit à la douleur d'une femme qui se remet d'une peine d'amour. Mais certaines femmes tiennent absolument à se venger. Pour elles, l'histoire d'amour a beau être finie, elle ne sera pas *complètement terminée* tant qu'elles n'auront pas eu leur dernière petite vengeance. Avant de vous précipiter pour crever ses pneus ou couper en deux ses meilleurs complets (j'ai déjà rencontré une femme tellement furieuse qu'elle avait fait les deux à son ex), pensez à cette loi universelle qui veut que si on fait quelque chose à quelqu'un, il y a de fortes chances qu'on vous rende la pareille. Bon d'accord, il vous a menti, il vous a trompée ou vous a laissée tomber pour votre «meilleure amie». Mais d'abord, rappelez-vous que les gens qui nous causent des problèmes sont là pour nous apprendre quelque chose dans la vie. Si nous leur en voulons, si nous nous disputons avec eux, les critiquons ou leur résistons, nous les empêchons de nous donner cette leçon. L'essentiel pour vous est d'apprendre la leçon qui vous était destinée, puis d'effacer dès que possible ces gens de votre mémoire. Ensuite:

 *Consacrez votre temps à vous souhaiter du bien plutôt qu'à souhaiter des malheurs à votre homme.*

Que de temps et d'énergie vous vous épargnerez! Et que vous pourrez désormais investir en vous-même.

Marlène avait emprunté une somme assez importante à l'homme qu'elle fréquentait depuis trois ans, pour l'injecter dans son entreprise en difficulté. Ils s'étaient mis d'accord pour qu'elle lui rembourse un certain montant chaque mois. Mais quand elle a découvert qu'il la trompait, il y a eu de nombreuses confrontations et elle a finalement décidé que c'était trop pour elle. Après avoir rompu avec lui, elle a maintenu le flambeau pendant toute une année en espérant qu'il finirait par «voir la lumière» et revenir. Au lieu de quoi, elle a appris qu'il avait épousé la femme avec qui il la trompait. Marlène était livide. Pendant une de leurs disputes, il avait été jusqu'à prétendre qu'il ne pouvait pas supporter cette femme! Marlène a pris la résolution de ne pas lui rendre le reste de ce qu'elle lui devait.

Quand elle m'a raconté son histoire et m'a demandé ce que j'en pensais, je lui ai conseillé de repenser sa décision parce que *toute pierre qu'on lance en l'air retombe*. Mais comme la plupart des gens qui vous demandent votre avis, Marlène a décidé de ne pas m'écouter et de s'en tenir à sa décision.

Deux mois plus tard, nous nous sommes rencontrées accidentellement dans la rue. Quand je lui ai demandé comment elle allait, elle m'a dit qu'elle s'était mise récemment à essuyer toutes sortes de «pertes», aussi bien dans sa vie professionnelle que dans sa vie personnelle. Une lampe s'est allumée dans ma tête. Je lui ai demandé si le montant total de ses pertes n'approchait pas, par hasard, la somme qu'elle avait empruntée à son ex-petit ami. Elle a répondu: «Non, c'est plus que ça encore» et m'a regardée, l'air stupéfait.

C'est vrai, la vengeance peut être douce, mais est-ce qu'elle vaut vraiment tout ce précieux temps et toute cette précieuse énergie que vous y consacrez? Bon d'accord, vous êtes écœurée d'avoir été traitée comme ça! Vous cherchez un «calme douleur» instantané! Alors vengez-vous, mais vengez-vous dans votre esprit avec des *raffinements de l'esprit*. Imaginez que votre partenaire marche sur une crotte de chien au moment où il tente d'impressionner son client le plus important. Imaginez qu'il perd ses cheveux, ou son emploi, ou son érection. Riez tout votre saoul et payez-vous une bonne catharsis. Car au moins, avec cette vengeance fantasmée, vous n'aurez pas à craindre de faire, vous, la crise cardiaque que vous lui souhaitez. Sachez, également, que le temps non seulement guérit toutes les blessures, mais qu'il blesse aussi tout le monde et que votre ex souffrira à son heure ses propres indignités. Ne vous en mêlez pas. Si vous prenez soin de vous et avec un peu de chance, vous serez encore dans les parages pour vous réjouir de ses mauvaises nouvelles quand elles surviendront. En attendant, au lieu d'attendre la nouvelle année pour prendre des résolutions, dressez plutôt une liste des choses à oublier et mettez-y le nom de votre ex en bonne place.

Votre désir d'amour doit être plus fort que votre capacité de haine.

Vous allez vous retrouver aussitôt libérée des contaminants qui bloquent votre croissance.

Quand vous vous serez débarrassée de vos vieux sentiments négatifs, remplacez-les par des choses qui comptent, les gens qui vous soutiennent et toutes les valeurs en lesquelles vous croyez. Accueillez ceux qui peuvent vous apporter quelque chose, ceux de qui vous êtes prête à recevoir. Comme il faut bien que le pardon commence quelque part, pourquoi pas maintenant? Remplissez l'auto-évaluation 20 et commencez votre processus de pardon.

AUTO-ÉVALUATION 20

JE PARDONNE ENFIN

- *Pensez à un homme qui vous a fait du mal.*
- *Identifiez une bonne chose à son sujet (allez, faites un effort, tout le monde a au moins une qualité!)*
- *Identifiez les choses qu'il vous a faites.*
- *Identifiez les choses qu'il a faites pour vous.*
- *Complétez les phrases suivantes:*

  Je me pardonne pour__________.
  Je pardonne à mon ex pour__________.
  Je pardonne à mon partenaire pour__________.
  Je pardonne à mon amie pour__________.
  Je pardonne à mon patron pour__________.
  Je pardonne à mon client pour__________.
  Je pardonne à l'entreprise qui m'emploie pour__________.

RÉPÉTEZ À HAUTE VOIX LES PHRASES SUIVANTES:

«Non seulement je pardonne à ___, mais je le (la) remercie de m'avoir permis de grandir en___du simple fait de l'avoir rencontré(e).»
«Non seulement je pardonne à ___, mais je le (la) remercie parce que c'est à cause de lui (d'elle) que j'ai quitté ___.»
«Non seulement je pardonne à ___, mais je le (la) remercie parce qu'il (elle) m'a appris___sur___.»

Ajoutez d'autres raisons d'être reconnaissante à la personne à qui vous êtes désormais prête à pardonner.

Alors qu'elle avait été rapide à remplir les autres auto-évaluations, Christine, comme beaucoup de femmes, n'était pas très chaude pour pardonner aux responsables de ses anciennes misères. Mais après avoir fait le tour de la question, elle a compris que *ne pas pardonner* l'empêchait d'avancer. Elle savait ce qu'il lui restait à faire. Avec une certaine réticence, elle a accepté de pardonner à son mari de l'avoir humiliée, à ses enfants de l'avoir harcelée, à ses clients de l'avoir bafouée, surtout à elle-même de ne pas avoir cru qu'elle *méritait* mieux. Elle a reconnu aussi que ses lamentations perpétuelles ne faisaient rien pour améliorer ces diverses situations; au contraire, elles l'enfonçaient encore plus dans son attitude de victime et l'épuisaient, son sentiment d'être flouée s'approfondissant à chaque nouvelle mésaventure. Mais ce fut le tout dernier des mantras de l'auto-évaluation qui lui fit prendre conscience de façon radicale que tous ces événements négatifs s'étaient peut-être produits dans un but positif, après tout, si du moins elle choisissait d'en tirer les leçons. Elle a constaté que si elle n'avait pas vécu toutes ces épreuves, elle n'aurait jamais acquis la force qu'elle avait maintenant. Elle aurait continué à reproduire la vie de sa mère, une vie de femme sous influence et désespérée. Au moins maintenant était-elle capable de formuler des remerciements à l'endroit de tous ceux qui lui avaient causé des problèmes, pour l'avoir fait sortir de ses récriminations perpétuelles et de sa passivité, et pour l'avoir incitée à investir dans sa triste vie et en fin de compte, y apporter des changements. Grâce aux autres auto-évaluations qu'elle avait remplies, et tout particulièrement celles du chapitre précédent, Christine savait maintenant ce dont elle avait besoin, ce qu'elle voulait et *méritait*. Elle allait construire sa nouvelle vie à partir de ces exigences en se donnant la tâche de les satisfaire. Elle savait que l'élan était venu avec sa résolution de pardonner et elle était disposée à passer à l'action.

Quand il est question de *remercier* une personne qui nous a fait du mal, les femmes posent souvent la question à savoir pourquoi ce sont elles qui devraient toujours faire tout le boulot. La réponse est simple:

 *C'est celui qui a mal qui doit tout faire pour guérir.*

Et la différence entre les deux sexes s'énonce comme suit:

 *La vie nous fait des bosses. Les femmes travaillent à les guérir. Les hommes ne font que travailler.*

Oui, les hommes vont plutôt sublimer leurs problèmes personnels en investissant dans leur carrière alors que les femmes chercheront à s'améliorer. Alors si votre réaction initiale à ces formulations a été: «Moi, le remercier? C'est plutôt lui qui devrait me remercier!», vous avez peut-être raison, mais vous pourriez attendre encore longtemps avant qu'il prononce les mots que vous voulez entendre. Et pendant ce temps, votre énergie négative vous immobilisera, vous. N'est-il pas grand temps de vous sortir de là?

Danielle, dans la vingtaine, m'écrit:

> *Chère docteure Gilda:*
> *Je sors depuis deux ans avec le même type et cette relation commence à m'ennuyer terriblement. Il ne veut jamais rien faire d'autre que rester à la maison pour regarder la télé. Je ne peux plus le supporter. Je ne dis pas qu'il devrait me sortir tous les soirs, mais rester enfermée comme ça, c'est vraiment ridicule. De plus, il est devenu très grossier envers moi, aussi bien dans ses paroles que dans ses actions. Je ne suis plus heureuse avec lui. Mais je ne sais pas trop comment rompre; j'ai peur de faire une bêtise. Aidez-moi, je vous en prie.*

Une des raisons pour lesquelles nous nous accrochons à une relation malsaine, c'est que nous avons peur de ne trouver personne d'autre pour nous aimer. Au lieu de vous préoccuper à imaginer comment vous arriveriez à vivre *sans quelqu'un*, il vaudrait mieux vous imaginer combien votre vie pourrait être *plus riche* avec quelqu'un qui vous soutienne. Remerciez la personne qui vous fait du mal de vous avoir fait voir cela et puis quittez-la. Vous avez au moins acquis la force de déterminer ce que vous *ne voulez pas*. Et maintenant vous êtes prête à accepter ce que non seulement vous *voulez vraiment*, mais qu'en plus vous êtes désormais sûre de *mériter*.

Comment le passage de la douleur à l'harmonie se produit-il? Pensez aux gens dans votre vie qui vous ont fait le plus souffrir. Ne vous ont-ils pas incitée à changer? N'avez-vous pas fini par constater qu'il s'agissait toujours d'un changement pour le mieux? Sans un administrateur incompétent avec qui je travaillais, je serais toujours une fonctionnaire malheureuse, enseignant dans une banlieue sordide plutôt que d'influencer des millions de gens à la télé. Et maintenant, non seulement je pardonne à cet homme, mais je le *remercie* vraiment pour la faveur qu'il m'a faite. Malheureusement ou peut-être heureusement, on n'a rien sans peine. Comprendre cela nous rend plus conscientes des raisons de nos mauvaises périodes. Cela facilite la tâche d'oublier la peine pour faire plus de place à l'amour.

Il n'empêche que pardonner est une entreprise humaine fort difficile à cause de son énorme impact émotionnel. Une blessure à l'âme peut produire un état de choc, apporter confusion et colère et nous amener à porter le blâme. Certes, nous pouvons avoir raison d'éprouver du ressentiment, mais il est important de savoir que pardonner peut nous aider à nous libérer — et pas seulement de la personne à laquelle nous pardonnons, mais aussi du fardeau du ressentiment. Pardonnez... et un beau jour, vous cesserez d'avoir mal en repensant au passé. Se souvenir sans colère est la clé de cette libération. Nous devons surtout apprendre à nous protéger d'incidents semblables dans le futur. N'oubliez pas que vous pouvez toujours dire «non». Ne passez pas par trente-six étapes: après avoir fait de votre mieux pour améliorer une relation malheureuse, si ça ne va toujours pas, levez-vous et partez. Ah, la liberté! Non seulement la liberté d'arriver à vous *trouver* un autre partenaire, mais aussi celle de *devenir vous-même* une meilleure partenaire.

Mais que faire si vous êtes une de ces femmes qui ne veulent absolument pas laisser leur tourmenteur s'en sortir comme ça? Avez-vous songé que c'était peut-être pour vous une façon détournée de maintenir un lien avec lui?

 *Ne pas pardonner à quelqu'un, c'est une façon comme une autre de rester encore avec lui.*

Contrairement à la croyance populaire, la colère ne sépare pas les gens; au contraire, elle les tient attachés. Il a fallu de nombreuses années de colère à Catherine pour parvenir à divorcer même si elle savait que son mariage était un échec. Au début, elle disait qu'elle restait à cause des enfants. Puis ce fut à cause de l'impossibilité de s'entendre avec son conjoint sur la séparation des biens. Disons que la plupart des gens préfèrent s'en tenir à un mal qu'ils connaissent plutôt que d'avoir à affronter l'inconnu qui les attend. Pour sa part, Nicole, une autre divorcée, s'est enfermée dans une dépression au moment où elle se décidait enfin à signer sa demande de divorce. Pendant toutes les années de son mariage, ce sont leurs nombreuses tempêtes qui les avaient unis, elle et son mari. Maintenant, elle est légalement divorcée de cet homme, mais elle reste encore mariée à son souvenir... et même s'ils sont physiquement séparés, peut-être ne parviendra-t-elle jamais à le quitter sur le plan émotionnel. Évelyne, elle, a mis cinq ans à se défaire d'un mariage qui en avait duré six. Les questions débattues touchaient, comme d'habitude, le partage de l'argent et des biens, mais s'étendaient aussi à la garde... du chien. Son mari et elle ont passé leur temps à valser de médiations en procès, mais tout au long de l'épreuve, leurs sentiments négatifs les ont tenus collés l'un à l'autre. Maintenant, ils habitent dans des appartements différents... du même immeuble. Vous parlez d'une séparation!

Finalement — et c'est peut-être la seule raison valable pour ne pas pardonner — nous craignons de souffrir à nouveau et notre perpétuel bouleversement émotionnel nous protège, y compris contre nous-mêmes. Même s'il s'agit d'une crainte fondée et d'une bonne excuse pour en vouloir encore à quelqu'un, cela finit malgré tout par être épuisant. Demandez-vous si vous voulez rester épuisée pendant tout le reste de votre vie. Oublier complètement quelqu'un est au fond plus sain que de le laisser continuer à empoisonner nos pensées, car:

 *Nos pensées engendrent nos actions.*

Vérifiez cette affirmation en faisant le test de l'extension du bras:

Le test de l'extension du bras

- *Tendez de côté le bras dont vous vous servez le plus et fermez le poing.*
- *Demandez à quelqu'un de se placer en face de vous et d'essayer de toutes ses forces de vous faire baisser le bras avec sa main tendue.* (Vous constatez qu'il n'y parvient pas.)
- *Laissez votre bras tendu. Fermez les yeux et répétez dix fois:* ***«Je suis faible, je ne vaux rien.»***
- *Ouvrez les yeux.*
- *Demandez à la même personne de réessayer de vous faire baisser le bras et résistez de toutes vos forces.* (Vous constatez que toutes vos forces vous abandonnent.)
- *Refaites tout l'exercice et cette fois changez les mots à répéter pour:* ***«Je suis forte, j'ai de la valeur.»*** (Vous constatez que vous retrouvez vos forces.)

Nos pensées positives nous rendent physiquement fortes. Elles nous donnent du pouvoir et nous enrichissent. Nos pensées négatives nous rendent physiquement faibles. Elles nous limitent et nous appauvrissent. Il n'existe aucun jugement plus significatif de la part d'une femme que celui qu'elle porte sur elle-même. Alors, si vous n'êtes pas parfaitement convaincue que vous voulez «le» voir disparaître de votre vie, les pensées que vous lui accordez vont continuer à tourner dans votre tête. Vaut-il tout ce temps et toute cette énergie que vous lui consacrez? Songez aux activités enrichissantes que vous pourriez faire à la place.

Quand nous choisissons de laisser tomber, ce n'est pas l'action d'une autre personne que nous pardonnons, c'est le *jugement* que nous avons porté sur cette action. Nous pouvons soit pardonner et oublier, soit en vouloir toujours à l'autre. Nous avons le choix et nous pouvons décider nous-mêmes de la façon dont nous percevons notre peine.

Nous pouvons choisir d'être celle qui trouve des torts ou celle qui trouve l'amour. Ou nous pouvons nous désintéresser complètement de toute la question. C'est à vous de décider si vous voulez que vos émotions négatives vous contrôlent ou si vous voulez vivre votre vie. Aussitôt que vous abandonnez la mentalité de victime et que vous ne voulez plus être de celles que contrôlent les pensées d'un autre, vous vous libérez de vos chaînes. Vous acceptez de laisser tomber. Quand vous faites ça, vous permettez à votre cœur de flotter librement vers le soleil. Et plus tard, dans un nouvel amour, vous pourrez réagir à partir de votre force plutôt que de votre faiblesse.

Le pardon clôt définitivement notre passé en défaisant doucement le nœud qui nous enserrait le cœur. Nous vivons notre vie en regardant en avant et nous l'analysons en regardant vers l'arrière. Ce serait plus facile si c'était l'inverse, mais il nous faut d'abord vivre nos hauts et nos bas avant de pouvoir les comprendre. Toute personne qui entre dans notre vie est en quelque sorte notre professeur. Il n'y a pas de hasard, il n'y a que des possibilités qui s'ouvrent à nous. Ne les gâchons pas avec des choses sans importance.

Guérir d'une mauvaise relation est un choix unilatéral qui n'appartient qu'à vous. Et vous pouvez vous montrer tout à fait égoïste dans votre détermination à guérir car:

 *Quand nous guérissons de notre relation avec quelqu'un, nous guérissons notre relation avec nous-mêmes.*

Vous devez simplement avoir constamment à l'esprit que vous méritez ce qu'il y a de mieux et que cela doit commencer par vous: vous devez vous-même vous traiter le mieux possible.

Dans le chapitre 5, nous avons mis en cause la façon dont votre langage semblait supplier qu'on vous aime. Nous avons souligné l'importance qu'il y avait à projeter le respect si vous vouliez en recevoir. La façon dont une femme se respecte elle-même se reflète dans l'homme qu'elle choisit. Quand vous pardonnez à un homme qui vous a fait du mal, vous ouvrez toutes grandes les portes pour en accueillir un autre qui vous respectera autant que vous vous respectez vous-même. Initiez le processus en trouvant les réponses aux questions que vous êtes enfin prête à vous poser à *vous-même.*

Posez-vous de meilleures questions et vous recevrez de meilleures réponses

Souvent, les femmes se posent les mauvaises questions. Les mauvaises questions apportent les mauvaises réponses et les mauvaises réponses conduisent à une colère et à une frustration inutiles. Voici, inspirées par des femmes que je rencontre et des lettres que je reçois, quelles sont les dix pires questions que les femmes se posent à propos de leurs relations avec les hommes. Lesquelles de ces questions vous paraissent familières?

Les dix pires questions que se posent les femmes et les dix meilleures questions qu'elles devraient se poser à la place

Première mauvaise question: «Pourquoi ne m'a-t-il pas appelée, alors qu'il avait dit qu'il le ferait?»
Meilleure question: «Avait-il promis de m'appeler? J'ai été tellement occupée que je ne m'en souviens même plus.»

Une femme qui mène une vie intéressante ne sera pas suspendue au téléphone pour attendre un appel. Les hommes et les femmes n'ont pas la même notion du temps. Quand un homme dit: «Je vais t'appeler», il peut fort bien vouloir dire «quand j'aurai mis un peu d'ordre dans ma vie». Mais une femme prend la promesse d'appeler comme un engagement immédiat et se met à attendre impatiemment cet appel. Si elle dépend de cette promesse pour vivre, elle se prive elle-même de vivre d'autres aventures. Si votre cœur arrête de battre en attendant que le téléphone sonne, changez de vie. Nous devenons tellement plus attrayantes si nous nous faisons rares.

Robert avait rencontré Éléonore dans un célèbre restaurant de la métropole. Après un premier rendez-vous fabuleux, il a promis de la rappeler la semaine suivante. L'appel n'est jamais venu mais Éléonore, tout en étant légèrement déçue, était tellement prise par son travail, qu'elle a continué à vivre sa vie avec sa bonne humeur et sa fougue coutumières. Quand Robert a finalement appelé quinze jours plus tard, il a commencé par demander: «Est-ce que je parle bien à la belle Éléonore si pleine d'entrain?» Reconnaissant sa voix, Éléonore a répondu en riant: «Ça dépend de qui l'appelle.» Robert a dit: «Mon Dieu, est-ce que ça veut dire qu'elle reçoit beaucoup d'appels d'hommes intéressés à elle?» Elle a plaisanté: «Tant d'hommes intéressés et si peu de temps. *Qui est à l'appareil?*» Robert s'est identifié. Elle lui a répondu par un «Bonjour» chaleureux. Il a immédiatement entrepris de s'excuser de n'avoir pas appelé la semaine précédente: il avait été «tellement occupé». Éléonore l'a remis à sa place avec sa meilleure question: «Ah bon, tu devais appeler? J'avais oublié. J'ai été tellement occupée moi aussi...» Et elle a immédiatement entrepris de lui parler de son travail à elle plutôt que de lui poser des questions sur le sien. Il a vu que le fait qu'il n'ait pas tenu sa promesse l'avait laissée indifférente. Mais quand il lui a dit qu'il partait pour l'Extrême-Orient la semaine suivante et qu'il l'appellerait de là-bas, elle l'a taquiné: «Si tu n'es pas capable de m'appeler de la même ville, pourquoi m'appellerais-tu du Japon?» Robert a répondu sur le ton de la plaisanterie lui aussi: «Ah, ça, c'est vraiment un coup bas...» Mais l'humour nonchalant avec lequel elle avait traité son appel l'a titillé. Elle savait qu'elle allait recevoir un appel du Japon et c'est effectivement *ce qui s'est produit!*

En revanche, j'ai reçu récemment une lettre qui disait ceci:

Chère docteure Gilda,
Combien de temps faut-il normalement à un homme auquel vous avez donné votre numéro de téléphone pour qu'il vous appelle? J'ai rencontré un homme avec qui j'ai passé un fort bon moment. Il m'a dit qu'il aimerait me revoir mais il ne m'a pas rappelée. Cela fait maintenant trois jours. Peut-être que je me suis mal conduite…

Ce qui m'inquiète le plus dans cette lettre, ce sont ses deux dernières phrases. D'abord, «cela fait maintenant trois jours». Je réponds à cela: «Et alors? N'avez-vous rien de mieux à faire de votre temps que d'attendre désespérément son appel?» Et la dernière phrase: elle aussi est plutôt déconcertante puisque la pauvre femme se blâme elle-même de l'inconséquence du type. Je réponds à cela: «Pourquoi donc penser un seul instant qu'il n'a pas appelé parce que vous vous êtes mal conduite?» Finalement, je la laisse sur ces mots: «S'il n'a pas appelé, il n'a pas appelé. Peut-être que, tout simplement, *il* est trop stupide pour avoir vu quelle femme remarquable vous êtes. Ou peut-être est-il trop occupé actuellement. Dans tous les cas, continuez votre vie. Vous pourriez aussi réorienter vos pensées vers quelqu'un qui vous apprécierait assez pour *ne pas être capable d'attendre* de vous avoir au téléphone.» *Clic!*

Deuxième mauvaise question: «Pourquoi a-t-il peur de s'engager?»
Meilleure question: «Est-ce que d'une façon ou d'une autre je menace son indépendance?»

Les femmes pressent tellement souvent un homme de s'engager quand il n'est pas prêt qu'il s'effraie et file en direction inverse. Si vous vivez actuellement une relation qui semble n'aller nulle part, demandez-vous comment vous voudriez qu'elle tourne: une cohabitation? Le mariage? Des enfants? Fixez-vous à vous-même une date limite. En faisant justice à votre relation, et sans mettre de pression sur votre homme, choisissez une date qui soit à la fois équitable et réaliste et attendez en continuant de profiter de la relation. Au moment choisi, faites-lui savoir clairement ce que vous voulez. Vous avez abandonné votre peau de «chic fille» pour être une femme tout simplement «honnête» et vous avez fixé vos limites. S'il vous offre un compromis alors que vous attendiez de lui un engagement, c'est à vous de déterminer la prochaine étape. Mais s'il vous dit que lui aussi veut s'engager, entendez-vous sur une date qui vous convienne à tous les deux. Tenez-vous-en à cette date. Si votre partenaire ne la respecte pas, passez à autre chose. Vous avez une vie à vivre, alors vivez-la selon vos goûts. Vous avez essayé de régler de votre mieux la question des délais, vous lui avez laissé le temps et son comportement vous a démontré ce qu'il était prêt à faire. Les paroles sont faciles, mais seuls les actes comptent.

Christiane et Frédéric se voyaient depuis deux ans. Christiane se disait qu'il était temps que Frédéric se décide à envisager son avenir avec elle. Il lui disait souvent qu'il l'aimait, mais sa première femme l'avait quitté, après vingt ans de ce qu'il considérait avoir été un mariage heureux, en lui disant qu'elle le trouvait «ennuyant» à mourir. Il avait donc terriblement peur d'être abandonné à nouveau. Alors, même s'il adorait la nouvelle femme de sa vie, il avait des réticences à sceller une relation qui pourrait à nouveau le faire souffrir. Pendant ce temps, Christiane s'impatientait. Elle confia à ses amis qu'elle n'en pouvait plus et qu'il était temps que Frédéric s'engage envers elle. Ses amis lui firent remarquer qu'il s'était *déjà engagé*. Ne lui était-il pas fidèle? Ne les emmenait-il pas, elle et ses trois enfants, en camping? Et Christiane l'accompagnait à toutes les réceptions reliées à son travail. Ainsi donc, aux yeux du monde, ils formaient un couple. Mais aux yeux de Christiane, ce couple avait toujours un avenir douteux.

Chaque fois que Christiane le pressait un peu, Frédéric partait chez lui se réfugier. Sans l'ombre d'un doute, il était terrifié et il avait besoin de se réconforter dans son sous-sol. Quand Christiane s'est posée à elle-même la **meilleure question**, elle s'est rendu compte que ses pressions à elle ne faisaient qu'exacerber ses craintes à lui. Dans sa tête, elle s'est fixée *à elle-même* un dernier délai et s'en est tenue à cette date pour lancer un ultimatum à Frédéric. Quand la date est arrivée, elle lui a dit calmement et avec ménagement ce qu'elle voulait. Comme elle avait préparé son discours depuis des mois, elle est restée concentrée, en allant droit au fait et en évitant les dérives émotives habituelles qui le faisaient fuir. Frédéric a bien reçu le message de Christiane. Elle ne s'est pas obstinée, laissant à Frédéric la tâche de décider par lui-même de la suite de leur relation. Quand le temps est venu, Frédéric s'est effectivement installé avec elle et ils planifient actuellement leur mariage. En laissant les choses aller, Christiane a permis à Frédéric de réaliser, *au moment propice pour lui et à son propre rythme*, à quel point il aimait cette femme. Mais si l'histoire ne s'était pas terminée aussi bien, Christiane était déterminée à faire ses bagages et à se chercher une autre histoire d'amour.

Troisième mauvaise question: «Comment diable font tous ces minables pour me trouver?»
Meilleure question: «Qu'est-ce que je gagne à séduire ainsi des minables?»

Chaque fois que nous attirons quelqu'un dans notre vie, chacun des deux en retire un certain bénéfice. Si une femme continue à séduire des hommes sans emploi qu'elle doit faire vivre, elle doit se demander si le soin qu'elle prend de ces hommes ne lui donne pas le sentiment de supériorité et l'impression de contrôle qu'elle recherche. Est-elle en train de reproduire ce qu'elle a connu dans sa famille quand elle était petite, ce qui lui donne une fausse impression de sécurité? Ou peut-être a-t-elle appris quelque part qu'un homme qui fait des colères est un homme fort. Mais la chose dont il faut surtout se rappeler c'est que, peu importent les hommes qu'on attire, ils nous apportent toujours quelque chose, sinon nous n'en serions pas là. C'est à nous de déterminer les avantages que nous y trouvons et de savoir s'il ne s'agit pas plutôt d'inconvénients dont le prix à payer est trop élevé. Quand nous en mesurons le coût, nous pouvons perdre notre «perdant» sans éprouver un sentiment de perte.

Souvenez-vous, pendant des années Christine s'est plainte de ce que tout le monde profitait d'elle. Elle se lamentait d'être la bonne poire que tout le monde exploitait. Mais jamais elle ne se serait imaginée qu'elle se plaignait — tout en laissant faire — *des avantages qu'elle retirait de chacune de ses embrouilles douloureuses mais profitables*. Bien sûr, elle était obèse, ses enfants échappaient à son contrôle, son mari était une brute et ses clients ne la payaient pas. Mais finalement elle a passé en revue, l'un après l'autre, les *avantages* qu'elle retirait de chaque situation. La **meilleure question** attirait son attention sur ce point. À sa grande surprise, elle a constaté que son poids lui permettait d'éviter toute forme d'intimité avec son horrible mari. Ses enfants terribles l'empêchaient de garder des bonnes d'enfants et l'obligeaient à jouer les supermamans, ce qui la faisait se sentir importante. La brutalité de son mari reflétait la fausse sécurité qu'elle éprouvait à se retrouver dans la situation familiale qu'elle avait connue dans son enfance. Ses clients qui ne la payaient pas reflétaient le peu d'estime qu'elle avait pour elle-même. Ce ne furent pas des réponses faciles, en particulier parce qu'elles illustraient éloquemment son désir désespéré d'être *aimée*. Mais une fois qu'elle s'est montrée prête à recevoir l'information qu'elle était allée chercher, elle a pu reprendre sa vie en main.

Quatrième mauvaise question: «Pourquoi est-ce qu'il me perturbe ainsi?»
Meilleure question: «Pourquoi est-ce que non seulement je lui montre tous mes boutons de contrôle mais qu'en plus je lui fournis le manuel d'instruction?»

Dès que nous sommes perturbées par le comportement de quelqu'un, nous lui tendons la télécommande qui contrôle les mouvements de notre cœur. Avec ça, il peut tirer ou pousser comme bon lui semble la marionnette que nous devenons au bout de ses doigts. Nous ne sommes plus maîtresses de nos émotions. Mais quand, au contraire, nous nous écartons de lui et le laissons régler ses propres problèmes, nous pouvons mettre notre énergie dans la poursuite de nos objectifs. C'est pour ça que nous sommes sur terre et c'est le seul chemin qui mène à la croissance personnelle. C'est seulement quand nous aurons atteint nos objectifs que nous serons en mesure de joindre nos forces aux siennes pour résoudre nos problèmes ensemble.

Maryse sortait avec François aussi souvent qu'il l'appelait. Elle le voyait peut-être deux fois par mois et chaque fois elle appréciait davantage sa compagnie. Elle pensait qu'ils étaient probablement devenus intimes trop tôt car maintenant il lui manquait quand il n'était pas là. Il voyageait beaucoup et se plaignait de sa vie trop mouvementée.

Maryse a été invitée au mariage de quelqu'un qui lui était cher et connaissant l'emploi du temps chargé de François, elle l'a appelé un mois d'avance pour lui demander de l'accompagner. De façon tout à fait inattendue, il lui a dit: «Avec un peu de chance, je serai en voyage à ce moment-là.» Elle a été choquée par sa réponse caustique et cruelle. Sans même y penser, elle lui a rétorqué: «Va te faire foutre!» C'était son tour à lui d'être choqué. Il a eu un rire gêné et il a ajouté un peu penaud: «J'ai d'autres projets pour ce jour-là.» Elle a gardé le silence. Mal à l'aise, il a essayé de le combler avec une autre excuse:

«Je vais peut-être aller voir mon fils à l'autre bout du pays.» Furieuse de son manque d'intérêt, elle a rapidement mis fin à la conversation avant de raccrocher.

Maryse s'est d'abord demandé pourquoi cet homme la perturbait. Puis est venue la **meilleure question:** pourquoi lui donnait-elle ainsi *le pouvoir* de pénétrer ses émotions? La réponse s'est avérée surprenante, même pour elle. Son intimité avec François avait manifestement augmenté son niveau d'ocytocine et la «colle à relations» l'avait attachée à cet homme plus qu'elle ne l'aurait cru possible. Elle savait bien que c'était plus un problème de femme qu'une question d'homme. Mais elle s'apercevait aussi qu'elle avait *besoin* de prendre soin d'elle-même pour pouvoir éviter à l'avenir de perdre ainsi le contrôle de ses émotions. Elle a pris l'engagement de ne plus avoir de relations sexuelles avec François à moins que leur relation n'aille dans le sens d'un plus grand approfondissement. Cela reste à voir.

Cinquième mauvaise question: «Comment peut-il ne pas s'apercevoir qu'il a tort?»
Meilleure question: «Pourquoi faut-il que je sois à la fois sa professeure et celle qui lui fait la morale?»

La vie offre peu de réponses en noir ou blanc, ce qui nous laisse avec beaucoup de gris dans lequel il nous faut nous dépêtrer. Quand on fait partie d'une équipe, on doit abandonner son besoin d'avoir raison. Nous prenons nos décisions à partir de nos propres expériences, de notre situation économique, de notre éducation, de la façon dont nous avons été élevés, de notre religion, de nos opinions politiques, de notre sexe et de notre état d'esprit du moment. Pour résoudre un problème, chaque personne doit faire les recherches qui s'imposent. Par exemple, vous pourriez insister pour que votre homme abandonne une mauvaise habitude mais, s'il est déterminé à la garder, il n'y a rien que vous puissiez faire pour le sauver. Même si votre idée sur la question peut être fort utile, il en tiendrait probablement plus compte si vous la formuliez comme une simple suggestion au lieu d'une directive. Par-dessus tout, votre travail consiste à vous concentrer sur votre propre vie, là où vos efforts vous placeront en position de franchir la prochaine étape de votre croissance.

Il y a bien des années, j'ai eu une relation amoureuse avec un gros fumeur. Quand nous nous sommes rencontrés, j'ai été frappée par les cendriers sales, pleins à ras bord, qu'il y avait partout dans son appartement. Ses vêtements puaient la cigarette, l'appartement empestait et ses baisers étaient ponctués de vaporisateurs à la menthe, de rince-bouche et de dentifrice. En plus de ce fort mauvais environnement, fumer, tout le monde le sait, est mauvais pour la santé. J'adorais cet homme et je voulais qu'il survive. En outre, avec ma pénétration psychologique, un talent qui peut parfois représenter un danger éventuel, je me disais qu'il serait incapable de m'aimer pleinement à moins de commencer par prendre un peu soin de lui-même. Alors j'ai commencé à jouer les mères Teresa. Je le fichais dehors avec sa cigarette et je l'ai inscrit à des cours pour arrêter de fumer. Je lui ai pris des rendez-vous chez des acupuncteurs, j'ai accroché des photographies en couleurs de poumons encrassés sur le miroir où il se rasait. Je pleurais quand je le voyais fumer. Vous avez sans doute remarqué que c'est moi, moi, moi, et encore moi, qui faisais tout ce qui était en mon pouvoir pour sauver cet homme de lui-même. Quand j'en suis finalement arrivée à la **meilleure question,** l'information que j'en ai retirée m'a rendu consciente que j'avais besoin de *le* sauver parce que j'avais trop peur d'investir du temps dans l'entreprise de me sauver moi-même. Bon, ça va, malgré une certaine résistance, j'avais compris. J'ai laissé aller les choses. Le fait d'être libérée de ce qui aurait dû être sa préoccupation à lui me donna mon indépendance. Pour le bien de mon esprit, je me suis inscrite à un programme de maîtrise et pour le bien de mon corps, j'ai commencé à fréquenter un centre de conditionnement physique. J'ai commencé à prendre soin de *moi* plutôt que de quelqu'un d'autre. Des années plus tard, quand *mon homme* a été prêt, il s'est arrêté de fumer du jour au lendemain. Parfois dans la vie on reçoit comme un coup de téléphone qui nous dit de nous réveiller. On choisit de répondre ou non. Cette fois, ce n'était pas moi qui étais au bout du fil. Il n'a fallu que dix sessions de cours pour que mon bien-aimé, *de son propre chef,* abandonne cette habitude d'une vie entière. Il s'était finalement sauvé lui-même.

Cette manie de vouloir jouer les sauveurs continue à handicaper bien des femmes et souvent rappelle le comportement de celles qui en font trop. Voici un extrait d'une émission de radio intitulée «Comment NE PAS sortir avec des minables» que j'ai animée pendant quelques années:

Une femme au téléphone: Mon copain est un alcoolique et fume de la marijuana. Parfois j'ai l'impression qu'il aime plus ses drogues que moi. Qu'est-ce que je devrais faire?
Docteure Gilda: Voilà un beau minable! Ce garçon est complètement accro. Mais pourquoi donc rester avec ce minable? Croyez-vous que vous ne méritez pas mieux? Les drogues sont des habitudes très difficiles à abandonner. Si vous continuez votre relation avec lui, c'est vous la minable. Donnez-vous une meilleure vie en attirant quelqu'un qui vous donnera plus de considération qu'à sa drogue et son alcool.

Mais cette femme ne renonçait pas. Plus tard dans l'émission, elle m'a répondu ceci:

Femme au téléphone: Vous m'avez dit de laisser tomber ce garçon. Mais puisque je tiens beaucoup à lui, ne devrais-je pas plutôt essayer de le sauver? Pourquoi faut-il que je me contente de baisser les bras?
Docteure Gilda: Oh, je vous en prie! Voici la grande question que devraient se poser toutes les femmes qui ont essayé de sauver leur homme: «Qui va vous sauver, vous?» J'ai connu ça moi aussi. J'ai déjà donné. Mais personne ne peut sauver quelqu'un d'autre. Il s'agit d'un drogué et vous commencez déjà à vous apercevoir que vos besoins à vous ne sont pas satisfaits. Voulez-vous jouer les infirmières toute votre vie? Hé ho, réveillez-vous! Oui, je vous recommande d'oublier cet homme et plutôt de vous souvenir de vous-même.

Maintenant que je suis à nouveau célibataire, quand un homme me dit qu'il a besoin de faire ceci ou qu'il veut cela, je lui dis simplement: «Eh bien, fais-le donc.» Je suis sensible à ses besoins, mais je n'en suis pas responsable. Je ne ferai pas le travail émotionnel de mon partenaire à sa place. J'ai enfin abandonné mon rôle de sauveur.

Sixième mauvaise question: «Comment puis-je l'amener à m'aimer?»
Meilleure question: «Pourquoi aurais-je à *manipuler* quelqu'un pour avoir son amour?»

Personne ne peut forcer personne à faire quoi que ce soit. Et même si c'était possible, pourquoi faudrait-il que nous amenions quelqu'un à nous aimer? Notre meilleure chance, c'est d'améliorer la personne que nous sommes et laisser le ciel faire le reste. Si l'homme de votre vie doit venir, il viendra. Mais si vous êtes bien engagée dans votre propre vie, vous n'attendrez pas qu'il se présente. Explorez toutes les possibilités qui s'offrent à vous, sortez avec autant de gens que vous le voulez et donnez-vous les occasions les plus diversifiées possibles. Parfois, tandis que nous attendons la personne que nous croyons être «la bonne», nous rencontrons quelqu'un qui s'avère après tout mieux nous convenir. Si nous étions restées assises chez nous à soupirer après le premier homme, nous ne l'aurions jamais su.

J'ai reçu récemment un petit mot de Jacqueline, la jolie fille qui avait abandonné ses études au secondaire. Vous vous souvenez de Jacqueline, au chapitre 2? Elle admet maintenant qu'elle s'est morfondue pendant onze mois pour cet «imbécile» de Michel. Elle dit qu'elle a continué à attendre qu'il revienne, organisant son emploi du temps pour être là où elle savait qu'il serait, se tenant à des endroits où elle pensait qu'il la trouverait et le harcelant de coups de téléphone pour lui proposer sans pudeur des relations sexuelles. Elle avait beau être très malheureuse, elle s'est malgré tout décidée entre-temps à remettre son corps en forme. Elle a perdu du poids et a commencé à fréquenter un centre de conditionnement physique. Elle a également terminé son secondaire et s'est inscrite au cégep. Elle avoue qu'à chaque nouvelle étape qu'elle franchissait sur la voie de la croissance personnelle, elle gardait encore l'image de Michel en tête: qu'est-ce qu'il penserait de son nouveau look? Serait-il content de voir qu'elle avait repris ses études? Serait-il fier de marcher dans la rue à son bras?

Un jour, pendant son attente éperdue de Michel, elle est tombée sur un garçon qu'elle avait brièvement connu à l'école. Jacqueline a été impressionnée de voir à quel point il avait mûri. De son côté, il a semblé séduit par la nouvelle Jacqueline améliorée. Ils ont commencé à sortir ensemble. Et les yeux de Jacqueline ont commencé à s'ouvrir. Sa **meilleure question** prenait maintenant la forme suivante: «Pourquoi perdre mon temps avec quelqu'un que je n'intéresse pas?» Il y avait maintenant huit mois de cela. Quand je lui ai parlé de la véritable obsession qu'elle avait entretenue pour Michel, cette femme qui avait déjà été littéralement folle de lui m'a répondu: «Quel Michel?» Elle avait manifestement constaté la futilité qu'il y a à vouloir inspirer l'amour par la manipulation. Si l'amour n'est pas partagé, il n'est qu'une obsession et l'obsession se fonde sur le *besoin* plutôt que sur le *désir*. Le *besoin* projette le désespoir, le *désir* projette le pouvoir. Notre pouvoir nous pousse à investir dans nos propres forces. Et quand nous le faisons, un homme intéressant peut se montrer disposé à investir en *nous*.

Septième mauvaise question: «Pourquoi ne quitte-t-il pas sa femme?»
Meilleure question: «Qu'est-ce que je trouve si attirant chez un homme qui n'est pas libre?»

Quand une femme poursuit un homme qui appartient à une autre, il se peut fort bien qu'elle ait elle-même peur de l'intimité. Ou qu'elle veuille se créer un triangle imaginaire dont elle sortirait victorieuse et où elle rejouerait les rôles de son enfance: papa, maman et bébé qui font trois. En sortir gagnante la ferait se sentir puissante. Mais aucune de ces possibilités n'est saine. Dans le premier cas, la plupart de celles qui représentent «l'autre femme» doivent constamment s'accorder à l'emploi du temps de l'homme marié qu'elles fréquentent, ce qui fait que leur propre vie devient insignifiante. Dans le second cas, si une femme finit par rafler un homme marié à sa femme, elle se retrouve avec un prix de consolation en lequel elle ne peut pas avoir confiance. La confiance est la possibilité de compter sur votre partenaire comme vous comptez sur vous-même. Avec un homme qui a déjà trompé sa femme, qu'est-ce qui vous dit qu'il ne le refera pas? Comment la nouvelle femme pourra-t-elle jamais être sûre de lui? Les femmes qui poursuivent des hommes non disponibles doivent découvrir la raison qui leur fait éviter quelqu'un qui soit rien qu'à elles. En général, cela tourne autour de ce qu'une femme croit mériter.

Paule avait décidé qu'elle ne voulait pas, comme sa mère, tomber dans la catégorie traditionnelle de la femme au foyer. Elle avait vu son père quitter la maison pour échapper à la trop grande responsabilité de deux enfants à élever et d'une hypothèque considérable à payer. En voyant sa mère pleurer pendant des années, elle a juré de ne jamais se mettre dans une situation où elle risquait d'être abandonnée. Alors elle a choisi de consacrer sa «carrière» à son amant marié. Le suspense de ne jamais connaître son emploi du temps à l'avance était pour elle une chose «si excitante» que Paule la prenait pour de l'amour. Elle attendait avec impatience le jour où il quitterait sa femme et entre-temps, elle continuait à tout donner et à tout faire pour cet homme qu'elle adorait. Elle n'avait pas d'études très avancées, mais elle faisait pour son amant tous ses travaux d'université et avouait qu'elle aurait même passé ses examens pour lui si la chose avait été possible. Quand ses amis inquiets lui demandaient ce qu'il en était de la femme de cet homme, elle répondait qu'elle ne voulait pas le savoir. Elle était heureuse avec les choses comme elles étaient.

Après dix-huit années (non, non, vous n'avez pas mal lu!), son navire de rêve a coulé et la vie qu'elle envisageait avec cette homme a disparu dans les flots. Il lui a dit qu'il en avait assez, que leur relation avait été très agréable, mais qu'il avait décidé de rester avec sa femme, là où était sa place. *Après tout, il ne pouvait pas quitter sa femme qui s'était montrée si dévouée.* Paule aurait voulu mourir! À la place, elle a développé un cancer du sein. Si elle s'était posée la **meilleure question** plus tôt, elle aurait vu que sa soumission à un homme qui n'était pas disponible traduisait simplement son désir d'éviter une souffrance semblable à celle de sa mère. Dans ce cas, cependant, il n'est pas sûr que Paule aurait accepté cette information. Parfois, il faut que tout notre système soit ébranlé pour nous faire prendre conscience de la vérité.

Huitième mauvaise question: «Pourquoi ne change-t-il pas?»
Meilleure question: «Pourquoi ne puis-je pas l'accepter tel qu'il était quand nous nous sommes connus?»

Les femmes cherchent toujours un homme qui a du potentiel, que ce soit en termes de revenus, de sensibilité ou d'engagement. Après toutes ces années passées à travailler avec des femmes, je suis convaincue que nous avons un gène particulier qui nous pousse à croire que nous arriverons à «le changer». Écoutez bien, mesdames. Vous savez toutes ce qu'est un vêtement prêt-à-porter? Eh bien, un homme, tel que vous le rencontrez, est toujours «prêt-à-(sup)porter». Rien de plus, rien de moins. Personne ne change parce que quelqu'un d'autre le voudrait bien. Le changement et la croissance dépendent de la personne elle-même, si et quand elle en éprouve le besoin. Alors regardez bien de quoi il a l'air en magasin avant de le décrocher de son cintre. Votre besoin de le changer est une forme d'arrogance. Gardez vos forces pour vous améliorer, cela pourrait bien vous amener quelqu'un de plus intéressant que celui qui vient de se présenter, avec ses manques et ses faiblesses.

À la différence de la question 5, où une femme peut chercher à devenir le *sauveur* de son homme, il s'agit ici de retouches pour l'amour de la retouche. Dans le chapitre 2, nous avons rencontré huit femmes parfaitement raisonnables, jeunes et vieilles, riches et pauvres, qui croyaient que les crapauds peuvent *se changer* en princes. La princesse Diana croyait que son vrai prince allait quitter Camilla; Sophie, l'employée de bureau, croyait que Roger, qui ne semblait guère intéressé, finirait par se laisser prendre. Catherine, l'enseignante, rêvait de voir son Louis grandir enfin; Karine, la quinquagénaire esseulée, espérait que son Casanova des prisons finisse par se ranger; Suzanne, l'adolescente avec un bébé sur les bras, était persuadée que son amoureux délinquant accepterait les responsabilités de la paternité; Jacqueline, la décrocheuse, se convainquait que son Michel reviendrait vers elle; Alice, la directrice d'hôpital, pensait que Marc arrêterait de courir les femmes. Quant à Christine, elle continue d'entretenir l'espoir qu'Henri va devenir plus gentil et plus attentionné envers elle, même après avoir pris conscience des changements qu'elle doit apporter à son propre comportement. Huit femmes, huit vies différentes, mais toutes avec le même rêve qu'un jour, leur prince viendra… Dans chaque cas, l'inscription sur le mur apparaissait écrite en lettres de feu. Dans chaque cas, la femme pensait qu'elle pouvait *changer l'homme* pour le rendre meilleur.

Le désir des femmes de changer leur homme est devenu une épidémie nationale. Il fait faussement espérer à notre sexe, dont le statut a toujours été traditionnellement moins élevé, un certain contrôle. Et un contrôle non pas *sur notre vie*, comme cela devrait être, mais *sur celle de nos hommes*. Quand nous posons les **meilleures questions**, nous risquons de découvrir que si nous voulions vraiment *cet homme*, nous ne voudrions pas le changer en quelque chose — ou quelqu'un — d'autre. Pour bien des femmes, se trouver *un homme* veut dire à tort avoir *n'importe quel homme* pour montrer au monde qu'elles sont aimées. Il est grand temps que les femmes cessent d'être sous l'influence néfaste du contrôle externe pour prendre une bonne dose de contrôle interne. Sinon, le taux de divorce au début du nouveau millénaire atteindra son sommet prévu de 67 %, avec un couple qui se sépare toutes les vingt-six secondes!

Remplissez l'auto-évaluation 21 et découvrez ce qui vous pousse à vouloir un homme.

AUTO-ÉVALUATION 21

QU'EST-CE QUI ME POUSSE À VOULOIR UN HOMME?

Laquelle de ces trois formulations correspond le mieux à votre désir? Répétez chacune des phrases suivantes en mettant l'accent sur le mot mis en évidence:

1. Je *veux* un homme.
2. Je veux *un* homme.
3. Je veux un *homme.*

ANALYSE

La phrase 1 insiste sur le fait que vous voulez un homme dans votre vie pratiquement plus que tout au monde.

La phrase 2 suggère que n'importe quel homme fera l'affaire.

La phrase 3 affirme que vous voulez quelqu'un qui soit pourvu d'attributs virils — quelle qu'en soit l'utilité.

Il n'y a pas de bonne réponse. Ce test ne sert qu'à indiquer ce que vous désirez.

Chacune de ces phrases met l'accent sur les différentes raisons qui peuvent vous pousser à vouloir un homme dans votre vie. Mais, quel que soit votre motif, un homme doit représenter un enrichissement pour vous qui êtes déjà forte et non quelqu'un sur qui vous appuyer pour devenir plus forte. Si vous sortez présentement avec quelqu'un, demandez-vous si vous vous contentez de sortir avec lui à l'occasion ou si vous désirez une véritable relation. C'est à vous de choisir. Si vous vivez déjà une relation, demandez-vous si cet homme *enrichit* votre vie ou si c'est juste quelqu'un avec qui vous aimez être vue. Terminez cette auto-évaluation en vous demandant si c'est l'amour que vous voulez ou si c'est juste la peur de vous retrouver seule qui vous lie à votre partenaire.

Une fois pour toutes, nos hommes sont peut-être un peu maladroits dans leurs rapports avec nous, mais ils ne sont certainement pas stupides. Aucun homme ne veut sentir qu'il ne sert qu'à prouver à une femme qu'elle peut être aimée. Les femmes doivent choisir l'homme qu'elles veulent sur la foi de ce qu'il est. Mais pour pouvoir le faire, elles doivent d'abord s'accepter elles-mêmes telles qu'*elles* sont. Quand les femmes sont satisfaites de leur propre pouvoir et de la façon dont elles le projettent, elles sont capables de recevoir le bien que peut leur faire un homme intéressant. Pas nécessaire de faire des retouches. Et voilà, c'est tout.

Neuvième mauvaise question: «Pourquoi me traite-t-il comme une quantité négligeable?»
Meilleure question: «Comment faire respecter mes limites de façon à me donner ce dont j'ai besoin?»

Trouvez-vous que vous ajustez votre vie pour répondre à ses besoins? Abandonnez-vous volontiers vos projets pour être disponible? Comment pourrait-il savoir quels sont vos buts si ses buts à lui sont devenus les vôtres? Au début de votre relation, dites-lui quels sont vos besoins et quels sont vos désirs. Tracez un plan au crayon pour vous-même, mais ne vous servez de la gomme à effacer que s'il s'agit de satisfaire vos propres désirs. Quand il vous respectera, vous et vos limites, il arrêtera de vous considérer comme une chose acquise. En faisant ce qui vous plaît, vous envoyez le message que vous comptez. Il est difficile de négliger quelqu'un qui signale sa présence avec force.

Un des problèmes du mariage de Christine est venu de ce que son mari lui demandait d'ajuster sa vie à la sienne à lui. Dans l'interdiction qu'il lui faisait de voir des amis à l'heure où elle aurait dû préparer le repas, le problème n'est pas tellement dans le fait qu'il *commandait,* mais plutôt dans celui qu'elle *obéissait.* Une partie du complexe de la bonne poire qu'entretenait Christine venait du fait qu'elle acceptait d'être considérée comme quantité négligeable et qu'en l'acceptant, elle enseignait aux autres à la traiter comme ça. Femme qui en fait trop par excellence, elle avait toujours été là, avait toujours exécuté rapidement ce qu'on attendait d'elle et s'était toujours montrée prête à donner. Rappelez-vous qu'avant de remplir les auto-évaluations, elle était persuadée que l'épithète «égoïste» était une injure qu'on lançait aux femmes qui n'obéissaient pas. Jusqu'alors, elle n'avait donc pas eu d'autre choix.

Tout comme Éléonore, dans la question 1, a changé la façon erratique dont Robert l'appelait au téléphone, comme Christiane, dans la question 2, a pressé Frédéric de s'engager envers elle et comme Maryse, dans la question 4, a fermé la porte de sa chambre à François, Christine a dû en venir à la conclusion que si les gens la tenaient pour acquise, c'est simplement parce qu'elle les *laissait faire*. Sa **meilleure question** lui a montré que si elle voulait que les choses changent, il fallait qu'elle se donne des limites et qu'elle les marque de façon suffisamment claire pour qu'elles ne se liquéfient pas à sa première crise de larmes. Elle savait bien qu'au début, son refus d'obéir provoquerait la colère, mais elle savait aussi maintenant que les motifs extérieurs émanant des autres comptaient moins que les pulsions intérieures qui la poussaient à faire ce qu'elle voulait. Christine redoutait naturellement d'avoir à apporter ces changements audacieux à sa vie, mais elle reconnaissait aussi qu'elle était profondément malheureuse et épuisée. Il était temps. Elle était prête à se fixer des limites et à les faire respecter. Elle espérait seulement qu'elle aurait la force d'oublier ses années de soumission totale.

Dixième mauvaise question: «Pourquoi ne me dit-il pas ce qu'il ressent?»
Meilleure question: «Est-ce que je fais ce qu'il faut pour qu'il n'ait pas peur de se montrer vulnérable?»

À la différence des femmes, quand les hommes ont un problème, ils refusent d'en discuter. Ils préfèrent se réfugier dans la solitude pour le résoudre tout seuls. Le cerveau des hommes fonctionne ainsi; il coupe toute interférence émotionnelle et traite les problèmes avec logique, étape par étape. Quand votre homme est visiblement préoccupé, même si cela peut vous paraître difficile, laissez-le tranquille. Laissez-lui son intimité, le temps qu'il lui faut. Quand il se montrera prêt, sans mettre trop de pression, invitez-le à partager avec vous ce qu'il a en tête. Une fois que vous aurez pavé la voie en respectant son rythme personnel et son niveau d'aise, il s'ouvrira. Et quand il le fera, c'est qu'il se sentira assez en sécurité pour le faire.

Christophe avait vu les compressions de personnel toucher tout son service et il s'attendait d'un jour à l'autre à ce que son tour vienne. Il était marié à Ginette depuis six ans et cette union, il l'avait nouée fièrement, persuadé que son obligation était, exactement comme elle l'avait été pour son père, de faire vivre sa femme et ses enfants. Ginette ne travaillait pas mais restait à la maison pour s'occuper de leur fils de trois ans. Elle laissait son mari en charge des finances.

Le couperet est finalement tombé sur Christophe, au travail, mais il n'a pas pu se résoudre à dire la vérité à Ginette. Il espérait qu'au moment où elle s'en apercevrait, il se serait trouvé un emploi encore meilleur dans une autre compagnie. Alors, déterminé à vivre le mensonge aussi longtemps qu'il pourrait s'en tirer, il mettait ses vêtements de travail et quittait la maison tous les matins à l'heure habituelle. Il passait ses journées à lire les petites annonces dans les parcs, allait passer des entrevues en secret ou restait simplement assis à la bibliothèque municipale à éplucher les journaux au cas où il trouverait une offre à l'étranger. Il ne savait pas ce qu'il allait devenir, mais une chose était sûre: il voulait à tout prix épargner à sa femme la peur de la catastrophe financière. Il n'en était pas moins conscient que l'heure de la vérité finirait un jour ou l'autre par sonner.

Les chèques ont commencé à rebondir et Ginette a demandé des explications, mais il restait muet comme une carpe. Ginette est revenue à la charge. Comme le font souvent les femmes quand elles n'obtiennent pas de réponse, elle a commencé à le suivre partout dans l'appartement et à le harceler de questions embarrassantes. Mais elle a remarqué que cette technique amenait Christophe à se refermer encore plus. Finalement, elle s'est astreinte à remplacer ses mauvaises questions par une **meilleure question.** En désespoir de cause, elle avait maintenant décidé d'attendre qu'il vienne à elle. Elle s'est contenté de lui dire: «Christophe, mon amour, je vois bien qu'il se passe quelque chose. Je t'en prie, dès que tu te sentiras prêt à le faire, dis-moi ce qui se passe.» Si les femmes ont besoin de se sentir en sécurité pour faire l'amour, c'est pour partager leurs sentiments que les hommes ont, eux, besoin de cette sécurité. Alors, si une femme veut pénétrer l'âme de son homme chéri, elle doit le réchauffer avant de lui faire déballer ce qu'il a sur le cœur. Ginette a minimisé ses craintes en lui rappelant qu'ils formaient une équipe et qu'ils devaient donc affronter ensemble ce qui était en train de se passer. C'est ce qui a permis à Christophe d'oublier son orgueil de mâle et de s'ouvrir à elle. Cela ne s'est pas produit tout de suite mais, deux semaines plus tard, il avouait enfin la triste nouvelle. Quand elle a spontanément proposé de prendre un emploi à temps partiel jusqu'à ce qu'il se trouve un autre emploi, il a regretté de ne pas avoir joué plus tôt cartes sur table. Les femmes doivent savoir que lorsqu'un homme se referme, cela n'a rien à voir avec elles. C'est leur façon d'être et on doit les laisser vivre tout le processus seuls. Soit dit en passant, voilà une autre raison pour qu'une femme ait sa propre vie dans laquelle elle s'implique passionnément.

Les dix meilleures questions identifiées précédemment ont une chose en commun: elles donnent aux femmes les clés de leur propre château. Pour vous assurer que ce château demeure vôtre, apprivoisez les différences entre les mauvaises questions et les meilleures. Sentez-vous en pleine possession de vos moyens et orientez toute l'information que vous recevez en fonction de vous-même. Votre propre pouvoir représente votre police d'assurance contre les hommes faibles et sans valeur.

Posez-vous ces dix meilleures questions à vous-même, sans avoir recours à votre partenaire. Exercez-vous à lire chacune d'entre elles à haute voix. Et acceptez vraiment les réponses que vous obtiendrez. L'idéogramme chinois qui désigne le verbe «écouter» inclut les signes correspondant à oreilles, yeux, cœur, attention soutenue et *vous*. Quand vous aurez intégré chacun de ces cinq éléments dans la façon de vous écouter vous-même, vous serez prête à poser des questions habiles et à écouter votre homme. L'écouter est la chose la plus gentille que vous puissiez faire pour quelqu'un.

Posez des questions habiles et vous recevrez des réponses honnêtes

On a vu que la première étape pour apprendre à recevoir consistait à se donner des choses à soi-même, que la deuxième était de pardonner pour faire une place dans son cœur et pouvoir y accueillir la générosité des autres et que la troisième exigeait qu'on se pose des questions difficiles à soi-même avant de les poser à l'autre. Eh bien, la quatrième étape consiste à poser habilement des questions qui vont vous renseigner un peu mieux sur votre homme. Ces questions habiles concerneront ses relations avec ses parents, ses expériences amoureuses et les raisons de leur échec, les choses qui l'atteignent le plus, ses principes moraux, ses valeurs et ses attitudes à l'endroit de l'amour et du mariage et, enfin, ses objectifs de vie.

Le problème, c'est que la plupart du temps, les questions que posent les femmes se fondent sur leur propre insécurité à l'intérieur de la relation. Quand notre homme nous répond quelque chose que nous n'aimons pas, nous sommes blessées, nous nous mettons en colère, nous crions, nous pleurons, nous nous défendons. Nous craignons tellement d'être abandonnées que nous prenons tout ce qu'il dit et qui n'est pas tout à fait un mot d'amour pour une cause de rupture. Devant notre réaction, notre partenaire en déduit qu'il ne courra jamais plus le risque de jeter de l'huile sur le feu en parlant avec franchise, car il ne tient pas à se retrouver avec son oreiller sur le balcon.

Si votre partenaire s'ouvre à nouveau à vous, il va peut-être décider d'embellir la vérité rien que pour vous faire tenir tranquille. Par exemple, comme une partie du syndrome de l'hôtesse au large sourire consiste à vouloir entendre des choses agréables ou des bonnes nouvelles, un homme sera incontestablement porté à dire quelque chose de gentil, même s'il ne le pense pas vraiment. Comme c'est irritant! Malheureusement, c'est ce qui se produit quand les femmes veulent absolument savoir et que les hommes se retiennent de toutes leurs forces de dire ce qu'ils ont en tête.

Les femmes ont souvent du mal à équilibrer leur besoin de savoir et le besoin de laisser un homme dévoiler ses vérités à *son propre* rythme. Quand nous posons trop de questions trop tôt, nous nous faisons accuser d'être curieuses et d'enfoncer la façade protectrice de l'homme. Ses signaux d'alarme se mettent à clignoter et il se referme comme une huître. Mais au lieu de nous retirer, nous nous transformons en véritables chipies, et nous voici dévastant le territoire privé du malheureux avec encore plus de violence. Sous la menace de nos incursions, il se réfugie dans les montagnes de sa solitude. Peut-être y a-t-il là une autre femme apparemment plus placide qui l'attend. Mais si elle, *au début*, ne pose pas de questions inquisitrices, ne craignez rien, cela ne va pas tarder à changer, car aucune femme ne peut supporter longtemps qu'un homme prenne ses distances. En la voyant alors se ruer sur lui, il sera stupéfait de voir à quel point elle ressemble à celle qu'il a laissée derrière lui. Ce dilemme entre la volonté de s'ouvrir et le désir de fuir ressemble au manège des porcs-épics, qui passent leur temps à s'éloigner et à se rapprocher les uns des autres.

Le porc-épic est un animal dont le dos est recouvert de quinze à trente mille épines acérées qui peuvent s'enfoncer de un ou deux centimètres dans la peau. Quand il tente de survivre à un dur hiver, le porc-épic se blottit contre un autre porc-épic pour se tenir au chaud. Quand les piquants acérés de chacun des deux animaux piquent l'autre, ils se séparent très vite. Mais ils ont froid de nouveau et ils retournent se blottir l'un contre l'autre. Les porcs-épics passent leur temps à essayer de trouver la bonne distance pour s'empêcher de geler sans se faire trop piquer. Les hommes et les femmes ont des rapports qui ressemblent fort à cela.

Comme les piquants des porcs-épics, la communication entre les hommes et les femmes est à la fois réconfortante et douloureuse. Les femmes comme les hommes se pressent les uns contre les autres au début de leurs relations, mais souvent l'homme se sent pris: il a l'impression que la femme a empiété sur sa zone de confort. Il s'éloigne pour maintenir l'intégrité de son territoire. Mais comme il lui manque la chaleur qu'il a connue dans le rapprochement, il se rapproche à nouveau pour se faire réchauffer un peu. Et c'est ainsi que le couple poursuit sa danse, en ajustant constamment la température de son amour.

Alors qu'un homme se protège en se refermant, une femme se protège en s'ouvrant. Elle aspire à en savoir plus sur son homme. Cela veut dire poser des questions. Quand elle reçoit des réponses à propos de sa famille, de ses principes, de ses valeurs, de ses expériences amoureuses, des choses qui le perturbent et de ses attitudes à propos de l'amour, du mariage et de ses objectifs de vie, elle a le sentiment de devenir plus proche de lui, plus intime, et elle se sent plus en sécurité.

Les femmes qui ne sont pas prêtes à recevoir des réponses franches dès le départ continuent cette petite danse à mesure que la relation se développe. L'ouverture devient alors le fruit défendu au lieu d'être un moyen de protéger ce qu'une femme a pu investir dans une relation et de la retenir de s'engager trop et trop vite. Souvent, à ce stade, l'infidélité n'est pas loin. Pourquoi risquer de jeter un homme dans les bras d'une autre quand tout ce que nous avons besoin de savoir est là sous nos yeux? La réponse à cette question, c'est probablement que nous ne sommes pas assez en contact avec nos sentiments ou nos craintes, celles que nous avons découvertes dans l'autoévaluation 18. Oui, avant d'être prêtes à recevoir une information franche, nous devons regarder en face notre peur de savoir, car c'est cette peur qui tient nos sentiments cachés. Guérir du syndrome du sourire éternel est un problème épineux pour la plupart des femmes. C'en fut incontestablement un pour moi, en tout cas. Si c'est encore un problème pour vous, retournez à cette auto-évaluation et complétez à nouveau la phrase qui dit: «Je ne montre pas aux gens que je suis______parce que j'ai peur de______.» Quand vous aurez moins peur de découvrir la vérité, vous serez plus encline à poser des questions qui vous diront la valeur d'un homme.

Que son homme aime ça ou non, une femme doit se protéger en posant des questions sérieuses. Ce n'est pas seulement son *droit*, c'est la *récompense* du respect qu'elle a pour elle-même. Cela illustre le langage au «Je» dont elle se sert avec toutes les majuscules voulues et cela souligne son contrôle interne, cette force qui engendre le respect qu'elle se porte. Cela projette son image de force et c'est une façon de montrer qu'elle *mérite* un homme d'envergure.

Quand les femmes se sentent suffisamment en sécurité pour poser les *bonnes* questions, elles peuvent réussir à savoir si un homme est intéressé à acheter ou seulement à essayer.

Si un homme est sur la défensive quand il s'agit de répondre à des questions, c'est qu'il y a une raison. Si les histoires qu'il raconte ne collent pas, il faut découvrir pourquoi. La *façon* dont il répond donne des indices pour trouver si quelque chose manque ou non; elle nous dit s'il envoie des messages contradictoires, disant une chose et faisant autre chose, et même s'il est prêt à s'ouvrir.

Quand Claudette a rencontré Hubert, un Français, pour la première fois, elle a été littéralement renversée par son allure et son charme. Parce qu'elle était ravie de voir quelqu'un d'aussi extraordinaire la désirer, elle prenait bien soin d'éviter les conversations sur des sujets qui auraient pu prêter à controverse. Elle a dû sentir d'une certaine façon que certains sujets étaient tabous, alors elle s'est bien gardée de les évoquer. Son objectif était d'*accrocher* Hubert parce qu'il représentait une magnifique *prise*. (Vous êtes-vous déjà demandé si les femmes n'avaient pas été des *adeptes de la pêche* dans une vie antérieure?) Claudette était si déterminée qu'elle n'aurait pas toléré le moindre obstacle sur son chemin. Hubert faisait la cour à Claudette depuis moins d'un an quand il lui a proposé le mariage. Elle était aux anges. Mais trois ans après son mariage, elle a appris «accidentellement» qu'il s'envoyait en l'air avec *un jeune homme* quand il était «en voyage d'affaires». Comment cela se pouvait-il? Elle s'est mise à passer en revue la période où ils sortaient ensemble avant le mariage et elle a remarqué certains signes annonciateurs qu'elle avait à l'époque choisi d'ignorer, comme les relations particulièrement amicales qu'il avait avec les jeunes gens, ses «rencontres d'affaires» pressantes qui l'appelaient brusquement dans des endroits reculés, la façon dont il restait complètement passif quand ils faisaient l'amour. Parce qu'elle avait voulu que cette relation se termine par un mariage, elle avait préféré ne pas se poser de questions qui auraient pu compromettre son avenir. Comme toute femme qui vit maritalement depuis longtemps vous le confirmera, le mariage n'est rien qu'un début. Et pour que ce soit un bon début, il faut que cela repose sur des bases solides. N'oubliez pas que votre but dans une relation, ce n'est pas la relation elle-même mais votre croissance personnelle.

Les questions importantes font les femmes bien informées. Comme on dit, «le savoir, c'est le pouvoir». Pour mettre la main sur ce savoir nécessaire, il faut formuler des questions ouvertes dont la réponse exige plus qu'un seul mot. Les questions ouvertes incluent des formules comme «comment?», «pour quel motif?», «de quelle façon?». Sachez lire entre les lignes des réponses que vous donne votre homme pour avoir le vrai scoop. Évaluez en silence l'exactitude et l'importance de l'information qu'il vous donne.

Poser des questions ouvertes est la seule façon de faire. Pour être bien sûre de se trouver sur la bonne voie, évitez les autres questions moins efficaces telles:

1. *Les questions fermées: «Qui?», «Est-ce que...?», «Veux-tu...?»* invitent à des réponses brèves qui pourraient amener vos recherches à tourner court rapidement. «Qui as-tu vu au magasin?» ou «Est-ce que tes parents font leur fête d'anniversaire de mariage habituelle?», ou encore «Veux-tu qu'on se loue un film ce soir?» sont des questions auxquelles beaucoup de femmes accusent par la suite leurs maris d'avoir répondu par des monosyllabes. Nous ne devrions pas nous plaindre de ce que nous pouvons contrôler.

2. *Les questions qui placent un homme sur la défensive:* Assurez-vous que votre façon de poser des questions n'est pas aussi pénétrante que celle qu'on utilise dans les entrevues pour un emploi, ni aussi sérieuse, aussi grave qu'à la morgue. Mettez-y un peu d'humour.

Quand sa petite amie lui a posé une question un peu trop insidieuse, un homme a répondu méchamment: «Tu écris un livre?» Heureusement, elle a rebondi sur ses pieds en répliquant avec humour: «Seulement si ton histoire en vaut la peine.» Si elle avait répondu avec colère ou de façon blessante, leur communication se serait arrêtée là.

3. *Les questions avec trop de pourquoi:* On s'en sert souvent moins pour obtenir de l'information que pour assurer son pouvoir sur son partenaire, le rabaisser, exprimer une colère cachée ou le punir. Des questions du genre: «Pourquoi ne peux-tu pas te montrer un peu plus amoureux?», «Pourquoi n'appelles-tu pas quand tu as promis de le faire?», «Pourquoi ne me demandes-tu jamais comment j'ai passé ma journée?», «Pourquoi n'exprimes-tu pas tes sentiments?», «Pourquoi défends-tu toujours tes enfants?», «Pourquoi ne te ramasses-tu jamais?» sont des questions qui n'appellent pas vraiment de réponses. Elles sont uniquement conçues pour lancer des pointes contre le comportement d'un homme. Habituellement, un homme qui se sent assailli ainsi se ferme complètement.

4. *Des questions qui n'offrent pas de choix de réponses:* Certaines questions attendent manifestement un «oui» sans qu'on laisse à l'autre la possibilité de dire «non». Par exemple, «Chéri, j'ai invité mes parents à dîner ce soir. Tu es d'accord?» va probablement déclencher une tempête domestique et une invitation retirée.

Recevoir des réponses à des questions bien posées est une précaution nécessaire que doit prendre une femme. Vous aurez l'information dont vous avez besoin, pas nécessairement l'information qui vous fera plaisir, mais du moins une information suffisante pour ne pas qu'il y ait erreur sur la personne quand vous croyez avoir rencontré le prince charmant. Poser des questions prend du temps. Cela ralentira le flot des partenaires potentiels prêts à venir essayer votre lit. Cela écartera la règle des trois rendez-vous qui veut qu'à la troisième rencontre, il se sente obligé d'offrir une performance et vous, obligée de vous y soumettre. Les hormones mises à part, trois rencontres ce n'est guère suffisant pour savoir si l'intimité est vraiment une possibilité envisageable, en particulier à la lumière de toutes les craintes qui se cachent derrière les trois lettres MTS et les quatre de SIDA.

C'est pourquoi si vous voulez obtenir des réponses à des questions valables, *faites votre lit!* Livrez-vous ensemble à des activités non sexuelles en dehors de la maison et voyez si votre association fonctionne bien dans les autres domaines avant de voir si elle marche aussi dans ces domaines plus torrides. Plus tard, si vous décidez de franchir le prochain pas, vous ne vous demanderez pas s'il est là uniquement pour les sommets et s'éclipse en plaine. Vous aurez le sentiment de vous réveiller dans un lit où vous avez tous les deux votre place. Tout cela vient avec les bonnes questions et avec votre capacité d'accepter la vérité.

Quand vous êtes prête, reste la question de savoir si lui sera capable de dire la vérité. Comment vous y prendre pour mettre un homme en confiance et l'amener à vous donner l'information que vous lui demandez? La réponse commence par ceci: en vous montrant réceptive sans le harceler, faire la moue, bouder ou le punir si vous n'aimez pas sa réponse. Si, en fin de compte, vous détruisez la confiance qui lui a permis de se montrer franc, il reviendra à la case départ, refermé sur lui-même à l'abri derrière sa carapace, et vous retournerez à vos frustrations.

Améliorez votre écoute et il acceptera de s'ouvrir

Vous pouvez augmenter vos capacités d'écoute en suivant les quatre étapes d'un processus que j'intitule «incitation à l'ouverture». Pour son plus grand bonheur, cette technique ne consiste pas à dire à un homme ce qui ne va pas chez lui ni comment il devrait changer, mais plutôt à lui communiquer votre perception et à lui décrire vos réactions sans émettre de jugement. C'est ce qui va l'inciter à percer un trou dans son armure hermétique. Mais avant d'entreprendre ces quatre étapes, vous avez des choses à faire:

1. Passer en revue vos motifs pour être sûre que vous avez l'intention de l'aider, pas de marquer votre supériorité.
2. Voir si votre partenaire est prêt à entendre ce que vous allez lui proposer.

3. Éviter la surcharge en vous concentrant sur un seul point à la fois.
4. Observer le comportement de votre partenaire pour y adapter votre message à mesure que vous parlez.
5. L'inviter à donner ses commentaires.

Quand vous êtes tout à fait prête à commencer, suivez les quatre étapes dans l'ordre:

1. *L'écoute:* Répétez mot pour mot ce qu'il a dit.
2. *L'interprétation:* Interprétez ses mots dans le sens qu'ils ont pour lui et non pour vous.
3. *L'évaluation:* Sachez voir la valeur de l'information qu'il vous donne.
4. *La réponse:* Soyez à l'aise quand vous lui répondez. Parce que vous avez maintenant une image globale de la situation, vous ne réagirez pas émotivement.

Ces quatre étapes ne prennent pas plus de quelques secondes. Elles éliminent les émotions «folles» que l'on accuse les femmes de manifester. En recevant l'information par le biais de ces quatre étapes, vous reproduisez la façon dont un homme traite lui-même l'information dans une progression logique pas à pas. Souvenez-vous que les gens apprécient ceux qui leur ressemblent. Il va vous parler en français et vous allez lui répondre en français. C'est aussi simple que ça. En démontrant vous-même de la logique, vous pourrez l'encourager à partager ses émotions. Un homme qui se sent accepté commence à faire tomber ses défenses. C'est justement cela que vous sentez qu'il ne fait pas toujours. Suivez donc ces quatre étapes mais assurez-vous d'écouter deux fois plus que vous ne parlez, en utilisant deux oreilles pour recevoir et une bouche pour donner. Et surtout ne l'interrompez pas quand il est bien parti.

Voici comment ça fonctionne. Nicolas est rentré fatigué de son travail. Aussitôt assis sur le divan, il est tombé dans son mutisme habituel. Quand sa femme Hélène lui a demandé comment s'était passé sa journée, il a répondu par un gémissement mélancolique puis il s'est tu. Au bout d'un moment, il a commencé à lui raconter sur un ton gêné comment son patron lui avait passé un savon parce qu'il s'était montré impoli avec un client au téléphone. Hélène a répété sans émettre de jugement: «Ton patron t'a passé un savon!» (étape 1, l'écoute). Nicolas s'est senti écouté. Il a enchaîné: «Et je comptais justement lui demander une augmentation cette semaine. Maintenant, je n'ose plus.» Hélène a pensé, en silence, qu'il était préoccupé par la façon dont son impolitesse allait influer sur leurs finances (étape 2, l'interprétation). Nicolas a continué: «Je suis tellement embêté!» Hélène a pensé que tout le monde a ses mauvais jours et aujourd'hui, c'était un de ceux de Nicolas. Mais il avait souvent dit que son patron oubliait vite des incidents comme celui-là (étape 3, l'évaluation). Hélène a exprimé cette réflexion à haute voix. Elle ne se montrait pas critique mais, au contraire, compréhensive (étape 4, la réponse). Nicolas apparemment s'est senti soulagé. Ils sont passés à table et ont parlé d'autre chose.

Remarquez comment Nicolas, même s'il racontait franchement sa journée, donnait peu de détails. La plupart des femmes veulent des détails et trouvent que s'il n'y en a pas, leur relation manque de profondeur. Quand vous aurez suivi ces quatre étapes, peut-être voudrez-vous inciter votre partenaire à se montrer un peu plus expansif. Si c'est ce que vous voulez, prolongez l'étape 4 en répondant de façon plus spécifique. Choisissez l'une ou l'autre des trois réponses suivantes pour inciter votre homme à vous en dire plus:

1. *La réponse qui clarifie:* Posez une question ponctuelle: «Qu'est-ce que ça veut dire?», «Comment vont-ils...?», «Quand cela va-t-il se passer?»
2. *La réponse qui vise à l'exactitude:* Reformulez les faits: «Alors tu veux dire que...»
3. *La réponse qui témoigne de sentiments:* Montrez que vous comprenez comment il se sent à propos de l'information qu'il vous donne: «On dirait que tu penses que...», «Je peux comprendre que tout cela te perturbe.»

Quel que soit le type de réponse que vous choisissez, assurez-vous que votre langage corporel montre ouvertement votre réceptivité en vous servant de la technique S.O.F.A.

Après l'étape 4, juste avant de passer à table, Hélène a offert le commentaire suivant: «Je comprends comment tu te sens à propos de la demande d'augmentation. Peut-être que ce n'est effectivement pas le bon moment. Et nous n'avons pas un besoin pressant d'argent. On peut attendre encore un peu…» (la réponse basée sur les sentiments). Puis elle a gardé le silence pour permettre à son mari de remplir cet espace avec ses propres sentiments. Il a commencé: «La porte du garage aurait besoin d'être changée et… je voulais te faire la surprise d'un petit week-end en amoureux, a-t-il confié, un peu penaud. Il nous faut de l'argent pour tout ça.» Hélène lui a témoigné beaucoup de sympathie: «Cette idée de petit week-end à deux est formidable! Ça me touche vraiment que tu penses à moi. On se l'offrira ce week-end bientôt, tu verras. Quant à la porte du garage, écoute, ça fait un bon bout de temps qu'elle est cassée, alors il n'y a rien qui presse. Ne t'inquiète pas. On t'aime bien à ton travail. Tu l'auras, va, cette augmentation, tu n'as qu'à être une peu patient.» Maintenant, Nicolas était réconforté. Il a dit: «Et quand j'aurai cette augmentation, je vais t'acheter une nouvelle robe pour te remercier d'être aussi formidable.» Vous voyez, une simple réponse qui faisait appel aux sentiments a ouvert instantanément un nouveau dialogue et rapproché le couple. Tout comme les femmes, les hommes veulent sentir que leurs femmes les écoutent vraiment. Montrer notre réceptivité fait toute la différence dans nos rapports de couple.

Arrêtez de lui taper dessus si vous voulez gagner sa confiance

Nous avons vu dans ce chapitre que sa propension à donner ne suffit pas pour qu'une femme réussisse en amour. Elle doit aussi savoir recevoir, autant les égards qu'elle a pour elle-même que ceux que lui témoignent les autres. Elle doit aussi être assez généreuse pour pardonner. Nous avons vu aussi qu'en posant les bonnes questions, elle obtiendrait plus vite des réponses qui pourraient lui éviter des peines de cœur. Que poser des questions habiles lui vaudrait des réponses honnêtes. Qu'en améliorant ses capacités d'écoute, elle encouragerait son homme à s'ouvrir. Mais il lui reste une dernière étape à franchir, celle qui va lui permettre de gagner la confiance de son homme. Cette étape exige qu'une femme laisse tomber les qualificatifs malsonnants, qu'elle cesse de faire honte à son homme et de le blâmer pour tout, bref qu'elle abandonne toutes ces activités que notre sexe a développées à la perfection. Dans le langage d'aujourd'hui, cela s'appelle «taper sur les hommes» et les hommes d'aujourd'hui tentent de s'en protéger de façon quasi paranoïaque.

À divers moments et dans tous les types de relations, les gens entrent dans des luttes de pouvoir pour savoir qui mène. Mais c'est devenu très chic pour une femme de pointer un index manucuré vers quelqu'un d'autre qu'elle-même en le traitant de tous les noms et en décrétant que comme homme, il pourrait faire mieux. Nous sommes toujours convaincues que si nous insistons un peu plus, nous allons réussir à amener notre partenaire à se réformer et à se conformer à nos désirs. Mais comme la force et la crainte n'attirent personne, notre partenaire va plutôt s'efforcer d'esquiver notre colère. Donc, il se barricade. Comme il est intéressant de voir que les hommes se barricadent pour garder leurs distances alors que nous, nous barricadons nos sentiments pour mieux nous rapprocher d'eux. Mais dans un cas comme dans l'autre, se barricader ne rend pas une relation plus forte. Un tel manque de communication n'a d'autre effet que d'ériger de plus grandes barrières entre les deux partenaires.

Nous avons peut-être lieu de nous féliciter de la profondeur de nos conversations entre femmes, mais quand il s'agit des hommes, nous ne sommes pas des communicatrices exceptionnelles. Au lieu de leur dire ce que nous voulons vraiment, nous nous lançons dans la litanie de leurs fautes. Peut-être ne savons-nous pas où est le vrai problème ou ignorons-nous ce que nous ressentons vraiment; peut-être encore ne savons-nous pas trop comment exprimer nos sentiments sans les blesser ou craignons-nous tout simplement de nous ouvrir, de peur qu'ils ne nous quittent. Mais quelle que soit la raison, si nous nous y prenons de la sorte, aucun homme ne saura jamais quoi faire pour nous rendre heureuses. En les invectivant, en les blâmant et en leur faisant honte, nous essayons désespérément de les changer, mais généralement ces tentatives se retournent contre nous parce qu'elles ne sont rien d'autres que des façons de les diminuer. Et chacun sait qu'un homme attaqué se défend.

Taper sur les hommes est une entreprise très nocive qui donne le contraire de ce qu'on voudrait. C'est un processus qui consiste à placer une loupe grossissante sur notre homme tout en écartant le miroir qui nous refléterait, à nous, notre pouvoir. Cela nous ôte notre énergie et sans énergie, comment réussir en amour? À moins que ce ne soit pas du tout nos hommes qui aient peur de l'intimité, mais bien nous?

La terre est ronde, mais l'amour aussi, car il fait toujours un cercle complet. Quand nous aimons notre homme, il nous aime à son tour et choisit de se montrer honnête, ouvert et confiant. Tout cela dépend de la façon dont il sent que nous l'acceptons dans notre vie.

Sachez accueillir votre homme:
Avec l'amour de vos yeux,
Les raffinements de votre esprit,
La compréhension de votre cœur.

Comme nous, les hommes veulent être écoutés et aimés sans être jugés. Quand ils se sentent en sécurité, ils se surprennent eux-mêmes en offrant davantage. Et certaines femmes savent fort bien comment s'y prendre pour en arriver là. Souvenez-vous de Claire, notre Chat botté en début de chapitre.

L'amour n'est pas une voie à sens unique. Non seulement implique-t-il qu'on sache donner, mais il exige aussi qu'on sache recevoir avec grâce. Une femme doit apprendre à recevoir, en commençant par ce qu'elle se donne à elle-même jusqu'aux largesses qu'un homme lui témoigne. Une femme intelligente fait ses preuves avant d'entrer dans le cycle qui consiste à donner et à recevoir. De cette façon, elle est prête à vivre autant seule qu'en couple et elle est capable de se sentir aussi bien dans une situation que dans l'autre. C'est pourquoi le chapitre suivant va traiter du plaisir qu'il peut y avoir à vivre seule.

MESSAGES ÉCLAIR
DU CHAPITRE 6

Savoir recevoir

- *Apprendre à recevoir commence avec les cadeaux qu'on se fait à soi-même.*
- *Quand on a des égards pour soi, les autres apprennent comment on veut qu'ils nous traitent.*
- *On ne peut pas recevoir tant qu'on n'a pas appris à pardonner.*
- *Consacrez votre temps à vous souhaiter du bien plutôt qu'à souhaiter des malheurs à votre homme.*
- *Votre désir d'amour doit être plus fort que votre capacité de haine.*
- *C'est celui qui a mal qui doit tout faire pour guérir.*
- *La vie nous fait des bosses. Les femmes travaillent à les guérir. Les hommes ne font que travailler.*
- *Ne pas pardonner à quelqu'un, c'est une façon comme une autre de rester encore avec lui.*
- *Nos pensées engendrent nos actions.*
- *Quand nous guérissons de notre relation avec quelqu'un, nous guérissons notre relation avec nous-mêmes.*
- *Sachez accueillir votre homme:*
Avec l'amour de vos yeux,
Les raffinements de votre esprit,
La compréhension de votre cœur.

Chapitre 7
Le bonheur d'être seule avec soi-même

On n'attire pas ce qu'on veut, mais ce qu'on est.

Aussi décevant que cela puisse paraître, nous ne sommes pas sur cette terre pour rester telles que nous sommes. Même si la plupart d'entre nous préféreraient rester indéfiniment dans leur zone de confort, la vie consiste à apprendre. Apprendre, c'est changer et nous changeons beaucoup, particulièrement quand nous sommes amoureuses. Les changements apportés par l'amour sont particulièrement perturbants à cause de la nécessité pour deux vies qui auparavant étaient séparées et distinctes de devenir brusquement interdépendantes. Maintenant, l'individualité de chacune des deux personnes doit se fondre dans une nouvelle forme intégrée qu'on appelle «nous».

C'est pour cette raison qu'une femme doit consacrer beaucoup d'efforts à elle-même *avant* de tomber amoureuse. Elle doit maîtriser des habiletés dans les domaines mentionnés au chapitre précédent et offrir une importante contribution à sa nouvelle union pour remplir sa part du marché. Elle devrait être armée pour demander ce dont elle a besoin et croire qu'elle le mérite. Elle devrait être en position de projeter une image de force qui combine carapace et tendresse. Elle devrait être attentive à protéger son centre de gravité émotionnel en ne donnant que le surplus.

«Nous» prend de nouvelles proportions qui ne ressemblent en rien à aucun des deux amoureux pris individuellement tel qu'il était avant. Exactement comme un nouveau vélo: il peut avoir un cadre solide, mais sa vitesse dépend du soutien que les pneus donnent à ce cadre. De la même façon, le succès d'un couple dépend de la force individuelle de chacun des individus qui le constitue, car même si deux personnes couchent dans le même lit et que leurs deux cœurs semblent battre à l'unisson, en fait ce n'est plus une seule personne ni même deux qui ont besoin qu'on s'occupe d'elles, mais trois. Il y a *toi*, *moi* et *nous*. Et c'est ce «nous» qui vient s'ajouter qui rend l'amour si difficile.

Il est très important de bien s'occuper des trois éléments qui composent un couple, mais il est tout aussi vital qu'aucun des trois n'empiète sur le territoire des deux autres. Les cerveaux peuvent parfois déborder de demandes qui s'opposent; les besoins et les désirs peuvent se faire criants, on peut se mettre à regretter la tranquillité du passé. Tout cela se produit quand deux vies séparées s'unissent. C'est un temps d'expérimentations et de découvertes. Pour être sûr que l'un des deux ne tombe pas en pâmoison tandis que l'autre fourbit ses armes, les partenaires doivent reconnaître leurs différences tout en maintenant d'une certaine façon leur individualité.

Pendant cette période initiale de l'amour, les hommes, qui généralement craignent un perte de pouvoir, se positionnent en vue de s'y accrocher encore plus. Et c'est aussi durant cette période que les femmes s'aperçoivent que leur pouvoir a toujours eu une durée de vie limitée et qu'elles doivent maintenant le montrer à leur homme avant sa date d'expiration. Comme nous l'avons vu au chapitre 2, même si elles sont belles, éduquées, riches et qu'elles réussissent dans tous les autres domaines de leur vie, la plupart des femmes abandonnent très tôt leur individualité quand elles rencontrent l'amour.

Oui, le lien est nouveau; oui, beaucoup d'hommes craignent de perdre la liberté qu'ils avaient auparavant; et oui, chaque partenaire s'interroge sur les attentes de l'autre. Mais même si chacun préférerait peut-être minimiser les différences, c'est au contraire le temps pour chacun des deux d'apprécier et de chérir leurs contrastes et d'oublier leur petit confort. Pour les femmes, en particulier, il est capital de ne pas perdre ce «moi» qui a séduit leur homme. Quand ce «moi» sait garder son essence particulière et son caractère distinct, il devient un bien meilleur apport au «nous». Et c'est ce «nous», unique et sain, qui fait que la relation marche bien. Pour chacun, il est fait d'un équilibre particulier entre le souci de soi et le souci de la relation. Et cet équilibre particulier est différent pour chacun et ne ressemble à aucun autre.

Se réserver du temps à soi

Quand on a fait, récemment, une enquête pour demander à plus de mille femmes ce qu'elles désiraient le plus, 15 % d'entre elles ont répondu «plus de temps à moi» plutôt que davantage d'argent ou une vie sexuelle torride. *Seulement* 15 %? Il semblerait que les femmes se refusent ce dont elles ont le plus besoin, la possibilité d'oublier de temps en temps la relation et de s'occuper des choses qui leur tiennent à cœur à *elles*. Pourtant, même quand ils sont heureux et dévoués l'un à l'autre, les partenaires doivent trouver le temps de jouir de leur propre compagnie dans la solitude complète.

Qu'elle soit mariée, célibataire ou entre les deux, être seule apprend à une femme à apprivoiser le pouvoir d'être à la puissance un. Elle reconnaît ainsi qu'elle peut quitter le couple en tout temps, ce qui lui donne la liberté de rester. Après la rupture d'une relation, pouvoir passer du temps toute seule lui permet de respirer, jusqu'à ce qu'elle soit prête à essayer de nouveau. En regardant sa brosse à dents solitaire et le siège de toilette baissé, elle se demande où elle avait bien pu passer quand elle a donné son cœur. Mais même si elle est mariée, être seule quelque temps lui permet de rassembler ses idées et de se consacrer aux passe-temps et aux activités qui la rendent heureuse. Comme le bonheur d'une femme est vital pour l'attirance qu'elle peut exercer et contribue de façon capitale à la faire devenir une partenaire de valeur au sein du couple, avoir du temps rien qu'à soi s'avère absolument nécessaire, à tous les stades d'une relation.

Du temps à soi au début d'une relation

Pour s'assurer que son «moi» reste intact, il est essentiel que chaque femme se réserve du temps pour elle toute seule au tout début d'une relation. Planifier de telles périodes de solitude est une autre façon de mettre son amour à l'épreuve, car c'est à cette période qu'une femme passerait plus volontiers tout son temps avec son partenaire. Mais en maintenant l'espace de son «moi» dès le début, elle s'assure que les bornes qui marquent les diverses étapes de sa croissance personnelle ne tomberont pas tristement en poussière si le couple devait se défaire dans l'avenir.

Comme les autres formes de protection dont nous avons parlé plus tôt, la capacité qu'a une femme de maintenir son «moi» au début d'une histoire d'amour est une forme de condom émotionnel. Car au début, l'amour peut effectivement tout emporter, même s'il y a des signes évidents qu'un partenaire peut être mauvais pour nous. Parce que nos hormones en effervescence nous font accourir avec notre cœur au lieu de notre cerveau, nous choisissons souvent d'ignorer la vérité. En ne se donnant pas le temps nécessaire pour y voir plus clair, beaucoup de femmes restent accrochées à une relation alors qu'elles devraient s'en dégager. Tout au fond d'elles-mêmes, elles craignent, si elles y voient trop clair — ou, comme nous l'avons vu, si elles posent les bonnes questions — de laisser fuir leur seule chance d'amour.

Je me suis retrouvée un jour, sur un plateau de télévision, assise à côté d'une superbe femme, hôtesse vedette d'une émission de jeux télévisés. Vingt millions de personnes regardaient chaque jour cette beauté sans qu'aucune ne se doute un seul instant du véritable cauchemar que sa vie était devenue. Elle a raconté son histoire d'amour avec un beau moniteur de ski qui l'avait courtisée, choyée, ensorcelée si bien, qu'éperdument amoureuse *physiquement*, elle l'avait épousé. Mais brusquement, quelques années après leur mariage, il a disparu purement et simplement. Après dix-sept années de recherches ardues — du Kremlin au Mozambique et du Pakistan à l'Afghanistan — elle a fini par découvrir l'impensable vérité: son mari était un espion. Quel sentiment de profonde trahison! Elle a reconnu avec moi que les signes avertisseurs de ce qu'était son traître de mari lui avaient pourtant sauté aux yeux, mais elle était tellement amoureuse qu'elle les avait tout simplement effacés. Sur le plateau se trouvait aussi un groupe de demoiselles en détresse, certes moins belles qu'elle mais tout aussi trahies et appartenant à toutes les couches de la société. Et toutes reconnaissaient maintenant, après le fait, que les sonnettes d'alarme avaient retenti dès le début de leur histoire d'amour, mais qu'elles avaient préféré faire la sourde oreille. Comme elles regrettaient aujourd'hui de n'avoir pas pris le temps de se distancer un peu pendant l'aventure pour évaluer leur belle histoire d'amour.

Ce que la plupart des femmes finissent par découvrir un jour, c'est que:

 *Vous êtes la seule personne qui ne vous abandonnera jamais.*

Alors traitez-vous bien. Placez vos besoins tout en haut de la liste de vos priorités et écrivez-les à l'encre indélébile. Comme les hommes se protègent en se réfugiant dans leur sous-sol, les femmes se protègent en se débarrassant de leur désirs inassouvis.

Chère docteure Gilda,
La vie est horrible. Je viens de surprendre mon bel amoureux en chômage en train de fouiller dans mon portefeuille. Il jure que ce n'est pas cela qu'il faisait, mais il était à côté de mon portefeuille et celui-ci était mystérieusement ouvert. J'aurais pu jurer qu'il était bien fermé. Et maintenant, il me manque de l'argent. Devrais-je le croire?

C'est vrai, comme le dit bien cette lettre, la vie *peut* être horrible quand on vit avec un homme auquel on ne peut pas faire confiance. Les femmes doivent apprendre à reconnaître les signes qui se présentent sans se méprendre sur ce qu'ils veulent dire. La meilleure façon de le faire, c'est de se prendre du temps rien qu'à soi pour décrypter les signaux reçus. Quand vous aurez fini par réaliser que vous pouvez vous passer d'un homme, vous saurez que vous pouvez négocier vos différences avec n'importe quel homme. L'important, c'est de vous souvenir que si les hommes peuvent entrer et sortir de votre vie, *vous*, vous êtes toujours là et c'est sur *vous* qu'il faut vous concentrer.

 *Si vous envisagez d'aimer quelqu'un, reconnaissez qu'un jour il pourrait bien ne plus être là.*

Avec une telle attitude, quand vous vous demandez: «Qu'est-ce que je ferais s'il me quittait?», vous répondez: «Je continuerais à vivre ma vie.» Il n'est pas nécessaire qu'une relation dure toujours pour être profitable. Nous apprenons de chacun une nouvelle leçon et grâce à lui nous franchissons une nouvelle étape. Nous avons notre propre «monnaie d'authenticité» et nous devons la dépenser pour nous. Acceptez un homme comme un facteur externe, quelqu'un dont vous ne pouvez contrôler les caprices et dont les humeurs peuvent certes vous influencer mais ne vous affecteront pas au point de briser votre vie. Personne ne peut vous donner l'équivalent de l'estime que vous avez pour vous-même et vous avez besoin d'être seule, bien au calme, pour découvrir à quel point cette estime est essentielle à votre vie.

Martine avait perçu les premiers signes du danger dès le jour où Stéphane s'était mis à lui faire la cour dans son bel appartement au sommet d'un immeuble de prestige. Le soir même où ils se sont rencontrés, il a insisté pour lui faire visiter l'appartement où il venait d'emménager. Il lui a raconté que tous les célibataires qui avaient habité cet appartement avaient fini par se marier. *Exactement ce que toute femme célibataire rêve de s'entendre dire par un beau gars!* La vue du haut de la tour était à couper le souffle, avec l'arrière-plan des gratte-ciel illuminés et, tout en bas, les bateaux qui se reflétaient dans l'eau. Stéphane a fait visiter à Martine toutes les pièces de l'appartement et quand il est arrivé devant l'immense penderie de la chambre, il a dit dans un crescendo: «C'est grand, n'est-ce pas? C'est là que tu pourrais mettre tes vêtements.» Il y a eu un silence. Il l'a invitée à rester coucher (ils n'en étaient qu'à leur première rencontre), mais elle a répondu: «Non merci.» et elle est partie. Stéphane ne l'a pas rappelée pendant deux semaines, sous prétexte d'avoir «perdu sa carte de visite». Peu de chances que ce soit vrai, a pensé Martine, sachant qu'elle avait affaire à un homme très ordonné et soucieux des détails. Ce serait plutôt un geste de contrôle de la part d'un homme qui n'a pas réussi à coucher avec moi. Quand il s'est décidé à l'appeler, c'était pour l'inviter à se promener avec lui au parc dans l'après-midi, mais c'était un dimanche et elle avait déjà fait d'autres projets. Alors elle a refusé gentiment en lui conseillant de la prévenir suffisamment à l'avance la prochaine fois.

Malgré son «emploi du temps chargé», il a tout de même trouvé le temps de l'appeler la semaine suivante. Elle a accepté de souper avec lui et la soirée s'est avérée très agréable. Dans sa voiture, avant qu'elle rentre chez elle, ils ont parlé pendant une bonne heure et se sont embrassés amoureusement. Cela commençait à faire des étincelles. Elle lui a dit: «Écoute, avant que je te donne mon corps, je veux savoir qui tu es vraiment, ce que tu aimes faire, ce que tu ne peux pas supporter, les choses qui te déplaisent, tes intentions, tes buts, tes besoins.»

Sa réponse a tout dit: «Je sais que les femmes veulent savoir ce genre de choses, mais personnellement je n'ai pas besoin de connaître mieux une femme avant qu'on devienne intimes. Bon, alors, qu'est-ce qu'on fait?»

«Je pense que chacun doit faire un petit bout de chemin si nous voulons passer à la prochaine étape», a dit Martine. Quelque part au fond de son esprit que la passion venait d'enflammer, ou bien elle ne croyait pas Stéphane, ou bien elle se persuadait qu'elle arriverait à le faire changer d'avis. Le bon vieux gène qui fait croire qu'on peut les changer faisait encore des siennes! En langage très direct, Stéphane venait pourtant de dire à Martine que tout ce qui l'intéressait, c'était de prendre du bon temps à court terme. Elle a plutôt choisi de s'accrocher à ses allusions au mariage et à son commentaire à propos de la penderie. Encore une qui s'est laissée bercer par de belles paroles au risque de se retrouver perdante! Si seulement Martine avait pris le temps de se retrouver seule et de réfléchir à ce qu'elle avait entendu.

Un coup de foudre, c'est du désir avec un certain potentiel. Il faut prendre le temps de s'isoler pour évaluer ce potentiel.

Une femme n'est pas forcée de souffrir sous prétexte que l'amour est aveugle. Elle doit se forcer à être très attentive pour repérer les signes qui déjà sont très visibles; elle doit visualiser ce que sera sa vie dans quelques années si elle décide de poursuivre sa route avec cet homme-là et à remplir tous les nids-de-poule à mesure qu'elle les découvre. Mais elle ne peut pas être objective si elle passe tout son temps avec son amoureux. C'est un travail qu'elle doit faire toute seule.

Que vous soyez au tout début ou en plein milieu d'une relation, remplissez l'auto-évaluation 22 pour vous ouvrir les yeux sur votre homme tel qu'il vous apparaissait au moment où vous l'avez rencontré. Voyez si l'homme que vous connaissez maintenant vous donne des informations supplémentaires.

AUTO-ÉVALUATION 22

MON PARTENAIRE, EN DIX POINTS

Répondez par oui ou par non à chacune des questions suivantes:

______1. Est-il encore furieux contre son ex? Contre quelqu'un de sa famille?

______2. Se cache-t-il derrière un masque d'humour?

______3. Ne parle-t-il que de lui sans jamais vous poser de question sur vous?

______4. Est-ce qu'il ne parle jamais de lui et ne fait que poser des questions sur vous?

______5. Trouvez-vous ses amis irritants?

______6. Trouvez-vous ses valeurs dérangeantes?

______7. Est-ce qu'il vous critique? Est-ce que cela vous met sur la défensive?

______8. Se confie-t-il à d'autres plutôt que de se confier à vous?

______9. Refuse-t-il de s'excuser?

______10. Se montre-t-il grossier à l'endroit des gens qui le servent et des autres étrangers qu'il n'a pas besoin d'impressionner?

RÉSULTATS

Comptez vos oui: 1 à 2: continuez la relation, mais soyez prudente; 3 et plus: sauvez-vous pendant qu'il en est encore temps.

Si vous êtes déjà en couple avec cet homme, servez-vous de cette auto-évaluation pour revoir le chemin que vous avez parcouru ensemble et voir où vous en êtes actuellement. Décidez de ce qui est vraiment important pour vous actuellement.

Quand Alice, la directrice d'hôpital, a fait cette auto-évaluation, même si c'était après sa séparation d'avec Marc, elle a découvert des vérités qui, de son propre aveu, auraient pu l'empêcher de gâcher bien des années de sa vie à attendre après lui. Elle s'est souvenu qu'il en voulait encore à son ex (question 1), qu'il lui posait rarement des questions sur elle (question 3), qu'elle trouvait ses amis irritants et ses idées politiques dérangeantes (questions 5 et 6); elle s'est souvenu qu'il critiquait souvent ses vêtements amples et son maquillage trop léger, dans ses efforts pour en faire le type de femme très «mode» qu'il préférait (question 7), et qu'il se montrait constamment grossier envers les serveurs et les portiers qu'il considérait comme des «minables» (question 10). Alice a compté jusqu'à six points qu'elle trouvait négatifs chez Marc. Elle s'est bien juré d'être plus attentive à ces questions la prochaine fois qu'elle tomberait amoureuse.

À la recherche de vos véritables passions

Ces dix questions donnent d'excellents résultats si vous êtes libre et prête à changer d'air. Mais peut-être n'en êtes-vous pas au commencement d'un nouvel amour. Peut-être venez-vous de vous faire lamentablement plaquer. Ou peut-être cherchez-vous à vous débarrasser de l'abruti qui perturbe votre vie. Ou bien vous êtes engluée dans une relation avec un timoré qui ne veut pas s'engager. Ou mariée à un regardeur de télé qui vous ennuie à mourir. Peut-être avez-vous été chercher ailleurs en vous en cachant bien. Ou vous en avez tout simplement marre de votre relation, sans raison particulière. Quelle que soit votre situation, *arrêtez!* Tous vos efforts pour trouver et garder quelqu'un à aimer vous ont fait oublier que vous aviez déjà quelqu'un. *Regardez dans le miroir.* Aviez-vous oublié cette personne? Acceptez-la, aimez-la, appréciez-la, récompensez-la, avec ses défauts et ses qualités. C'est elle et non un homme qui doit être votre *toute première passion.* Vous avez déjà écrit une publicité pour elle. Il est maintenant temps d'*acheter* ce qu'elle a à vous vendre. Bref, *faites de cette femme dans le miroir votre passion première.* Et laissez cette passion pour vous-même vous dicter les activités auxquelles vous aimez passionnément vous livrer.

Peu importe où vous en êtes actuellement dans les montagnes russes de votre relation, identifiez les activités qui ont l'heur de vous distraire. Si elles incluent «un homme» ou quoi que ce soit d'externe, cela vous donnera au moins l'occasion de remettre en condition votre mécanisme de contrôle interne. Vous ne pouvez plus vous permettre de vous laisser impressionner par ses succès, de ne pas savoir quoi penser tant qu'il ne vous a pas dit ce qu'il pense, de donner la vedette à un homme et de vivre dans son ombre. Quelles sont vos passions à *vous*? Nous parlons ici d'une force qui vous pousse irrésistiblement à suivre les élans de votre cœur. Tout le monde a besoin de rêves et c'est le moment de découvrir les vôtres. Bougez, secouez-vous, presto, rapido. Votre petite lumière intérieure s'est peut-être éteinte par inadvertance, mais elle sera facile à rallumer quand vous aurez rempli l'auto-évaluation 23. Faites cet exercice et regardez-vous d'une façon dont vous avez probablement oublié depuis longtemps qu'elle existait.

AUTO-ÉVALUATION 23

À LA RECHERCHE DE MES PASSIONS

Identifiez rapidement cinq exemples de passions que vous pouvez éprouver dans chacune des catégories suivantes:

1. SANTÉ
2. VIE SOCIALE
3. AMÉLIORATION PERSONNELLE
4. SPIRITUALITÉ
5. FINANCES
6. FAMILLE

Il n'y a pas de bonne ou de mauvaise réponse. Votre objectif ici doit être d'identifier les choses qui vous tiennent à cœur et de voir si oui ou non vous les respectez. Si vous ne le faites pas, dites pourquoi.

Si vous laissez l'une ou l'autre de ces catégories en blanc, cela pourrait bien indiquer qu'il y a un manque dans votre vie. Les passions qui concernent *la santé* incluent le goût de bien manger et de faire des exercices, le soin que nous prenons de notre intérieur et de notre extérieur. Les passions qui concernent *la vie sociale* incluent les activités de loisir et de jeu, le temps des vacances, c'est-à-dire le temps où nous «vaquons» à d'autres occupations et où nous abandonnons nos vieilles routines pour vivre de nouvelles aventures. Les passions qui touchent à *l'amélioration personnelle* comprennent les choses que nous faisons pour nous-mêmes, les récompenses que nous nous donnons et le temps que nous passons seules avec nous-mêmes, dans la paix et l'harmonie. Les passions *spirituelles* concernent nos croyances et celles des autres, et les offrandes que nous faisons et recevons, les deux catégories étant également importantes. Les passions *financières* portent sur nos plans d'investissement et nos gains à court et à long termes, et la façon dont nous assurons notre sécurité et recherchons l'abondance. Les passions *familiales* comprennent le temps et les activités que nous consacrons aux gens qui comptent le plus pour nous, des gens qui n'appartiennent pas nécessairement à notre famille mais qui sont chers à notre cœur. Augmentez le nombre de ces catégories pour inclure toute passion additionnelle que vous trouvez importante. Cultiver ses passions n'est pas la même chose que poursuivre ses objectifs. Les objectifs impliquent des choses qu'il «faut faire» et qui sont souvent régies par d'autres. Les passions sont des choses qu'on «adore faire» et dont nous sommes les seuls maîtres et les seuls juges. Quand vous «choisissez» de vous faire plaisir plutôt que d'«avoir à le faire», votre coefficient de succès monte en flèche.

Pour chacune des catégories de passion, faites-vous une image dans votre tête de ce que vous *voulez*. Par exemple, dans le domaine de la vie sociale, vous pouvez éprouver une véritable passion pour les réceptions élégantes, pour les promenades sur la plage au clair de lune, pour un verre pris entre amis sur une véranda au bord de la mer. Ce sont les passions que vous devez cultiver. Quand vous suivez vos désirs les plus vifs, vous vous liez d'amitié avec des gens qui les partagent. Ainsi, tout en jouissant des choses que vous aimez, vous rencontrez des gens qui les aiment eux aussi et vous vous mêlez à eux. Imaginez le résultat final et *le plaisir* que cela vous donne de l'atteindre. Serez-vous une personne plus heureuse et plus accomplie quand vous aurez satisfait cette passion? Vous connaissez déjà la réponse.

Il n'existe pas de passions irréalistes, il n'existe que des moments inopportuns pour les assouvir. Si vous prévoyez l'assouvissement de vos passions dès le début, le processus lui-même fait le reste. Avec un peu de chance, il s'agira pour vous de nouvelles expériences, différentes de tout ce que vous avez pu connaître dans le passé.

Pour réussir chacune de vos passions, assurez-vous qu'elle est P.A.M.E.L.A.:

P — Précise dans les termes qui la définissent.
A — Atteignable.
M — Mesurable.
E — En vue d'obtenir des résultats.
L — Limitée dans le temps.
A — À vos yeux à vous, importante.

Choisissez une passion dans chacune des six catégories. Par exemple, dans le domaine de la vie sociale, vous reconnaissez que vous adorez jouer au tennis. Mais parce que votre dernier amoureux en date préfère le golf, auquel vous ne jouez pas, vous avez laissé cette passion s'éteindre. N'est-ce pas typique de la façon dont nous, les femmes, avons tendance à nous comporter quand le prince charmant entre dans notre vie? Eh bien, c'est le temps de changer.

Voici comment ça marche. Une fois que vous vous êtes représenté ce que vous voulez et le plaisir que ça vous donne, vous êtes prête à coucher la technique P.A.M.E.L.A. sur papier. Faites le vœu de ranimer la passion que vous avez déjà eue. Une formule comme «un jour j'aimerais bien me remettre au tennis» est trop velléitaire et n'engage à rien. Une formulation plus *précise* dirait ceci: «J'ai prévu de me remettre à ma passion pour le tennis samedi matin.» Pour être sûre que cet objectif soit *atteignable*, fixez l'heure de façon à pouvoir trouver une gardienne pour les enfants et faire vos courses de fin de semaine tout en tenant compte de votre volonté plus ou moins grande de vous lever de bonne heure un jour de congé. Comme c'est maintenant inscrit dans votre agenda, la réalisation de cet objectif est *mesurable*. Pour vous assurer que votre plan est conçu *en vue d'obtenir des résultats*, prévoyez suffisamment de joueurs, pour pallier les désistements de dernière minute. Par ailleurs, votre plan sera *limité dans le temps* puisque vous avez réservé un court, disons, de dix heures à midi. Enfin, quand vous sentirez qu'*à vos yeux à vous* l'activité promet d'être très agréable, vous aurez une plus grande chance de la réaliser effectivement.

Inscrire P.A.M.E.L.A. sur papier vous protégera contre le risque d'être entraînée à échanger votre amour du tennis pour le golf que préfère votre amoureux. Considérez ce plan comme un bout de sparadrap: élastique, flexible, et pouvant être altéré à n'importe quel moment. Car il sera sans doute nécessaire d'y apporter des changements. Vous connaissez la blague: «Si vous voulez entendre Dieu rire, dites-lui un peu vos plans pour l'avenir.»

Quand vous acceptez cette élasticité, vous pouvez changer et reprogrammer vos passions à volonté et cette possibilité vous protège de la crainte éventuelle d'un engagement non tenu. Vous recherchez la croissance personnelle, pas la perfection, et la clé c'est d'être seule quand vous vous livrez à cet exercice de façon à ne pas être poussée à escamoter quelque peu vos plus ardents désirs.

Brigitte venait de sortir d'un divorce horrible et dévastateur. Terriblement malheureuse, elle a entrepris d'enfouir sa peine dans un travail bénévole auprès des bébés de mères droguées. On a démontré que le bénévolat a des avantages sur le plan de la santé, comme une baisse de la pression sanguine et une meilleure circulation. Mais Brigitte n'avait plus d'argent et il était temps pour elle de se trouver un travail rémunéré. Je lui ai demandé de remplir l'auto-évaluation 23 et d'identifier une passion dans chaque catégorie. C'est payant de coucher nos passions sur papier. Quand nous *écrivons* que nous allons réussir, nous *voyons* que nous allons réussir; quand nous *voyons* que nous allons réussir, nous *savons* que nous allons réussir; et quand nous *savons* que nous allons réussir, nous *réussissons*.

Brigitte est allée aussitôt vers la question sur les finances, puisque c'était son besoin le plus pressant. Elle a écrit: «J'ai besoin de me trouver un emploi et je m'inquiète aussi de ces bébés.» J'ai regardé le papier, tout étonnée: «Ces bébés, ai-je demandé, qu'est-ce qu'ils ont à voir avec la nécessité pour vous de vous occuper de vos passions financières?» La crainte qu'avait Brigitte de subir d'autres bouleversements émotionnels dans sa vie avait quelque peu embrouillé sa façon d'envisager sa vie personnelle. Je lui ai dit: «Vous avez actuellement besoin de rassembler toutes vos forces pour survivre. Vous reviendrez à vos bébés de droguées plus tard, quand vous aurez des suppléments d'émotions à offrir.» Elle a réécrit sa formule pour: «Je mérite de trouver un emploi en marketing d'ici juin.» Elle avait changé son «j'ai besoin de me trouver un emploi» pour «je mérite de trouver» un emploi *précis* dans un laps de temps *mesurable*. Elle avait *adoré* le marketing avant son divorce et elle souhaitait retrouver les joies que ce travail lui avait apportées. Une fois ses passions couchées sur papier, elle a défini les étapes logiques qui devaient la conduire à destination: «Je vais déterminer dans quelles compagnies je suis intéressée à poser ma candidature», «Je passerai trois entrevues par semaine», «J'assisterai à deux réunions des spécialistes en marketing ce mois-ci.» Brigitte avait fait les premiers pas: elle commençait à s'occuper d'elle-même. Et tandis qu'elle s'occupait de ses passions, ses peurs ont disparu.

Le fait d'être seule clarifie les idées et nous permet de voir ce que *nous* désirons vraiment. Les femmes qui attendent que leur contrôle externe leur dise quoi faire abandonnent ainsi leur capacité de prendre des initiatives dans leur propre intérêt.

Françoise, une étudiante, cherchait à se faire admettre dans un programme d'études en génétique conseil, mais elle se heurtait partout à des refus. Elle adorait les sciences depuis qu'elle était petite et y avait excellé tout au long de ses études. À l'autre bout du pays, il y avait bien une université qui l'aurait acceptée dans ce domaine, mais elle disait ne pas pouvoir supporter l'idée de vivre là-bas. Elle prétendait qu'elle voulait vraiment cultiver ses passions, mais le fait qu'elle ne soit pas prête à faire des sacrifices en ce sens disait tout autre chose. Souvenez-vous, les mots sont faciles mais ce sont les actions qui parlent. Une passion est un désir brûlant de faire quelque chose, d'être quelqu'un, d'obtenir quelque chose. Les champions olympiques se disent prêts à tous les sacrifices pour obtenir une médaille d'or. Les étudiants se plaignent des sacrifices que leurs études leur imposent concernant leur vie sociale. Les gens qui suivent un régime se lamentent des sacrifices qu'ils doivent faire pour perdre quelques kilos. Manifestement, Françoise n'était *pas suffisamment* passionnée pour sacrifier son petit confort. Elle préférait se laisser aller sans faire de vagues. Voyant sa déception d'être refusée dans le programme qui l'intéressait, son père, impatienté, l'a encouragée à aller «là où il y a de l'argent à faire» plutôt que de s'acharner à étudier des sciences qui rapportent si peu. Ah, comme il est facile pour une femme, en particulier quand elle est jeune, de devenir la proie du contrôle externe! Suivant l'avis de son père, elle s'est inscrite en finances. Aujourd'hui, à vingt-cinq ans, elle a fini ses études et travaille dans une banque. Et elle en est encore à se demander: «Quand est-ce que je serai heureuse?»

Françoise est typique des femmes qui poursuivent les buts des autres plutôt que leurs passions à elles. Il faut savoir supporter des inconvénients mineurs et temporaires pour obtenir ce qu'on veut. C'est le test ultime pour vérifier si nous voulons vraiment quelque chose. Et quand nous obtenons ce qui nous passionne, nous sommes heureuses.

Une fois que vous avez découvert quelles sont vos passions, la prochaine étape consiste à déterminer comment vous allez pouvoir les satisfaire. Il s'agit simplement de conclure un pacte avec vous-même et de programmer vos promesses. Comme vous êtes la seule qui verrez les résultats, si vous reniez votre parole, vous ne décevrez que vous.

Remplissez l'auto-évaluation 24 et programmez vos passions dès maintenant.

AUTO-ÉVALUATION 24

JE PROGRAMME MES PASSIONS

- Sur six fiches différentes, notez une passion prise dans chacune des six catégories précédentes.
- Sur chaque fiche, énumérez les étapes qui doivent vous mener où vous voulez aller, avec une date d'accomplissement pour chacune.
- Placez chaque fiche dans une enveloppe différente, cachetez-la, adressez-la à vous-même et sur chacune, écrivez la date où vous devrez l'ouvrir.
- Quand vous recevrez votre courrier, faites une croix sur votre calendrier pour vous rappeler quand ouvrir chaque enveloppe en fonction de la date qui y est inscrite.

Ce test vous permettra de voir comment vous avez tenu votre engagement envers vous-même.

L'auto-évaluation 24 est si efficace qu'une femme m'a dit qu'elle avait accompli exactement ce qu'elle avait écrit sur sa fiche après avoir complètement oublié de l'avoir remplie. Quand elle a trouvé l'enveloppe et qu'elle l'a ouverte, elle a été très étonnée. Dans le domaine financier, elle gagnait à peu de chose près le salaire qu'elle avait écrit mériter. Dans le domaine de la spiritualité, elle avait effectivement commencé une collection de disques «Nouvel Âge» avec lesquels elle faisait de la méditation. Dans le domaine de la famille, elle avait comme prévu rétabli sa relation chancelante avec son père, ce qui avait eu un effet positif sur son comportement avec les hommes. Le désir de vivre ces passions avait été enfoui dans son inconscient. Après avoir pris un engagement écrit à leur endroit, elle leur a permis de faire partie de sa vie et de ses habitudes. Elle avait conçu tout cela, elle y avait cru, elle avait pris les mesures qu'il fallait et elle avait réussi. Et finalement, adieu la souffrance! Elle avait rencontré une nouvelle amie tout à fait fascinante: elle-même. Elle avait le contrôle de sa vie.

Il y a mille quatre cent quarante minutes dans une journée. Passez-vous quelques-unes de ces minutes, chaque jour, à explorer vos passions? Si tel n'est pas le cas, à quand remonte la dernière fois où vous vous êtes complètement immergée dans une des choses qui vous font particulièrement plaisir? Il y a longtemps? Trop longtemps? Si vous n'aimez pas votre réponse à ces questions, il est temps de changer.

Du temps à soi à la fin d'une relation

Nous satisfaisons bien souvent les attentes des autres avant les nôtres simplement pour qu'ils fassent attention à nous. Par besoin d'être remarquée, appréciée, et surtout, ce qui résume tout cela, par besoin d'être aimée. Par besoin désespéré d'un soutien externe de la part des autres, qui peuvent eux aussi avoir du mal à vivre seuls. Celles d'entre nous qui évoluent finissent par reconnaître que *personne* ne peut nous rendre entières. Ce sont celles-là qui décident de se séparer sur le plan émotionnel de ceux sur lesquels elles avaient bêtement misé et qui en fin de compte les ont déçues. S'il y a un vide dans notre vie, il est là dans un but bien précis. Nous ne devons pas refuser de nous retrouver seules car:

On a parfois besoin de faire cavalier seul.

Et pour commencer, mieux vaut vivre seule que faire partie d'une paire dépareillée. Utilisez sagement votre temps pendant que vous vous livrez, seule, à l'introspection. Découvrez qui vous êtes, ce que vous voulez et où vous allez. Pour remplir le vide de la solitude, menez des fouilles archéologiques en pelletant votre propre terre. Encouragez les autres personnes qui se sentent vides à faire la même chose pour elles-mêmes, mais votre mission c'est de vous servir, vous, en premier.

Au bout du compte, il n'y a qu'une façon de compter vraiment, c'est de compter pour vous-même. Nous ne pouvons pas changer notre comportement en fonction de l'approbation ou de la désapprobation des autres car nous aurons beau faire, nous ne pouvons pas être aimées par tout le monde. Nous devons nous accepter telles que nous sommes et revendiquer le droit d'être nous-mêmes. Sinon, nous vivons dans le mensonge.

Des hommes ont «misé sur le prince» et ont perdu; des femmes l'ont fait aussi. Même s'il s'agit dans les deux cas de princes différents, le résultat est le même. Nous devons tous et toutes nous montrer entreprenants et autoprotecteurs de façon à ne pas couler à pic quand une de nos options nous lâche, disparaît ou meurt. Nos hommes apprennent à améliorer leurs ressources et leurs outils personnels et à faire fructifier leurs talents. Faites preuve à votre égard de la bonne volonté que vous espériez obtenir des autres. Quand vous faites preuve de bonne volonté envers vous-même, vous mettez de l'ordre dans votre propre château plutôt que d'attendre qu'un prince quelconque vous entraîne dans le sien.

Prévoir du temps pour soi est un don qu'on se fait à soi-même. C'est la pause qui rafraîchit. Mais cette pause revêt une importance particulière à la fin d'une relation. Et pourquoi ce temps privé est-il si important pour les femmes? Parce qu'alors que les hommes ont appris à passer à autre chose, à surmonter les obstacles ou à les défoncer, nous, les femmes, nous pataugeons dans la gadoue et pédalons avec entrain dans la semoule. C'est nous qui avons appris quelque part qu'amour et peine étaient synonymes.

> *Quand on m'a demandé pour la première fois d'écrire un article sur la façon dont les femmes surmontent une peine d'amour, je me suis dit que ce serait de l'argent facilement gagné. Comment nous surmontons une peine d'amour, nous les femmes? Eh bien c'est simple, nous ne la surmontons pas.*
>
> — *Une comédienne*

Les femmes s'accrochent trop longtemps. Elles se trouvent des raisons: «J'ai déjà tellement investi en lui», «Si je fais encore quelques efforts, les choses vont s'améliorer», «Je sais que je peux réparer les dégâts.» Par contraste, beaucoup des ex de ces femmes montrent davantage d'aptitude à noyer leur peine dans le travail ou dans les bras d'une autre.

Dans le temps privé qu'elle s'est ménagé, une femme devient capable de déterminer exactement ce qui a mal tourné et pourquoi. Comme la plupart des unions qui tournent mal produisent chez la femme la perte d'une partie de soi, c'est le temps pour elle de découvrir quel rôle elle a vraiment tenu à l'intérieur de son union et de récupérer la valeur qu'elle a perdue. Il est absolument vital qu'elle fasse ce retour sur sa vie de couple, car:

Faire fi du passé expose à le répéter.

Qui voudrait revivre les mêmes douloureux événements, même s'ils se répètent avec quelqu'un de nouveau que nous considérons maintenant comme magnifiquement «différent»? Beaucoup de femmes sont tenues à distance par des hommes dont elles espèrent qu'ils vont s'engager mais qui soudain se lèvent et s'en vont. Les relations qui nous laissent dans l'expectative ne cessent de nous faire du mal.

> *Chère docteure Gilda*
> *Je suis dans la vingtaine et j'ai des problèmes avec mes relations amoureuses. Je n'ai pas d'estime personnelle et je ne parviens pas à avoir de relation qui dure plus de deux mois sans que le gars ne rompe. Alors je deviens suicidaire et je me sens terriblement mal et je mets chaque fois des mois à m'en remettre. Que devrais-je faire?*

Est-ce qu'un homme, une personne même, vaut tant de souffrances? Il est temps de nous débarrasser de la pierre qui alourdit notre sac à dos. Qui a dit que l'amour devait absolument faire souffrir? Il se peut que nous soyons complètement lessivées, vidées, mais nous sommes les seules à posséder l'onguent qui peut guérir nos blessures. Et ce n'est qu'en étant seules que nous prendrons le temps de l'appliquer.

Il est temps de bouger, le deuil nécessaire est maintenant terminé et un soleil radieux perce les nuages. Le fait d'être seule permet à une femme, lorsqu'elle déchiffre rétrospectivement les signaux émis par les Roméo à risques qu'elle a connus, de bien regarder avant d'aimer à nouveau. En réfléchissant au passé, elle s'interroge maintenant avec plus de pénétration sur ses actions. Ce n'est plus: «Est-ce que je l'ai aimé?» mais «Est-ce que je m'aime?» Le fait d'être seule, dans la chaleur de son chez-soi, permet à une femme de constater que:

Même si vous formez un couple, il ne s'en faut que d'une personne pour que vous soyez seule.

Souvenez-vous de la jeune Suzanne du chapitre 2, l'adolescente avec un bébé sur les bras. Depuis deux ans qu'elle vit sans homme, elle a été occupée à élever son enfant, à terminer son secondaire et à commencer des études d'infirmière. Elle se sent bien plus sage maintenant. Elle a hâte de recevoir son diplôme et de quitter l'appartement qu'elle partage avec sa mère dans un quartier défavorisé. Ses activités la tiennent tellement occupée et heureuse qu'elle ne sortira plus qu'avec des hommes dont elle jugera qu'ils peuvent enrichir sa vie et non la faire régresser, comme l'aurait fait Luc si elle était restée avec lui. Passer du temps seule a appris à Suzanne l'importance de sa propre valeur. Une autre jeune femme que nous avons rencontrée au chapitre 2, Jacqueline, avait affirmé dans une lettre vouloir se remettre avec Michel pour lui faire payer la peine qu'il lui avait fait endurer. Elle s'est montrée tout d'abord désappointée de voir que son amoureux ne revenait pas. Mais dans sa solitude, elle a appris à satisfaire ses propres besoins, à se sentir mieux dans sa peau et à admettre qu'elle n'avait pas besoin d'offrir du sexe pour avoir de l'amour. En réussissant à perdre du poids, elle a commencé à avoir une meilleure opinion d'elle-même et à donner aux hommes nouveaux qu'elle rencontrait l'impression qu'elle était spéciale. Elle a récemment admis que même si elle s'était débattue contre la solitude, c'est le temps qu'elle avait pu passer seule avec elle-même qui l'avait rendue prête à rencontrer le véritable amour de sa vie. Finalement, elle avait découvert qui elle était. Même Karine, la quinquagénaire esseulée, a appris quelques leçons salutaires sur la solitude, une fois son Casanova mis derrière les barreaux. Forcée à se débrouiller seule, et sans amour, elle a commencé à faire appel à des forces qu'elle ignorait avoir.

Chacun de ces trois cas impliquait une femme qui s'est retrouvée sans homme à son corps défendant. Mais dans les trois cas, l'intéressée a mis à profit sa toute nouvelle liberté. La plupart des femmes vivent leur vie à l'envers, cherchant l'amour pour être heureuses, sans s'apercevoir que c'est l'inverse qui s'impose: il faut s'aimer soi-même, et être soi-même, avant de se fondre avec quelqu'un d'autre. Préférer l'estime de soi à la simple compagnie d'un homme. La règle numéro un du succès en amour s'énonce comme suit:

 *Pour faire un bon «nous», ça prend d'abord un bon «moi».*

Une fois qu'une femme comprend qu'elle est très bien *telle qu'elle est*, elle peut avancer dans la vie, avec ou sans homme. Et le paradoxe, c'est que quand elle s'y attendra le moins, il se peut fort bien qu'une nouvelle relation se présente. Cela ne vous est-il jamais arrivé à vous?

Devenir un bon «moi»

Comment une femme devient-elle donc un bon «moi»? Après avoir quitté une relation, elle doit vivre avec ses remords et examiner les circonstances de sa vie telle qu'elle est. Elle finira par en arriver au magique: «Ah...! Je vois...» On appelle ça l'instant de vérité et ça équivaut à un bon décrassage.

Êtes-vous prête vous aussi à avoir une épiphanie? Vous le serez après avoir rempli l'auto-évaluation 25.

AUTO-ÉVALUATION 25

L'INSTANT DE VÉRITÉ

L'instant de vérité, c'est le moment magique du «Ah...!». Vous réalisez brusquement que vos deux signes — eau et terre — ne pouvaient jamais faire que de la boue. Manifestement, votre homme était loin d'être un cadeau. C'était de la pure obsession. Étiez-vous folle? Vous êtes capable de regarder en arrière et de détecter les signaux qui vous avaient échappé. Et vous pouvez en rire! Cet instant de vérité va vous rendre plus sage et vous permettre de mieux choisir la prochaine fois.

- Décrivez la première impression que vous avait faite cet homme.
- Quand vos sentiments pour lui ont-ils commencé à décliner?
- Que ressentez-vous à son endroit maintenant?
- Qu'est-ce que cette expérience vous a appris?

Les femmes en savent plus long sur elles-mêmes qu'elles ne le soupçonnent. En évaluant vos amours malheureuses, vous vous protégez contre le risque de répéter une mauvaise expérience. En prenant tout votre temps pour jouir de choses dont votre ex-amoureux ne raffolait pas, vous en arrivez à découvrir de nouvelles choses qui vous plaisent. Une porte s'est refermée, mais une plus grande vient de s'ouvrir. Au début, il va peut-être y avoir du désordre dans le portique, mais il est capital que vous accomplissiez cette nécessaire évaluation seule avec vous-même. Cela vous vaudra d'être mieux équipée pour faire de meilleurs choix demain. Dites-vous ceci:

Mes prochaines erreurs seront des erreurs nouvelles.

Semer les graines de la patience

Vous êtes maintenant prête pour un nouveau départ. Par où commencer? Par un retour à la terre. Voudrez-vous travailler dans une mine ou sur une ferme? Les mineurs extraient quelque chose du sol. Les fermiers aussi mais, eux, ils y remettent aussi quelque chose. Avez-vous trop creusé de galeries, surexploitant votre riche sous-sol ou concédant le droit d'exploitation à d'autres, sans vous préoccuper du renouvellement de la ressource? Passer du temps seule exige de vous que vous redonniez à votre âme la vitalité que vous avez déjà eue. Cela commence avec l'action de semer les graines de votre avenir.

Le vieil adage: «Tout vient à point à qui sait attendre» est faux. On devrait plutôt dire:

Tout vient à point à qui sait semer.

Les femmes attendent depuis des siècles. *Un jour* mon prince viendra, *un jour* il me dira qu'il m'aime, *un jour* il m'épousera, *un jour* nous aurons des enfants, *un jour* ils quitteront la maison, *un jour* il arrêtera de me harceler pour qu'on fasse l'amour, *un jour* il claquera (*je ne peux plus attendre!*). Semer, c'est ouvrir un tout autre cycle, attendre d'une façon bien différente. Les fermiers ne peuvent pas tirer sur les racines pour accélérer la croissance, les racines se forment quand elles sont prêtes.

C'est la même chose avec les relations amoureuses. Après avoir été jetés aux oubliettes, les gens doivent marquer une pause avant de sauter à bord du grand manège. Si chaque personne a besoin d'un laps de temps différent, une chose est sûre pour tout le monde: il faut rester seul quelque temps, ne serait-ce que pour reprendre son souffle et découvrir ce qui n'a pas marché. Le temps que ça prend dépend de chaque individu et de sa peine. Certaines personnes font leur deuil en une semaine ou deux alors que d'autres s'affligent pendant des années. Aucune amie ne vous sortira de votre marasme tant que vous ne serez pas prête. Mais vous ne serez pas prête tant que vous n'aurez pas labouré votre sol en suivant les **Cinq étapes vers la guérison:**

1. *Donnez-vous de l'air:* Arrêtez d'essayer de contrôler les gens et les circonstances. Sortez de la mentalité du «si seulement...». La vie vous a envoyé ces circonstances-là, vous n'y pouvez rien. Contentez-vous de contrôler les émotions avec lesquelles vous y réagissez.
2. *Semez de nouvelles graines:* Identifiez vos passions. Décidez de quelle façon vous allez vous y livrer. Et commencez dès maintenant.
3. *Soyez patiente:* Si vous cultivez vos passions, vous n'êtes pas assise à ne rien faire. Tandis que vos graines mûrissent sous terre, vous prenez le temps de vous amuser.
4. *Laissez grandir:* Quand les premières pousses commencent à apparaître, ne les étirez pas pour essayer d'accélérer leur croissance. Laissez-les émerger tranquillement, à leur rythme. Pourquoi vous inquiéter? Vous prenez déjà plaisir à votre vie telle qu'elle est.
5. *Engrangez la récolte:* Accueillez les changements rafraîchissants qui se produisent dans votre vie, la naissance de quelque chose de différent de tout ce que vous avez connu dans le passé. Laissez-les venir progressivement et avec grâce et soyez-en reconnaissante.

Semer des graines exige qu'on attende que l'époque des récoltes arrive. Cela ne ressemble pas à l'attente vide de la victime car, par définition, une victime évite de préparer le sol et de semer. Au contraire, celle qui sème s'implique dans le processus de croissance. Vous ne pouvez pas le voir, mais vos graines prennent racine dans votre sol fertile. La patience fait prospérer votre pouvoir. C'est l'espace de temps qui s'écoule entre le moment où vous vous donnez de l'air jusqu'à celui où vous engrangez la récolte. L'impatience, c'est cet enfant égocentrique en vous qui crie que cela doit arriver *tout de suite.* La vraie maturité permet aux phénomènes naturels de se produire à leur rythme, peu importe ce qu'on attend. Un enfant grandit sans s'en rendre compte. Et nous aussi. Nous moissonnons notre juste récompense quand la terre est prête à nous la donner et non quand nous le voulons. C'est une immense leçon.

Comme les femmes historiquement ont attendu que «leur tour» vienne, beaucoup d'entre elles, de nos jours, se méprennent sur le sens du mot «libérée» et s'empressent d'engager le combat contre la volonté de la nature. Certaines tirent agressivement sur les racines dès qu'elles apparaissent. D'autres chassent les hommes chasseurs, se rendant si disponibles qu'elles finissent par perdre de vue leur propre personne. Plutôt que de prendre leur temps et de laisser faire la nature, elles envisagent l'amour comme un combat, avec l'homme pour trophée. Et cela ne leur fait aucun bien parce que:

 *Quand on se bat pour avoir quelque chose, il faut se battre pour le garder.*

Au lieu de se battre, à ce stade certaines femmes abandonnent complètement et s'accouplent avec le premier porteur de semence qui se présente. Elles ont rêvé sur les chansons d'amour, les films, les téléséries, l'horloge biologique, le mythe du «ils vécurent heureux et eurent beaucoup d'enfants». Au début de ce livre, je vous ai parlé de huit de ces femmes impatientes d'aimer et vous y avez ajouté votre propre histoire, ce qui a fait neuf. Ce sont toutes des femmes qui ont fait le mauvais choix parce qu'elles ne savaient pas comment choisir. Et aussi différentes qu'elles aient été les unes des autres, toutes se sont retrouvées blessées à cause de ce choix rapide et mal réfléchi.

Quand l'impatience frappe, prenez bien soin de vous accrocher à votre pouvoir et à vos passions. Tandis que je m'acharnais à écrire ce livre, le jardinier de mon immeuble m'a demandé si je n'avais pas «un vrai travail». J'ai d'abord ri de son commentaire, mais j'ai remarqué plus tard que je faisais une petite déprime à cause de la lenteur de mon processus d'écriture. L'impatience peut atteindre notre vulnérabilité quand les autres nous critiquent. J'avais permis à ce pur étranger d'avoir du pouvoir sur moi tandis que je semais mes graines. Oh! la vieille force du contrôle externe! Comme c'était ironique que ce soit un jardinier! La patience est le seul courage dont nous ayons besoin. Pour la plupart des femmes conditionnées à attendre, la patience est une chose difficile à accepter au beau milieu d'une époque de libération dont elles faussent un peu le sens. Incontestablement, ce fut le cas pour moi.

Le monde est plein d'exemples de gens qui ont réussi en s'accrochant à leur patience malgré la critique et l'adversité. Que ce soit dans les affaires ou en amour, une personne doit suivre les cinq étapes qui permettent de cultiver le sol. Monsieur Tout-de-Suite peut céder la place à Monsieur Pour-de-Bon, avec un peu de patience. Laissez-le venir. Laissez-le découvrir qu'il vous désire, qu'il a besoin de vous, qu'il vous aime. Il faut qu'il s'aperçoive de cela tout seul. Pour vous aussi, alors que vous serez occupée à cultiver votre jardin, et à vous concentrer sur votre vie, son nom résonnera soudain dans vos veines et retentira jusque dans vos os. Vous n'arriverez plus à dormir, vous ne mangerez plus, vous ne serez plus capable de penser, vous ne respirerez plus. Ça arrive comme ça, sans crier gare. Vous repensez à toutes les petites annonces que vous avez rédigées en essayant de réduire vos charmes au plus petit nombre de mots possible. Vous vous souvenez de cette vidéo de présentation que vous avez faite dans le même but, avec des phrases toutes faites que vous prononciez d'un air ridiculement pénétré. Et tous ces efforts pour quoi? Voici venu le moment magique sans que vous l'ayez cherché. Tandis que vous vous occupiez à satisfaire vos passions intimes, vous avez réussi à construire quelque chose. Et l'homme qu'il vous fallait est devant vous.

Reprogrammer votre dialogue intérieur

Nous formons des milliers de pensées chaque jour. La majeure partie des pensées de la plupart des gens ne sont rien d'autre que la répétition des pensées négatives qu'ils ont eues la veille. Si le dialogue que nous entretenons avec nous-mêmes n'est pas positif, nous sommes tout simplement en train de gaspiller les richesses de nos vies. Être seule vous permet d'abandonner cette mauvaise habitude sans avoir à impressionner personne ou à demander la permission. Être seule vous permet de désembuer vos miroirs et de voir enfin votre propre réflexion. Être seule vous permet de marcher sur le sable, de regarder les vagues et de murmurer le titre d'un disque Nouvel Âge: «Laissez s'inquiéter l'océan.» C'est planant!

On dit que parler ne coûte pas cher, mais le prix est élevé pour celles qui continuent à penser et à parler en des termes qui les dépriment. Remplissez l'auto-évaluation 26 et prenez l'engagement de passer une journée entière sans former une seule pensée négative. Cette auto-évaluation représente un outil très efficace parce qu'elle vous force à voir comment vous programmez votre vie avec des pensées qui ne sont pas toujours dans votre meilleur intérêt. Forcée de regarder en face des éléments qui travaillent contre vous, vous acquérez le pouvoir de faire des changements et de vous donner des pensées qui travaillent au contraire pour vous.

AUTO-ÉVALUATION 26

MON DIALOGUE INTÉRIEUR
PROMESSE SOLENNELLE

Je me promets de passer cette journée sans une seule pensée négative. Chaque fois que je serai tentée de penser du mal de moi ou de quelqu'un d'autre ou de dénigrer quelqu'un, j'appuierai sur le bouton «annuler commande». Et je passerai à un usage plus positif et plus profitable de mon temps et de mon énergie.

Date:_____

REGISTRE DES TENTATIONS ET DES VICTOIRES

- Quand____ s'est produit, j'ai été tentée d'être négative. Mais à la place, j'ai remplacé mes pensées négatives par la pensée positive suivante:________________________________.
- Quand____ s'est produit, j'ai été tentée d'être négative. Mais à la place, j'ai remplacé mes pensées négatives par la pensée positive suivante:________________________________.
- Quand____ s'est produit, j'ai été tentée d'être négative. Mais à la place, j'ai remplacé mes pensées négatives par la pensée positive suivante:________________________________.

Répétez souvent cette procédure. Contrairement à ce que dit le vieil adage, «voir, c'est croire», la réalité fonctionne dans le sens contraire: croire, c'est voir. Quand vous croyez en quelque chose, vous le voyez se manifester.

Quand ils prennent conscience de leurs mots et de leurs pensées, la plupart des gens sont étonnés de ce qu'ils s'entendent dire. Souvenez-vous de Paule, dont nous avons parlé au chapitre 6, celle qui était restée fidèle à un homme marié pendant dix-huit ans. Finalement, après sa période de deuil, elle s'est montrée prête à accepter les rencontres que lui arrangeaient ses amies bien intentionnées. Mais au sujet de chaque nouvel homme qu'elle rencontrait, elle trouvait quelque chose à redire. Après avoir fait sa promesse solennelle d'un dialogue intérieur positif, elle a constaté qu'elle avait coutume de répéter: «Je n'attire que des minables», «Tous les hommes sont des chiens», et «À quoi sert de chercher un homme de valeur puisque ça n'existe pas?» Quand elle a pris conscience de ses pensées négatives, elle a été stupéfaite. Elle a demandé à ces mêmes amies qui lui organisaient des rendez-vous de l'avertir chaque fois qu'elle laisserait tomber une de ces formules négatives. C'est devenu un jeu entre elles de lancer «annuler commande» chaque fois qu'elles entendaient Paule énoncer une pensée négative. D'ailleurs, cet exercice leur a fait prendre conscience de leurs propres pensées négatives. Paule s'est mise à dire des choses différentes comme: «Peut-être ne suis-je pas attirée par cet homme-là, mais il y a sûrement quelqu'un de bien quelque part», et «Je vais sûrement finir par rencontrer quelqu'un de bien.» Dès qu'elle a eu changé d'attitude, elle a d'abord rencontré un type qu'elle a accepté de revoir pendant des mois, puis un autre, qui venait de devenir veuf. Tous deux étaient très gentils. Tous deux auraient pu faire des maris fort acceptables. Elle était même prête à leur donner leur chance.

Choisir les gens qui font partie de votre vie

Vous pouvez agir directement sur certaines choses. Par exemple, il est temps de déterminer qui vous avez admis dans votre vie jusqu'à maintenant. Ces gens-là ont-ils été bons pour vous? Ont-ils été synonymes de joie ou de tristesse? Est-ce que les nouveaux étaient semblables aux anciens? Dans l'auto-évaluation 27, dressez la liste des gens que vous avez laissés entrer dans votre vie et que vous continuez peut-être encore à y admettre. Vous placerez les noms de ces personnes dans l'une ou l'autre des trois catégories suivantes, ou même dans toutes: Épuiseur, Mainteneur, Relanceur. Certaines personnes peuvent jouer des rôles différents à divers moments de nos vies. Votre objectif d'ensemble consiste à déterminer si votre liste renferme suffisamment de gens qui auraient pu vous maintenir et vous relancer. Quant aux épuiseurs, dès que vous en verrez dans votre liste, vous saurez quoi faire avec eux.

AUTO-ÉVALUATION 27

LES GENS QUE J'AI LAISSÉS ENTRER DANS MA VIE

Divisez une feuille de papier en trois colonnes:

Relations spéciales Amis Collègues

En dix minutes maximum, remplissez ces colonnes avec les noms de toutes les personnes auxquelles vous pouvez penser. Accolez à chacun de ces noms l'étiquette suivante:

ÉPUISEUR (quelqu'un qui mine votre énergie en essayant de vous abaisser sans cesse);
MAINTENEUR (quelqu'un qui vous aide à rester au niveau où vous êtes);
RELANCEUR (quelqu'un qui vous pousse à entreprendre de nouvelles choses et à vivre de nouvelles aventures).

- Avez-vous attiré trop d'épuiseurs?
- Avez-vous un nombre suffisant de mainteneurs?
- Auriez-vous besoin de plus de relanceurs?

Où se classent généralement les hommes de votre vie? Reprenez vos trois colonnes et dressez la liste des catégories dans lesquelles rentrent les hommes avec lesquels vous avez entretenu des relations, d'aussi loin que vous puissiez vous souvenir. Dans quelle catégorie s'inscrit l'homme qui est actuellement dans votre vie? Dans laquelle préféreriez-vous qu'il soit?

Après avoir fait l'auto-évaluation 27, Marie a découvert que ses hommes avaient été des épuiseurs en grand nombre et qu'elle avait eu fort peu de relanceurs pour la faire rebondir quand elle en avait besoin. Elle s'est rendu compte qu'au contraire, ces hommes l'avaient rabaissée. Pas étonnant qu'elle soit souvent déprimée. Rébecca a reconnu qu'elle avait un mari qui disait l'appuyer dans son travail, ce qui en aurait fait un relanceur. Mais en réalité son prétendu «soutien» n'était qu'une série de demandes et d'exigences exagérées qui correspondaient plus à l'image d'un épuiseur. Rien de ce qu'elle faisait n'était jamais assez bon pour lui plaire et elle vivait, à cause de cela, dans un état de stress constant. Lise avait beaucoup de mainteneurs qui se contentaient de suivre le courant, favorisaient son statu quo et remettaient en question la nécessité de son ascension. Pas étonnant qu'elle soit malheureuse de voir que sa vie ne change pas.

Il faut manifestement évacuer les épuiseurs parce qu'ils n'offrent toujours qu'un seul côté de la médaille: ils prennent et ne donnent jamais. Mais il faut équilibrer les relanceurs et les mainteneurs que nous attirons, car nous ne pouvons pas toujours être en pleine relance. Il faut de temps en temps s'asseoir tranquillement, ne serait-ce que pour préparer son prochain projet. À certains moments, un partenaire peut agir comme relanceur, puis se transformer en mainteneur. Les recherches montrent que le seul point commun existant entre tous les couples heureux est la façon dont chacun des deux partenaires appuie les passions de l'autre. Quand vous savez que votre partenaire encourage vos rêves, l'état d'esprit positif qui règne dans votre couple vous incite à les atteindre. En fin de compte:

Mes relations devraient me soutenir, pas me détruire.

L'avis que vous donne un partenaire peut s'avérer précieux en vous soutenant et en vous inspirant plus de discernement, mais il reste qu'une femme orientée vers ses propres besoins, motivée par son contrôle interne et consciente de ses passions et de ses sentiments, est à elle-même sa propre autorité. C'est elle qui a le dernier mot sur ce qu'elle va faire.

Une femme a besoin de temps à l'abri pour récupérer de ses déboires, puis de temps pour quitter l'abri et reprendre l'action à son propre rythme. Elle a besoin de pleurer autant qu'elle en a envie et elle doit aussi jouir de chacune de ses larmes. Les larmes en effet sont des calmants naturels qui ont la propriété de guérir. En abaissant la pression sanguine et en détendant les muscles, elles aident à réduire l'agitation physique et émotionnelle d'une femme. Une femme doit aussi laisser parler la petite fille en elle, se bichonner, se permettre de traîner en pantalon trop grand qui ne la serre pas trop à la ceinture. C'est seulement en restant seule chez elle qu'une femme peut explorer librement toute la splendeur qu'il y a à se retrouver sans homme pour un temps, sans une âme à qui parler, sans personne dont il faille se soucier ou s'occuper. Grâce à une pause sans homme bien planifiée, une femme peut oublier la rage de pénis qui a pu ravager son passé. Elle peut se dorer au soleil de ses propres pensées, sans avoir à les formuler. Elle peut décider de se reprendre plutôt que de régresser, ou de régresser plutôt que de se reprendre. C'est uniquement elle qui décide de ses préoccupations et de ses plaisirs. Jamais l'égoïsme n'aura été si doux. Vous n'avez pas à vous excuser de jouir de votre solitude.

Même les femmes mariées ou qui vivent en couple doivent se séparer à intervalles réguliers de leurs partenaires, peu importe si leur vie de couple est heureuse. Sinon, elles ne parviennent pas à ajuster leurs besoins changeants à leur croissance. Quand une femme est en situation de déséquilibre, elle devient frustrée, stressée et pleine de colère. Le temps qu'elle passe seule est capital pour une femme: il lui permet de reprendre sa vie en main, de retrouver la paix et de se recentrer. Elle a besoin de temps pour explorer ce qu'elle a d'unique et apprécier ses qualités. Ce n'est que lorsqu'elle se retrouve seule avec elle-même qu'une femme a l'énergie de se hisser hors du tunnel et d'émerger dans la lumière.

Prête à émerger

Jusqu'ici, nous avons exploré vos passions personnelles, nous nous sommes demandé qui vous attiriez et nous avons trouvé pourquoi. Il est maintenant temps d'aller plus en profondeur. Puisque nous avons insisté sur la nécessité pour une femme de pénétrer sous l'écorce et d'apprécier à sa juste valeur ce qu'il y a à l'intérieur, nous allons devoir déterminer qui vous êtes *vraiment* à l'intérieur. C'est un point très important car la seule constante de toutes vos relations, c'est *vous.* Oui, vous êtes *la seule* à vous montrer dans chaque relation. Et vous êtes la seule à souffrir quand ces relations ne marchent pas. Dans l'auto-évaluation 28, explorez votre moi intérieur et découvrez qui vous êtes vraiment sans fioritures.

AUTO-ÉVALUATION 28

QUI SUIS-JE, AU FOND?

Décrivez-vous par écrit, en évitant d'utiliser des étiquettes comme l'âge, le sexe, les études, la religion ou le statut social. En examinant votre moi intérieur, servez-vous d'adjectifs ***positifs*** *pour décrire les qualités que vous possédez en termes d'énergie, d'effervescence et de bonheur. Voici quelques exemples d'adjectifs à utiliser: intelligente, gentille, responsable, visionnaire, idéaliste, personne de principes…*

Avez-vous trouvé l'exercice difficile? Les femmes particulièrement soucieuses de leur apparence extérieure trouvent ce petit travail difficile. Mais plus vous avez de réticences à utiliser des adjectifs positifs, plus vous avez besoin de vous ouvrir à de nouvelles perspectives. Ce n'est pas parce que la vie nous effraie qu'il faut rester dans notre coin, sans oser nous risquer. C'est parce que nous n'osons pas nous risquer que la vie est effrayante. Choisissez un nouvel adjectif chaque jour et illustrez-le. C'est comme ça que vous saurez que vos défenses sont en train de tomber.

Dans l'auto-évaluation 28, vous avez dressé une liste de vos qualités les plus intimes, celles sur lesquelles les critères extérieurs de notre société n'ont aucune prise. Ces femmes qui écrivaient à un grand quotidien pour demander qu'on les aide à changer de look, à l'occasion de ce concours dont j'ai parlé au chapitre 4, ne s'étaient manifestement jamais livrées à cette auto-évaluation. Elles se souciaient uniquement — et désespérément — d'améliorer leur apparence extérieure. Quand nous nous préoccupons d'améliorer notre apparence extérieure avant de nous sentir à l'aise avec ce qu'il y a à l'intérieur, nous ne sommes rien d'autre que des mannequins de vitrine, des corps plastiques dont les hommes n'ont aucune envie de percer l'enveloppe pour trouver l'intelligence ou la gentillesse qui se cachent en dedans. La vérité, c'est que souvent notre impression de ne pas avoir l'apparence extérieure qu'il faudrait est purement imaginaire.

L'auto-évaluation 29 jette un éclairage cru sur la façon dont vous voudriez *idéalement* que les autres voient vos attributs extérieurs. Puis elle vous fait décrire votre apparence extérieure *réelle*. Comme nous l'avons vu au chapitre 4, la plupart des femmes ont tendance à se désoler de ce que leur look n'est pas celui des vedettes d'Hollywood. Ce n'est qu'en remplissant cette auto-évaluation que vous reconnaîtrez le caractère irrationnel de la déception que vous pouvez vous-même éprouver vis-à-vis de votre corps. N'en doutez pas, une telle négativité rejaillit sur la façon dont vous vous comportez avec les hommes.

AUTO-ÉVALUATION 29

DE QUOI AI-JE L'AIR, AU FOND?
IDÉALEMENT ET RÉELLEMENT

Faites un dessin de votre corps idéal, tel que vous aimeriez qu'il soit. Commentez les traits positifs et négatifs de chacune des parties de ce corps.

Faites un dessin de votre corps réel, tel qu'il est vraiment. Commentez les traits positifs et négatifs de chacune des parties de ce corps.

Comparez votre corps idéal avec votre corps réel.

- Vous montrez-vous trop critique? Si oui, pourquoi?
- Est-ce que vous critiquez les détails ou appréciez l'image d'ensemble?
- Il y a des choses qu'on ne peut pas changer. Les acceptez-vous comme elles sont?
- Qu'est-ce que vous pourriez changer, en étant réaliste?
- Dressez la liste de dix traits physiques dont vous êtes particulièrement heureuse.

Après avoir rempli cette auto-évaluation, Suzanne a reconnu qu'elle était bâtie comme une armoire quand elle aurait préféré une allure à la Cindy Crawford. La réalité l'a d'abord terriblement dépitée. Comment arriverait-elle jamais à se réconcilier avec le corps et le visage dont elle avait hérité? La liste des dix traits dont elle était particulièrement heureuse comprenait ses magnifiques cheveux qui lui tombaient sur les épaules, ses dents parfaites, ses mains et ses doigts sans défaut, son rire contagieux et ses yeux verts pleins d'audace. Pour la première fois, elle a commencé à centrer son attention sur ce qu'elle possédait plutôt que sur ce qui lui manquait. Ce nouvel objectif lui a permis de se faire voir dans des endroits nouveaux avec une aisance qu'elle n'avait jamais ressentie auparavant. Soudain elle s'est mise à attirer des hommes que tout le monde considérait comme «séduisants». Cela ne lui était encore jamais arrivé. C'était dû à son changement d'attitude, son corps n'avait fait que suivre tout naturellement.

Êtes-vous davantage encline à accepter votre beauté intérieure et extérieure telle qu'elle est? Vous êtes quelqu'un qui compte. Vous êtes belle. Vous êtes précieuse. Et ce n'est pas seulement une question d'enveloppe extérieure. Si on en croit l'Ordre des chimistes, les éléments qui composent notre corps, pris séparément, ne valent même pas de quoi se payer un ticket de métro. Mais quand ces composants chimiques se combinent, ils produisent des hormones, des protéines et des acides nucléiques qui font monter la valeur de notre corps à des sommes astronomiques. La clé, ici, c'est d'arriver à faire que tous les éléments qui composent ce que nous sommes travaillent *ensemble.* Notre détermination à demander ce que nous voulons, notre acceptation de notre niveau de mérite, notre langage corporel, notre voix et les mots que nous employons, notre capacité à passer en souplesse du rôle de contremaître au rôle d'hôtesse, notre solide contrôle interne qui modifie toutes les pressions externes, tout cela travaille ensemble pour augmenter la valeur de *l'ensemble* que nous formons. Oubliez la femme bionique: vous valez au moins autant qu'elle et il y a de quoi être fière. Comme chacune des étoiles qui brillent au-dessus de nos têtes, vous êtes unique, vous êtes incomparable. Vos authentiques qualités intérieures irradient dans votre apparence extérieure. Soyez fière de votre personne.

Vous êtes maintenant prête pour l'étape suivante: découvrir votre essence. J'entends ici par «essence» la combinaison particulière que forment vos qualités internes et votre apparence extérieure. Remplissez l'auto-évaluation 30 et donnez-vous une marque de commerce qui n'appartienne qu'à vous.

AUTO-ÉVALUATION 30

DÉCOUVRIR MON ESSENCE

Choisissez un mot, un seul, par lequel vous voudriez que les autres vous identifient. Ce sera votre mot.

Ce mot est votre signature qui n'appartient qu'à vous, votre empreinte personnelle, votre marque de commerce.

Faites-le rouler dans votre bouche. Affichez-le. Soyez-en fière. C'est votre nouveau vous!

- Fermez les yeux.
- Visualisez votre mot.
- Sentez ce qui s'en dégage.
- Touchez son environnement.
- Écoutez le son qu'il fait.
- Savourez son bon goût.
- Changez de posture pour donner à votre corps une attitude qui aille avec votre image de ce mot.
- Respirez profondément avec votre diaphragme, inspirez, expirez, et concentrez-vous sur votre mot.
- Écrivez votre mot en gros caractères sur une feuille de papier.
- Envoyez votre mot en l'air et regardez-le voler.

Dans l'auto-évaluation 30, Marielle a choisi le mot «élégante». Elle l'a visualisé, senti, touché, elle a écouté le son qu'il faisait, a savouré son goût et a changé la position de son corps pour lui faire représenter le mot. Presque immédiatement, les gens ont remarqué qu'il y avait quelque chose de différent en elle, mais ils n'arrivaient pas à mettre le doigt sur ce que c'était. Marielle, elle, le savait. Elle souriait. Son mari n'a pas la moindre idée de ce qui est arrivé à sa femme, mais il pense qu'il est avec une nouvelle femme. Pas mal après dix ans de mariage!

La mise en place de l'ensemble

Vous avez presque fini… mais pas tout à fait encore. Si ce livre était le manuel habituel, l'étape suivante consisterait tout naturellement à demander à la lectrice d'imaginer son homme idéal, et grâce à un processus de visualisation, de dresser une liste de ses caractéristiques et prier pour qu'elle l'attire très bientôt dans sa vie. Mais ce n'est pas le temps de vous pencher sur votre homme idéal. Nous allons plutôt fixer notre attention sur la façon de mettre en valeur vos qualités et vos meilleurs atouts de façon à ce que vous deveniez votre moi le plus productif. Quand vous serez la meilleure que vous puissiez être, vous attirerez le bon partenaire, car:

On n'attire pas ce qu'on veut, mais ce qu'on est.

Nous savons que les contraires s'attirent, puis se séparent et finalement… se repoussent. C'est pourquoi, quand il est question d'amour durable, il est plus sage d'attirer un partenaire qui *partage notre essence*. Le mot «essence» désigne ce que nous *sommes* au fin fond de nous, au-delà de nos traits les plus évidents. En identifiant et en projetant votre essence et en continuant d'aiguiser ce qui constitue votre caractère unique, vous *devenez* plus attirante. Ainsi, quand vous rêverez à l'homme idéal, vous aurez beaucoup à offrir. Vous aurez les pieds bien sur terre et vous ne flotterez pas au hasard dans les nuages, à visualiser quelqu'un d'impossible.

Maintenant que vous avez accepté et apprécié tous les atouts que vous avez en tant que personne, commencez à tenir un «carnet d'appréciation» dans lequel vous inscrirez tous les événements de votre vie qui vous font vous sentir bien. Chaque événement devrait être accompagné de sa date, par exemple, «15 juillet: j'ai apprécié que mon patron annonce ma promotion devant toute l'équipe»; «16 juillet: j'ai apprécié que Jacques m'invite à souper la semaine prochaine». Cette auto-évaluation est très importante, elle vous fera relever et apprécier des événements que vous avez peut-être sous-estimés dans le passé. Elle est importante également parce que, quand vous appréciez les choses, vous attirez des gens qui font la même chose. Et l'image que vous dégagerez va aussi repousser les hommes qui ont tendance à être ingrats, défaitistes et mesquins.

AUTO-ÉVALUATION 31

MON CARNET D'APPRÉCIATION

Inscrivez au moins trois événements par jour:

- Date:_______
  Je suis ravie de___________________________________.
- Date:_______
  Je suis ravie de___________________________________.
- Date:_______
  Je suis ravie de___________________________________.

Isabelle tenait son carnet d'appréciation depuis quatre semaines. Certaines de ses entrées se lisaient ainsi: «J'apprécie l'héritage que j'ai reçu de ma tante»; «J'apprécie le bel appartement dans lequel je vis»; «J'apprécie l'amour de mes parents»; «J'apprécie le fiancé extraordinaire que j'ai.» Au début, comme bien des gens, Isabelle a remarqué qu'il lui fallait fouiller sa conscience pour exhumer les choses positives qu'elle était portée à tenir pour acquises. Mais cela l'a également amenée à reconnaître qu'elle était entourée de beaucoup de gens négatifs dont elle avait tendance à incorporer le contrôle externe dans sa propre façon de considérer la vie. C'était une révélation en soi. Si bien qu'au début, son carnet d'appréciation a surtout servi à mettre en valeur son optimisme. Mais elle a pris conscience des perpétuelles plaintes de son fiancé à propos de son manque d'argent. Elle s'est retrouvée en train d'essayer de «réparer» sa négativité avec ses formulations positives à elle. *Encore une femme qui en faisait trop?* Le temps a passé et elle continuait toujours à faire des entrées dans son carnet. Puis un jour, elle a remarqué que la morosité de son fiancé sapait son énergie. Le couple envisageait de se marier l'année suivante. Il lui a soumis un projet de contrat de mariage qui l'a beaucoup étonnée parce qu'il ne cadrait pas avec leur relation et lui donnait l'impression que son fiancé n'avait pas la moindre confiance en elle. En réalité, elle n'était pas du tout intéressée par son argent: elle en avait suffisamment de son côté. La relation s'est mise à tourner à vide. C'est à ce moment-là que le marché boursier s'est effondré. Son fiancé s'est amené avec un masque mortuaire sur le visage. Il s'est écrié: «Isabelle, n'es-tu pas découragée de voir que j'ai perdu autant d'argent à la Bourse?» Isabelle l'a regardé droit dans les yeux et lui a demandé:

«N'était-ce pas l'argent auquel tu voulais que je renonce dans notre contrat de mariage?» En relisant les inscriptions dans son carnet d'appréciation, elle en a conclu que la mesquinerie de cet homme finissait par être déprimante pour elle. Elle était épuisée d'avoir toujours à compenser pour sa négativité. Ce fut la fin de leur histoire.

Nous avons tous des attributs positifs que nous avons tendance à oublier de temps en temps. Le carnet d'appréciation force notre esprit à se souvenir des choses qui sont à notre avantage. Ces inscriptions nous apprennent à adopter une attitude optimiste à propos des cadeaux de la vie que nous accueillons souvent comme s'ils allaient de soi.

Une attitude généreuse éloigne la mesquinerie.

Quand nous accentuons le positif, nous attirons les hommes positifs.

Maintenant que vous avez déterminé le genre d'homme qui enrichirait le plus votre vie, pensez à ce que vous allez faire de lui quand vous l'aurez. En d'autres mots, quel genre d'engagement envisagez-vous? Certaines femmes veulent un homme dans leur vie mais pas dans leur lit. D'autres veulent un homme dans leur lit mais pas dans leur vie. Il existe de nombreuses combinaisons différentes de relations réussies. Qui saurait dire quelle est la bonne? Vous êtes libre de choisir celle qui vous convient le mieux. Mais pour bien choisir, vous devez identifier vos préférences.

Dans l'auto-évaluation 32, vous allez découvrir ce qu'une relation durable signifie spécifiquement pour vous.

AUTO-ÉVALUATION 32

QU'EST-CE QUE J'ENTENDS PAR ENGAGEMENT?

Au cours des trois prochaines secondes, faites des associations libres de mots que vous croyez synonymes du mot «engagement» Ne vous attardez pas sur un mot en particulier. Contentez-vous de noter chaque mot comme il vous vient à l'esprit.

Qu'avez-vous découvert?

Les mots qui venaient à Martine à propos d'engagement étaient «trappe», «manipulation», et «pas pour moi». Pas étonnant qu'elle ait eu du mal à maintenir une relation. L'interprétation de Monique a donné «nécessaire» si on veut des enfants et elle recherchait les hommes qui étaient prêts et capables de s'engager. Jackie, qui avait écrit «alliance devant Dieu», fréquentait assidûment l'église: elle pensait trouver quelqu'un à la messe. Finalement, croyez-le ou non, Catherine, l'enseignante que nous avons rencontrée au chapitre 2, a été choquée de voir qu'elle avait écrit le mot «angoissant» comme synonyme d'«engagement». Elle s'est demandée si c'était parce que son ex-mari avait été un drogué, un joueur et un coureur de jupons. Mais son nouvel ami venait de vendre sa maison pour aller vivre avec elle. Oh là là! Pas étonnant qu'elle ait été effrayée! Voilà maintenant qu'elle vivait la situation inverse de ce qu'elle avait connu. Comme on dit: «Attention de ne pas trop souhaiter quelque chose; vous pourriez bien l'avoir.»

L'engagement prend un sens différent pour chacune d'entre nous. Mais tant que nous n'avons pas examiné quel sens nous lui donnons personnellement, nous pouvons continuer à pousser la romance sous le mauvais balcon et nous retrouver avec un pot de fleurs sur la tête.

Vous avez découvert comment faire pour que l'amour advienne. Vous avez appris qu'il dépend de ce que vous êtes. Vous reconnaissez vos besoins et vous les projetez en pensant que vous méritez de les voir satisfaits. Une fois que vous savez que le gros lot, c'est vous, vous pouvez vous engager envers vous-même. Ceci veut dire établir des limites bien définies, qui ne flottent pas quand elles doivent rester fermes mais qui sont élastiques quand elles ont besoin de se relâcher un peu. La façon dont vous faites respecter vos limites vous permet de garder vos forces pour les choses qui comptent pour vous. Votre territoire est accessible sur invitation seulement. Quand vous poursuivez vos rêves et faites respecter vos limites, vous êtes sur la route de la félicité.

Nous augmentons notre félicité en attirant des gens de valeur. Ceci veut dire écarter ou éviter les gens qui ne savent pas vivre le cycle complet de l'amour: donner et recevoir. Par notre langage corporel, notre voix et nos mots, nous apprenons aux hommes à nous traiter avec respect et nous ne nous attendons à rien de moins qu'un traitement plein de considération... que nous recevons effectivement. Nous reconnaissons notre incapacité de changer ou de sauver une autre personne, et nous équilibrons notre désir de contrôler les circonstances de notre vie avec notre gentillesse et notre charisme naturels. Telle est notre image de force: une armature de fer qui protège une intériorité douce et féminine. Nous sommes finalement devenues l'entité complète dont nous avions besoin pour obtenir l'homme que nous voulons. Et il n'y a pas de subterfuge là-dedans, car notre essence est ce que nous avons en nous depuis toujours, même si c'était peut-être enfoui très profondément.

Nous avons pris le risque de sortir de notre cachette, mais c'était un risque constructif. Il y a une différence entre un risque sain et un pari dangereux. Si parier c'est lancer les dés, risquer c'est obéir à une certaine logique, et ce risque se fonde sur tout le travail que nous avons fait sur nous-mêmes. C'est ce que nous méritons d'obtenir après avoir fait nos diverses auto-évaluations. Catherine, l'enseignante qui craignait de s'engager après avoir vécu un divorce difficile, m'a dit récemment: «Pendant que j'étais chez le médecin, une voiture est venue se stationner à côté de moi, me bloquant le passage. Je suis montée sur le trottoir et je me suis dégagée. Depuis mon divorce, je fais des choses que je n'aurais jamais osé faire avant. Il ne faut pas que je l'oublie.» En surmontant ses peurs l'une après l'autre, elle reprend confiance en les hommes et le mot «engagement» n'est plus aussi angoissant pour elle qu'il l'a déjà été.

Vous êtes convaincue de vouloir partager votre nouveau moi plus assuré avec quelqu'un de très bien. Maintenant que vous pouvez avoir l'homme que vous voulez, vous êtes en bonne voie de pouvoir le garder. Ceci veut dire prendre des risques. Vous avez maintenant les outils nécessaires pour:

1. Oser être vous-même.
   En donnant le surplus et non le nécessaire de vous-même, reconnaissez votre pouvoir et projetez-le.
2. Oser vous montrer vulnérable.
   Demandez ce dont vous avez besoin et persuadez-vous que vous méritez de l'avoir.
3. Oser ne pas être d'accord.
   Sachez recevoir — l'information que vous aimez comme celle que vous n'aimez pas — et sentez-vous en droit d'avoir vos propres valeurs et vos propres opinions.
4. Oser prendre vos distances.
   Prenez plaisir à être seule à la maison.

Réussir à accrocher un homme n'était qu'une partie du défi. Le retenir exige que votre amour et votre communication sexuelle se maintiennent tout au long de votre union. Vous voici maintenant prête à pénétrer dans la troisième partie de la méthode Gilda qui va vous guider dans cette entreprise.

MESSAGES ÉCLAIR
DU CHAPITRE 7

Le bonheur de vivre seule

- *Vous êtes la seule personne qui ne vous abandonnera jamais.*
- *Si vous envisagez d'aimer quelqu'un, reconnaissez qu'un jour il pourrait bien ne plus être là.*
- *Un coup de foudre, c'est du désir avec un certain potentiel. Il faut prendre le temps de s'isoler pour évaluer ce potentiel.*
- *On a parfois besoin de faire cavalier seul.*
- *Faire fi du passé expose à le répéter.*
- *Même si vous formez un couple, il ne s'en faut que d'une personne pour que vous soyez seule.*
- *Pour faire un bon «nous», ça prend d'abord un bon «moi».*
- *Mes prochaines erreurs seront des erreurs nouvelles.*
- *Tout vient à point à qui sait semer.*
- *Quand on se bat pour avoir quelque chose, il faut se battre pur le garder.*
- *Mes relations devraient me soutenir, pas me détruire.*
- *On n'attire pas ce qu'on veut, mais ce qu'on est.*
- *Une attitude généreuse éloigne la mesquinerie.*

Troisième partie

Comment garder l'homme que vous avez

Chapitre 8
Maîtriser le Langage de l'Amour

Devenez amie avant de devenir amoureuse.

Dans la deuxième partie de ce livre, nous avons évoqué les façons de vous aimer vous-même et de devenir ainsi plus aimante. Trouver et projeter votre pouvoir est la seule manière d'accrocher un homme. Cela vient du cœur et ce n'est pas une manipulation. De cette façon, vous exprimez votre moi véritable sans subterfuge et vous ouvrez la voie à un homme de valeur qui vous rendra votre franchise. Mais qu'arrive-t-il après? Nos contes de fées ne nous ont jamais dit s'il y avait une vie après la déclaration d'amour du prince. Petites filles, nous nous sommes contentées de conclure que le prince prendrait soin de sa dame une fois le livre refermé. Hélas! la réalité quotidienne nous a appris qu'une fois la cour terminée, les hommes se sentent satisfaits d'avoir gagné le gros lot et ils s'installent devant la télé, parfois pour la vie. Les femmes n'ont plus qu'à se lamenter que toute l'excitation du début a disparu. Une femme se plaignait à son mari de son allure négligée et mal rasée les fins de semaine. Imaginez-vous qu'il lui a répondu: «Le problème, c'est que tu voudrais continuer de te faire courtiser.» Et alors, qu'est-ce qu'il y a de mal à ça? Une autre femme qui s'était mariée après avoir vécu trente-cinq ans seule avait rêvé que son mari lui apporterait des croissants au lit et accrocherait des guirlandes de roses aux murs de sa maison. La réalité fut tout autre: il avait une pension alimentaire exorbitante à verser et il refusait de déménager dans la ville où elle venait de se trouver un nouvel emploi. «Je n'aurais jamais cru, s'est-elle lamentée, qu'il faudrait que je continue à prendre soin de moi-même après le mariage. J'ai l'impression d'être encore célibataire.»

La vérité, c'est que les femmes veulent que la cour se poursuive de la même façon qu'au début, quand on les mettait sur un piédestal et qu'on les poursuivait d'assiduités. La vérité, c'est que les hommes, une fois la relation assurée, ne voient pas pourquoi ils devraient continuer ce qui, pour eux, n'a été qu'un petit jeu romantique. Les femmes aiment l'amour, elles aiment être courtisées et elles veulent que l'homme continue de leur montrer son amour sans avoir besoin de le demander. Nous *connaissons* toutes le Langage de l'Amour et nous aimerions bien l'entendre encore, mais est-ce que nous l'*entendons* dans la bouche de l'homme qui pourtant s'était engagé à le parler?

Une étude récente affirme qu'un couple passe en moyenne dix-sept minutes *par semaine* à communiquer en tête à tête, pas plus. Une autre étude prétend que c'est quatre minutes *par jour.* Et les deux s'entendent sur le fait que, quelle que soit la durée dérisoire de ce tête à tête, il est généralement centré sur les tâches domestiques, les enfants et les projets, et non sur la relation de couple. Alors, comment un couple amoureux fait-il pour maintenir sa barque à flot?

Dans une relation où les deux partenaires sont proches, le Langage de l'Amour est réglé sur une longueur d'onde que les deux partagent. Parfois il y a de la statique et parfois, sans avertissement, le rythme de la musique change. Mais le langage qui marche le mieux, c'est celui que les deux partenaires sont les seuls à partager, avec des petits noms qu'ils se donnent entre eux, des taquineries enjôleuses et une façon particulière d'y intégrer leurs blagues privées. Plus un couple a perfectionné son langage spécial, plus la relation qu'il entretient est forte. Les Japonais ont un mot pour désigner le fait de vivre en harmonie: *wa.* On peut traduire littéralement *wa* par «la façon dont un couple traverse sans secousse toutes les épreuves de la vie». Cela se fonde sur trois ingrédients: le Pouvoir, l'Intention et le Jeu.

Pour pouvoir communiquer amoureusement, une femme doit savoir *qui elle est*, c'est **le Pouvoir.** Elle doit savoir *ce qu'elle veut*, c'est **l'Intention**; et elle doit savoir *quoi faire*, c'est **le Jeu.** Si l'un ou l'autre de ces trois éléments manque, le Langage de l'Amour va s'effacer. Mais quand, au contraire, nous nous en servons, non seulement nous *savons* qui nous sommes mais nous *l'exprimons*: ça, c'est notre Pouvoir. Puis non seulement nous *savons* ce que nous voulons, mais nous *l'exprimons*; ça, c'est notre Intention. Enfin, non seulement nous *savons* quoi faire mais nous l'*exprimons*: et c'est notre disposition à Jouer. En tant que tels, le Pouvoir, l'Intention et le Jeu sont des *expressions* de notre Langage de l'Amour. Ils sont fondés sur notre capacité à prendre le risque de donner et de recevoir honnêtement. Sans complexe, nous osons maintenant être nous-mêmes, être vulnérables, nous osons ne pas être d'accord et nous osons nous en aller si nous n'obtenons pas ce que nous croyons mériter. Nous communiquons nos audaces par un langage amoureux mais ferme. Nous nous sentons sûres dans les risques que nous prenons, parce que nous sommes prêtes à aimer tout autant qu'à perdre. Nous savons que la vie comporte aussi bien des pertes que des gains et que ce n'est pas parce qu'on perd qu'on devient une perdante. Sans nous décourager, et avec une force bien orientée, nous avons l'audace de montrer à notre partenaire ce dont nous avons besoin et ce que nous voulons, et puis nous prenons le risque de n'attendre et n'accepter de lui que le meilleur traitement possible. Finalement, quelle que soit l'issue de la relation, nous osons affirmer que nous serons toujours là pour nous-mêmes. Et quand nous jouons tous ces rôles, nous devenons resplendissantes aux yeux des hommes. J'ai eu la satisfaction de voir un homme traverser tout le continent pour m'inviter à passer la soirée avec lui et me dire: «Vous êtes si différente des autres femmes, si rafraîchissante.» Mais je ne faisais qu'appliquer la méthode Gilda: ne pas miser sur le prince, miser sur soi-même.

Les femmes deviennent certainement plus rafraîchissantes pour un homme quand elles le traitent comme s'il était quelqu'un de spécial. C'est-à-dire quand elles fondent leur relation sur l'intérêt pour l'autre et l'amitié. Elles communiquent leur intention d'apprendre à connaître un homme avant de se retrouver avec lui sous les draps. Comme Schéhérazade s'est évertuée à le démontrer à son sultan, le message est le suivant: «Si tu ne me fais pas faux bond, tu n'auras rien à regretter.» Traduction plus moderne: «Montre-moi ce que tu as et je te montrerai ce que tu vas avoir.» Pour y parvenir, les femmes doivent ouvrir la voie à la conversation et bâtir l'amitié. Et en prime, elles recevront le respect. L'amitié insuffle un sentiment de sécurité. Et la suite peut devenir un enchaînement:

 *Amis d'abord, amoureux plus tard.*

Être d'abord amis vous permet de:

 *Devenir amie avant de devenir amoureuse.*

Mais donner son amitié exige qu'on soit sûre de soi parce qu'on sait qui on est. Il faut être sûre de soi pour oser exprimer son pouvoir.

Comment exprimer votre pouvoir

Chaque fois qu'une femme parle de prendre un risque, je lui demande: «Quelle est la pire chose qui puisse vous arriver?» En fait, le risque que court une femme en exprimant son pouvoir n'en est pas du tout un. Oui, mais si cela éloigne un homme d'elle? C'est tout simplement parce qu'il n'était pas un homme pour elle. Le pouvoir avec lequel elle entre dans la relation est le pouvoir qu'elle emporte avec elle. Peut-être ne risque-t-elle rien d'autre qu'une plus grande lucidité? Pour la prochaine fois.

Vous savez maintenant que le succès d'une femme en amour implique qu'elle prenne en main sa propre destinée. Ceci lui permet de déterminer son propre bonheur. Une femme a la responsabilité de poser les bonnes questions au début d'une relation et elle doit aussi se montrer prête à recevoir des réponses qui pourraient ne pas trop lui plaire mais dont elle doit tenir compte. En utilisant avec habileté son langage corporel, sa voix et son choix de mots, elle applique la technique S.O.F.A. pour encourager son homme à se montrer ouvert. *Égoïstement,* elle cherche à être respectée avant de se faire aimer et elle énonce clairement ses limites, y compris son désir d'être seule à l'occasion. Elle reconnaît les imperfections de son homme et pardonne ses défaillances, qu'elle choisisse ou non de rester avec lui, car si elle veut garder son équilibre, elle doit conserver sa précieuse énergie. Dosant habilement le sens de l'organisation de la femme contremaître avec le goût de plaire de la gentille hôtesse, elle agit non pas d'après le contrôle externe que représentent les critères des autres mais d'après ses propres pulsions intérieures. Elle n'appartient qu'à elle et projette ce message avec assurance. Elles est prête dorénavant à reconnaître les différences fondamentales qu'il y a entre son homme et elle, et qui sont liées à leur sexe respectif; elle est prête à affronter ces différences sans faire de manières; elle est prête, enfin, à mesurer ses mots pour décrire leur amour et en interpréter la portée. Et quoi qu'il en résulte, elle est disposée à travailler sur sa relation de couple dès lors qu'elle décide de s'y engager.

Le langage des hommes par rapport à celui des femmes: accepter les différences

Pour qu'un couple puisse se donner un langage amoureux qui n'appartient qu'à lui, il doit être conscient de quelques-unes des différences fondamentales dans la façon dont chaque sexe utilise ce langage, et il doit arriver à les surmonter. Remplissez l'auto-évaluation 33 pour voir si vous connaissez les grandes différences dans la communication entre les sexes.

AUTO-ÉVALUATION 33

LES SCHÉMAS COMMUNICATIONNELS DES HOMMES ET DES FEMMES

*Répondez par **Vrai** ou **Faux** à chacune des phrases suivantes.*

____1. Les femmes ont plus de chances que les hommes de recevoir des compliments.

____2. En général, les femmes parlent plus.

____3. Les femmes ont davantage tendance à interrompre les hommes quand ils parlent.

____4. Les femmes interprètent mieux les signes non verbaux que les hommes.

____5. Les femmes usent de tactiques communicationnelles plus polies.

____6. Les femmes se font plus souvent toucher.

____7. En général, les femmes s'efforcent davantage d'entretenir la conversation.

____8. Les femmes ont davantage tendance à poser des questions.

____9. Les femmes dévoilent souvent des informations personnelles.

BONNES RÉPONSES

1. *Faux:* Les femmes ont moins de chances que les hommes de recevoir des compliments. Quand elles en reçoivent, c'est généralement pour leur apparence physique alors que les hommes se font complimenter pour leurs réalisations.

2. *Faux:* Lors d'une expérience, on a demandé à des hommes et à des femmes de décrire une image. Les femmes ont mis trois

minutes, les hommes treize. Malgré l'opinion courante selon laquelle les femmes parlent plus, diverses recherches prouvent qu'à l'école et au travail, ce sont les hommes qui parlent plus. Les femmes parlent peut-être davantage à la maison, où leur niveau de confort et de sécurité est plus élevé.

3. *Faux:* Le pouvoir ne corrompt pas, il interrompt. Dans les conversations entre personnes du même sexe, les interruptions se répartissent de façon égale entre les interlocuteurs, mais dans les conversations entre personnes de sexe opposé, les hommes interrompent plus souvent les femmes.

4. *Vrai:* Les anthropologues signalent qu'une plus grande sensibilité au langage non verbal se développe chez les gens qui occupent une position subordonnée: cela leur permet de savoir comment et quand réagir. Pour y parvenir, ils étudient la personne qui a le contrôle. C'est ainsi que les femmes ont appris à user de leur intuition naturelle pour déchiffrer les gens en fonction de leur perception.

5. *Vrai:* On permet aux hommes d'utiliser un langage plus direct et plus vulgaire, mais on encourage encore les femmes à parler comme des dames.

6. *Vrai*: Le statut social donne des privilèges quant au toucher. Celui qui a le pouvoir va souvent poser la main sur l'autre ou l'empoigner. Les hommes peuvent toucher les femmes pour les faire entrer dans une voiture, quand ils les accompagnent dans la rue ou pour leur tendre leur manteau. Le geste est souvent si bref qu'on le remarque à peine. Mais il peut se faire aussi trop insistant.

7. *Vrai:* Des recherches ont montré que dans les couples mariés, ce sont les femmes qui lancent le plus de sujets de conversation. Les hommes au contraire tuent souvent les conversations par leur inattention. Mais une femme s'efforcera souvent de soutenir la musique avec ce qu'on appelle du «bavardage».

8. *Vrai:* Les femmes posent des questions pour qu'un homme en tienne compte et y réponde. Elles aident les hommes à dominer la conversation en les incitant à répondre.

9. *Vrai:* Les femmes ont tendance à révéler davantage de choses sur elles, parce qu'elles croient que c'est la bonne façon de maintenir l'intérêt des gens.

Alors, comment avez-vous réussi le test? Les femmes n'ont pas attendu les anthropologues pour savoir que les hommes et les femmes communiquent différemment. Mais certaines vedettes de la télévision qui ont répandu le message leur ont fait une grande faveur en amenant les hommes à prendre conscience des différences entre les deux sexes, à développer quelques techniques pour atténuer les différences les plus criantes et à faire davantage d'efforts pour que la communication fonctionne.

> *Je sais bien que tu crois comprendre ce que tu penses que j'ai dit, mais je ne suis pas sûr que tu réalises que ce que tu as entendu, ce n'est pas ce que j'ai voulu dire.*
>
> — *Anonyme*

Il y a une façon masculine de parler, dans laquelle un homme communique en allant à l'essentiel, sans fioritures, et il y a une façon féminine de parler, où une femme communique avec une profusion de détails et de précisions. À cause de leur tendance à raconter une histoire au complet plutôt que de donner d'abord sa conclusion, les femmes se sont valu la réputation d'être bavardes et babillardes. Mais si une femme apprenait la façon masculine de parler, elle pourrait présenter son information différemment dès le début et s'assurer d'*être écoutée.*

Paul et Édith ne parvenaient pas à franchir les obstacles qui s'opposent généralement à la communication quotidienne entre hommes et femmes. Il arrivait de son travail et lançait l'habituel: «Comment a été ta journée, chérie?» Édith se lançait alors dans des explications pleines de détails pour dire qui avait dit quoi à qui et de quelle façon. Paul ne pouvait pas supporter ce rapport exhaustif et finissait par quitter la pièce, ce qui blessait Édith. Il pensait qu'après une journée de travail, il avait besoin de décompresser tout seul en faisant du jogging dans le parc ou en prenant une bière devant la télé, bref, tout sauf engager une conversation avec une femme qui n'en finissait plus de parler. Au contraire, le moyen pour Édith de retrouver un peu d'intimité avec son mari après la séparation de la journée consistait précisément à faire ce qu'il détestait: parler. Les hommes sont certainement capables de parler, mais ils redoutent les monologues intimes qui sortent de la bouche des femmes de crainte de se faire réciter la litanie de leurs fautes et de leurs défauts. Quant aux femmes, ce n'est pas tant le fait de parler qu'elles recherchent mais plutôt la chance de marquer leur présence et de se faire reconnaître.

Après avoir identifié le schéma invasion/évasion qui structurait leurs conversations, Édith et Paul ont pris le dessus. Chacun ayant conscience de son pouvoir et de son autonomie propres, au lieu d'imposer son style de communication, il demandait en plaisantant comment l'autre voulait entendre son histoire. Édith, par exemple, s'enquérait: «Paul, j'ai envie de te parler de l'accord que nous avons signé aujourd'hui avec la compagnie X. Veux-tu l'entendre en version masculine ou en version féminine?» Habituellement, Paul répondait: «En version masculine, pour commencer.» Ensuite il posait des questions. Paul, de son côté, demandait s'il allait raconter son histoire en commençant par la conclusion, ce qu'Édith trouvait généralement trop sec, ou s'il fallait passer par les détails croustillants, ce qu'elle préférait réellement. Ainsi, tout en s'amusant, le couple se montrait respectueux en parlant de façon que l'autre puisse comprendre. Cette façon de faire éliminait beaucoup de blessures à l'amour-propre et de discussions tendues qui auraient pu affecter leurs relations quotidiennes.

 *Pour réduire le stress dans la communication avec un homme, faites passer votre message d'abord comme un homme, puis comme une femme: l'essentiel en premier, les détails ensuite.*

Après l'opposition essentiel/détails, une autre façon de parler typiquement masculine est l'emploi systématique de métaphores sportives. La façon naturelle de palabrer pour un homme contremaître consiste à parler de gagner ou de perdre, de marquer des buts, de mettre la balle dans un camp, de manquer le but de peu, de ne pas lâcher avant le coup de sifflet final, de reprendre la balle volée, de dribbler toute la défense adverse et de jouer les supplémentaires. Ce sont en général des monologues au rythme rapide, directs et pratiques, truffés de conseils du genre «voici ce qu'il faut faire» et planant toujours en surface au niveau des émotions. Quand ils parlent entre eux, c'est pour le plaisir de se faire la lutte verbalement, de se donner la répartie, d'établir la camaraderie. Les hommes sont souvent plus secrets, moins communicatifs et plus intéressés à discuter d'objectifs que de relations. Sans aucun doute:

 *Les quatre mots que les hommes détestent le plus sont: «Discutons de notre relation.»*

Alors, évitez ce sujet à moins d'avoir quelque chose d'extrêmement important à régler. Souvenez-vous aussi que:

 *L'intimité pour un homme consiste à communier, pour une femme à converser.*

Habituellement, le discours des femmes tourne précisément autour de ce que les hommes évitent: les émotions, l'empathie, la compréhension et, je vous le donne en mille, les relations. À la différence de nombreux hommes qui n'appelleront jamais une femme simplement pour «pointer» ou pour dire «bonjour» (sauf aux tout premiers stades de leur cour), les femmes appellent leurs amies pour parler de tout et de rien, mais aussi pour savoir qu'elles ne sont pas seules, qu'elles peuvent partager leurs pensées et leurs impressions et qu'elles se sentent comprises. Parler représente pour une femme une protection, une sorte de sauvegarde émotionnelle.

Le besoin de mettre à nu ses émotions

Maintenant que nous connaissons les différences naturelles entre les sexes, nous pouvons plus facilement laisser tomber nos masques. Quand nous utilisons notre pouvoir, nous pouvons devenir plus réelles. Nous pouvons oser nous mettre à nu, émotionnellement parlant. Quand tout est dit, si deux personnes ne sont pas prêtes à 100 % à se dévoiler à l'autre en toute franchise, elles n'ont pas d'avenir ensemble. La franchise exige que vous mettiez vos émotions à nu, que vous vous dévoiliez pour acquérir la confiance que votre partenaire vous acceptera telle que vous êtes. Le dévoilement de soi repose sur trois règles distinctes.

Les trois règles du dévoilement de soi

1. Le dévoilement de soi se fait progressivement, par petites touches. Il exige une confiance totale de la part des deux partenaires.

2. Le dévoilement de soi se produit dans un contexte d'interaction positive. Si la confiance est trahie, c'est la fin du dévoilement.
3. Le dévoilement de soi est réciproque. Quand l'un des partenaires s'ouvre à l'autre, celui-ci le fera bientôt, à son tour, quoique que ce pourrait être à un degré différent d'ouverture. Soyez patiente et laissez le temps à la confiance de votre partenaire de s'installer.

Que vous soyez actuellement avec l'amour de votre vie auquel vous voulez vous accrocher, ou encore à la recherche de cet être spécial dont vous rêvez, remplissez l'auto-évaluation 34 pour installer un contexte dans lequel votre Langage de l'Amour puisse se répandre.

AUTO-ÉVALUATION 34

JE CRÉE UN CONTEXTE FAVORABLE AU DÉVOILEMENT DE SOI

1. Comment est-ce que je me vois dans ma relation?
2. Comment mon partenaire me voit-il dans cette relation?
3. Comment est-ce que je devrais me comporter dans cette relation, à mon avis?
4. Comment est-ce que mon partenaire pense que je devrais me comporter dans cette relation?
5. Comment est-ce que je devrais être traitée dans cette relation, à mon avis?
6. Comment mon partenaire pense-t-il que je devrais être traitée dans cette relation?

Qu'avez-vous découvert? Jeannine et Daniel vivaient ensemble depuis presque deux ans. Un jour qu'ils étaient à une soirée chez un de leurs voisins, Daniel s'est mis à raconter des histoires grivoises que la plupart des autres invités ont semblé apprécier. Mais Jeannine, elle, n'était pas contente. Avec elle, Daniel, un banquier plutôt conservateur, était habituellement réservé et tranquille. Elle était d'avis qu'il devait continuer à se comporter en société comme l'exigeait sa réputation d'homme conservateur. Quand Jeannine lui a fait part de son point de vue, Daniel a été renversé. Il a pris ombrage du fait que sa compagne essaie de contrôler ses paroles et sa vie. Ils ont eu une discussion très animée. Après avoir rempli l'auto-évaluation précédente, Jeannine a compris pourquoi. C'est qu'elle voyait Daniel d'une façon entièrement différente de celle dont il se voyait lui. Cette auto-évaluation leur a également fait découvrir qu'il était d'avis qu'elle devrait se comporter en public d'une façon avec laquelle elle ne se sentait pas toujours à l'aise. Finalement, l'exercice a révélé que l'attitude critique de Jeannine à l'égard de Daniel en public était inacceptable pour lui, alors qu'elle était loin de penser avoir fait quoi que ce soit de mal. Cette auto-évaluation a marqué pour le couple un tournant majeur à partir duquel chacun a repensé ses attentes quant au comportement de l'autre et à leur façon de se traiter mutuellement. En fait, cela les a beaucoup rapprochés.

Marjorie venait de commencer à vivre avec Ludovic après avoir mis beaucoup de temps à le convaincre de venir habiter avec elle. Il avait attendu jusqu'à ce que la fille aînée de Marjorie parte pour l'université, de sorte qu'il ne leur restait plus que la plus jeune, âgée de treize ans. Ses deux enfants se plaignaient de ce que Marjorie prenait des airs empruntés quand Ludovic était dans le décor. Elles se sentaient en même temps coincées par leur incapacité d'être elles-mêmes, mais leur mère ne tenait pas compte de leur malaise. Marjorie était en effet déterminée à amener Ludovic à l'épouser et pour ce faire, elle voulait jouer les femmes parfaites dans une maison parfaite avec des enfants parfaits et sans problèmes. Ce changement de personnalité n'est pas rare chez les femmes qui vivent une relation amoureuse. Souvenez-vous de ces femmes du restaurant chinois, au chapitre 2, et de la façon dont leur comportement avait changé dès qu'un homme s'était joint à elles. J'ai remarqué que certaines parmi les femmes les plus fortes se mettent à fondre dès qu'elles sont en présence de leur homme. J'ai aussi remarqué à quel point ces femmes pouvaient être terriblement détruites quand leur relation amoureuse se désintégrait. Ne pas révéler notre vrai moi finit par nous hanter littéralement. Beaucoup de ces femmes émotionnellement vidées m'ont confié que quand leur couple s'est brisé, elles ne savaient même plus qui elles étaient. Comme nous l'avons vu dans le chapitre précédent, le dévoilement de soi doit commencer quand il n'y a pas d'homme dans notre vie, de sorte que quand il s'en présente un, nous pouvons nous mettre à table honnêtement. C'est tellement plus facile.

Bien qu'elle ait eu trouvé en Ludovic l'homme de ses rêves, Marjorie se sentait toujours déprimée, tellement, qu'en fait, elle a suivi un de mes ateliers. Après avoir rempli l'auto-évaluation 34, elle a découvert que dans sa relation elle se voyait comme une sorte de Barbie, croyant qu'elle devait toujours avoir un comportement parfait et être traitée avec des pincettes. Mais son partenaire, lui, voyait Marjorie comme une femme exceptionnellement sensible à la critique, obsédée par son besoin d'avoir une maison impeccable et que son désir de plaire conduisait à vouloir en faire toujours trop. Que de pression! Pas étonnant qu'elle se sente déprimée. Nous ne vivons pas dans un monde parfait et toute femme qui tente de rendre parfait son petit coin de terre se prépare bien des désappointements. Après avoir pris conscience du mal qu'elle se faisait à elle-même, Marjorie est devenue vraie. Elle a équilibré ses tendances d'hôtesse et de contremaître et a commencé à apprendre à communiquer honnêtement. Sa vie de couple est devenue plus naturelle et Ludovic et elle se préparent à un mariage qui ne sera pas tout à fait *parfait*.

Chacun dans un couple se ferait une faveur personnelle s'il créait un contexte permettant le dévoilement de soi le plus tôt possible. Même quand cela n'est pas le cas et qu'un couple déjà bien engagé dans sa relation se demande encore comment améliorer son Langage de l'Amour, les six points de cette auto-évaluation lui en diront beaucoup sur une communication qu'il pense peut-être trop aller de soi.

Votre Langage en Amour prédit son avenir.

Quand nous sentons notre pouvoir, nous sommes prêtes non seulement à oser montrer notre âme mais aussi à percevoir avec amour, à accepter et à louer le comportement de notre partenaire. Une universitaire a réussi à prédire, avec un taux d'exactitude de 94 %, quels couples étaient destinés à se séparer, rien qu'en écoutant le langage dont ils se servaient pour décrire leur première rencontre. Les conjoints pris dans une union qui bat de l'aile se souviennent de leurs débuts dans un éclairage négatif; ils évoquent des mauvais souvenirs, des regrets, parlent de mépris, de désillusion, de critique et de pessimisme. Ils hésitent à parler de leurs premières années et compensent avec des «oh, je ne me souviens plus…» ou des «c'était il y a si longtemps!» Ils évitent aussi d'utiliser le «nous». Au contraire, les couples qui vivent une relation heureuse se décrivent l'un l'autre de façon positive et souvent avec humour. Ils se souviennent très clairement de leurs rencontres, terminent gentiment la phrase de l'autre, mettent l'accent sur le consensus et acceptent les critiques constructives. Une autre universitaire confirme que les couples heureux voient les défauts de leur partenaire à travers des verres teintés de rose, comme de petites bizarreries charmantes. C'est ainsi qu'un mari têtu sera vu par sa femme comme un homme qui a sa propre idée, un autre qui protège exagérément sa femme comme quelqu'un qui veut montrer son intérêt et son amour pour elle. Et à la fin, parce qu'on leur donne le bénéfice du doute, ces maris finissent souvent par acquérir les qualités que décrivent leurs femmes.

Rachel et Alain vivent heureux en ménage depuis vingt ans; ils ont deux enfants, un chien, une maison, deux voitures et beaucoup de factures à payer. Ils évoquent souvent avec plaisir leur première rencontre, lui arrivant chez elle avec des vêtements dépareillés et elle faisant la grimace devant son allure ridicule. Mais depuis vingt ans qu'ils vivent ensemble, Rachel garde toujours les vêtements que portait Alain ce jour-là, rien que parce qu'elle les trouve drôles. Chacun dans ce couple sait qui il est. Chacun connaît son pouvoir. Leurs enfants le voient, leur famille le voit, leurs amis le voient. Les années n'y changent rien. Qui dit que l'amour ne dure pas?

Lily, quant à elle, décrit sa première rencontre avec son mari, cinq ans plus tard, comme un véritable désastre. «C'était au mariage de ma sœur. Thomas travaillait comme barman. Un type me faisait la cour et Thomas insistait pour me "protéger" en interrompant continuellement notre conversation. Je n'en revenais pas de son culot.» Comme n'importe qui pourrait s'en rendre compte, Lily n'est pas heureuse en ménage. De la même façon, Alice décrit le jour de son mariage comme un cauchemar. Les invités ont lancé non pas du riz cru mais du riz cuit, parce que la cuisine n'avait plus de riz cru. Alice était en larmes. Elle pensait que la cérémonie religieuse était complètement gâchée. Son nouvel époux, lui, trouvait ça très drôle. Trois ans plus tard, même si elle ne se risque pas à prédire l'avenir de son couple, elle critique déjà ouvertement l'institution du mariage en disant que ça n'est pas la grande affaire qu'on dit.

Rappelez-vous l'histoire de vos tout débuts avec votre conjoint ou avec votre dernier partenaire. Remplissez l'auto-évaluation 35 et notez le type de langage que vous employez. Prédisez l'avenir de votre relation actuelle ou voyez comme le langage dont vous vous êtes servi aurait pu vous avertir du sort fâcheux de votre dernière relation.

AUTO-ÉVALUATION 35

L'HISTOIRE DE NOTRE RENCONTRE

Racontez la façon dont votre partenaire et vous vous êtes rencontrés. N'oubliez pas de noter vos premières impressions et les sentiments que vous avez éprouvés à son égard la première fois que vous l'avez aperçu. Vous souvenez-vous de cela comme d'un événement heureux? Écrivez du fond du cœur sans trop réfléchir ou trop analyser.

Après quatorze ans de mariage, Emmanuelle savait qu'elle n'était plus attirée physiquement par son mari, mais après avoir lu la façon dont elle avait décrit leur rencontre — «Quand je l'ai rencontré, c'était le seul homme qui m'aimait plus qu'il n'aimait sa voiture. C'était un gros lourdaud qui s'est tellement battu pour m'avoir que j'ai fini par céder.» — elle s'est aussitôt trouvé un avocat pour pouvoir refaire sa vie. Au contraire, Louise ne savait pas trop ce qui les attendait, elle et son conjoint. Ils étaient ensemble depuis à peine deux ans et elle se croyait prête à se marier et à fonder une famille, mais elle était un peu ambivalente au sujet de son compagnon et de leur relation dans son ensemble. L'idée d'un mari policier lui faisait peur et elle n'aimait pas qu'il travaille la nuit. Mais son histoire se lisait comme suit: «Quand Julien s'est approché de moi au cours de la soirée, ses yeux étincelaient. Il était si beau dans son smoking. Quand il m'a invitée à danser, j'ai fondu littéralement. Je n'avais qu'une hâte, c'était qu'il m'embrasse.» En relisant ces mots, elle a décidé de reconsidérer son avenir avec Julien. Est-ce que votre description des débuts de votre amour vous a surprise, vous aussi?

Tracez les limites de votre union

On met beaucoup d'efforts à préparer de belles et élégantes cérémonies de mariage, mais peu de couples investissent du temps à établir leurs droits territoriaux qui pourraient consolider l'avenir de leur union ou au contraire la briser. Quand deux personnes savent qui elles sont individuellement, leur pouvoir personnel détermine la façon dont elles se comportent à l'intérieur du couple. Une des façons d'empêcher les problèmes de survenir consiste à remplir la liste des quatre prescriptions de la relation. Votre charte des limites vous a aidée à fixer vos limites personnelles. Maintenant les Quatre Prescriptions de la relation vont définir les obligations que vous devez remplir avant de fixer les limites de *votre relation*. Cela ressemble aux descriptions d'un poste au travail avec la façon dont on y précise le rôle de chacun. Ces prescriptions sont également importantes parce qu'elles permettent aux amoureux de fixer les conditions de leur interdépendance quant à leur pouvoir respectif. Les partenaires peuvent annoncer leurs conditions respectives et les respecter pour mieux assurer la longévité de leur union. Remplir la prochaine auto-évaluation n'est pas un choix, c'est une obligation que vous impose l'amour.

AUTO-ÉVALUATION 36

LES QUATRE PRESCRIPTIONS DE LA RELATION

1. PERFORMANCE

À quoi ressemble une relation où l'amour règne?

Les partenaires qui s'aiment reproduisent les comportements respectueux que leur impose leur rôle.

- Nous conduisons-nous comme des partenaires qui s'aiment?

....

2. RESPONSABILITÉ

Que fait un partenaire aimant?

Chaque partenaire a la responsabilité de faire sa part.

- Chacun de nous fait-il sa part?

....

3. EFFICACITÉ DE LA COMMUNICATION

Est-ce que je communique bien?

Les partenaires qui s'aiment communiquent leurs sentiments avec franchise.

- Est-ce que nous nous communiquons mutuellement nos sentiments?

....

4. RECONNAISSANCE

Est-ce que je tire profit de cette relation?

Chacun des partenaires vérifie que ses besoins sont bien satisfaits.

- Est-ce que cette relation me grandit?

Cette auto-évaluation met en évidence des questions de pouvoir susceptibles de produire, en fait de communication, des incompréhensions qui restent tacites. Elle a pour but de retirer l'amour du domaine des sentiments féminins, commandés par la partie droite du cerveau, et de le placer dans une logique masculine, sous le contrôle de la partie gauche du cerveau. Même si cela peut paraître aussi calculateur qu'un contrat prénuptial, cela force les gens à reconnaître la réalité qui veut qu'une histoire d'amour ne dure que si chacun des partenaires respecte les règles établies en commun.

Sans règles, pas de limites.
Sans limites, pas de moi.
Sans moi, pas d'amour.

Céline et André étaient mariés depuis sept ans. Ils avaient pris l'habitude de régler, dans le respect de chacun, les habituelles questions d'organisation comme celles de décider qui s'occuperait de nourrir le chien, de sortir les poubelles, de conduire les enfants à l'école et de porter les vêtements chez le nettoyeur. Manifestement, ils satisfaisaient pleinement les critères sur la performance et la responsabilité. Mais un nouveau problème venait de surgir qui les amenait à se poser des questions sur la suite de leur mariage. Il leur est apparu que même si chacun des deux respectait parfaitement les règles de base d'une vie de couple harmonieuse, leur Langage de l'Amour, en revanche, laissait à désirer. Céline a donc rempli l'auto-évaluation. Dans le domaine de l'efficacité de la communication, elle s'est aperçue qu'elle aurait aimé qu'André interrompe parfois ce qu'il était en train de faire pour lui dire qu'il l'aimait. Dans le domaine de la reconnaissance, elle s'est demandé si son mariage enrichissait encore sa vie autant qu'il l'avait fait dans le passé. À la différence de beaucoup de femmes qui craignent de soulever ces questions avec leur conjoint, Céline a osé se montrer vulnérable à propos de ses besoins et de ses craintes. Elle s'est organisé un petit souper tranquille seule à seul avec André, sans les enfants, lui a montré l'auto-évaluation et lui a exprimé ses besoins. Elle se sentait à l'aise de partager ses émotions parce qu'elle connaissait son pouvoir. Elle a dit à son mari que, pour avoir le sentiment que leur relation était enrichissante, elle avait besoin qu'il fasse plus souvent état de ses sentiments à lui. Elle lui a également dit qu'elle avait besoin d'être seule de temps en temps pour s'adonner à la sculpture, une activité à laquelle elle s'était déjà adonnée avec passion. La communication entre les deux était tellement bonne qu'André a immédiatement reconnu ce qui manquait dans leur Langage de l'Amour. Ils ont fait des plans pour retrouver les schémas qui prévalaient au moment de leurs premières rencontres et qui, dans les débuts de leur relation, les avaient attirés l'un vers l'autre. Tous deux ont commencé à se sentir mieux. Et aucun des deux n'a eu l'impression que l'autre avait essayé de rogner son pouvoir.

Restez concentrée sur vos objectifs

À divers moments au cours d'une relation, la nécessité de faire le point s'impose. Au moment du bilan, il faut se poser deux questions fondamentales: «Quel but poursuivons-nous en restant ensemble?» et «Est-ce que je suis en voie d'atteindre mon objectif?» La plupart des gens oublient de faire des évaluations ponctuelles de leur relation et quand une crise se produit, ils se demandent comment ils en sont arrivés *là*. Bien sûr, nous avons tendance à éviter ce genre de questionnement parce que nous ne voulons pas envenimer les choses, particulièrement si elles ne vont pas très bien. Mais ces questions sont justement conçues pour ramener un couple à la réalité. Faire constamment le point sur les objectifs d'une relation nous pousse à apporter de petits réajustements dans des situations pas trop graves de sorte que quand des catastrophes majeures se produisent — et il y en a toujours dans la vie — nous puissions les affronter avec tout notre amour et en restant unis.

Le pouvoir des compliments. Alléluia!

Quel but poursuivons-nous quand nous parlons le Langage de l'Amour? Chaque fois que nous communiquons avec notre partenaire, notre attitude et notre style entraînent une de trois réactions possibles: il se sent mieux, moins bien, ou pareil. Évidemment, à moins d'être sadique, le but de la communication devrait être pour nous d'amener notre homme à se sentir *mieux* aussi souvent que possible. Malheureusement, avec le temps, les partenaires ont tendance à tenir l'autre pour acquis et à se traiter comme des colocataires plutôt que comme des hôtes. Quand les femmes s'obstinent à chercher noise à leur homme et veulent absolument le réformer, l'amour qui, au départ, liait les deux partenaires amorce une chute libre. Suivez la suggestion faite par une psychologue: prenez l'habitude d'écrire des petits mots d'amour à l'homme que vous aimez, et vous aurez la clé. Elle recommande de courts messages pleins de douceur et centrés *exclusivement sur lui.* Je suis d'accord. Vantez les choses que vous aimez le plus en lui, ses meilleurs atouts: son sourire, son humour, sa façon de raconter des histoires, son corps. Il est l'incarnation de votre bon génie, avec un pénis. Faites qu'il se sente bien. Si vous faites ça, vous l'incitez à entretenir avec vous une communication positive et vous enrichissez l'ensemble de votre relation. Un homme peut se lier au début à une femme à cause de son attirance physique. Mais il ne *restera* qu'à condition de se sentir bien avec elle. Si la philosophie d'une femme est de ne pas faire de compliments ou de caresses (ou ce qu'elle considère comme des caresses) à son ego déjà plutôt enflé, devinez qui va prendre la porte bientôt? La meilleure façon de se gagner le cœur d'un homme, c'est de chanter ses louanges encore et toujours.

Grâce aux compliments, vous entretiendrez le feu en amenant votre homme à se sentir mieux. Cela peut sembler évident, mais lors de discussions animées, les mots qu'on laisse échapper sous le coup de la colère peuvent ouvrir des fissures qui seront difficiles à réparer plus tard. Les formules négatives ne sont pas des aphrodisiaques. Quel que soit le stade de relation du couple, *chacun doit s'y sentir désiré.* Notre désir de renforcement positif est constant. Voyez comme notre journée s'illumine quand le patron, au travail, nous fait le moindre petit compliment. Et quand le compliment vient de la personne que nous aimons, nous nous sentons particulièrement heureuses, reconnues et désirables.

Une des techniques de compliment utilisée dans le Langage de l'Amour consiste à offrir à votre partenaire des commentaires positifs et honnêtes. Il s'agit de formules sincères et spontanées qui laissent savoir à votre homme, d'une façon que vous avez peut-être négligée, que vous le remerciez, qu'il vous manque, et que vous l'aimez. Par exemple, «Henri, j'adore te regarder marcher dans la rue». Ou, «Oscar, mon amour, c'est toujours très excitant de faire l'amour avec toi». Ou encore, «chéri, sur cette question, j'ai parfois envie de te tuer, mais tes baisers finissent toujours par me faire craquer!» Même dans la chaleur d'une dispute, vous pouvez sûrement trouver un trait positif à vanter chez votre partenaire. En fait, *spécialement* dans les disputes un peu chaudes, si vous réussissez à oublier le négatif un moment pour passer à quelque chose de positif, c'est toute votre relation qui en tirera profit. Vous avez déjà appris à changer vos formules négatives en dialogue intérieur positif. Il est maintenant temps d'offrir le même optimisme à votre homme. Vous êtes sûre de votre pouvoir et vous êtes prête maintenant à conforter votre objectif. Souvenez-vous que votre but est de préserver et d'enrichir votre relation. Comme vous êtes déjà bien recentrée sur vous-même sur le plan émotionnel, vous pouvez donner généreusement de ce qui déborde sans affecter ce qui est au fond de vous.

Il ne s'agit pas d'une entreprise de manipulation. Pour donner de bons résultats, les formules positives doivent être vraies, simples et sincères. Cela marche tellement bien que votre amoureux va commencer à s'ouvrir presque instantanément. Mais quand ça se produit, prenez garde de ne pas en profiter pour ressortir des griefs que vous ruminez depuis longtemps sous prétexte que vous avez enfin son attention. Remplissez l'auto-évaluation 37 et exercez-vous à composer sur le papier des formules positives avant de les utiliser dans la vraie vie.

AUTO-ÉVALUATION 37

FORMULES POSITIVES

1. Les cinq traits les plus positifs de mon partenaire sont:______________________________.
2. Écrivez cinq formules positives que vous allez dire à votre partenaire.

Pour vous assurer de son attention, commencez vos phrases par son prénom.

Marie-Claude avait une discussion fort animée avec son mari Bernard, sur le jour où ses enfants devaient venir le voir. Les deux enfants de Bernard étaient déjà à l'université et le couple avait un enfant de trois ans, mais on réussissait généralement à accommoder les deux familles. Cette fin de semaine-là, Bernard aurait voulu que ses deux plus vieux passent le voir, mais Marie-Claude avait prévu une petite balade en amoureux, rien que tous les deux. C'était un moment de répit dont ils avaient absolument besoin. Elle avait vérifié les disponibilités de son mari à l'avance et retenu les services d'une gardienne. Mais voilà qu'il voulait subitement changer le programme parce que ses enfants avaient un congé inattendu et qu'il voyait là l'occasion idéale de réunir tout le monde. Cela mettait Marie-Claude en boule d'avoir fait un tas d'arrangements compliqués pour rien. Cela ramenait aussi à la surface toutes sortes d'insécurités à l'effet que Bernard semblait souvent donner la préséance à sa première famille sur sa famille actuelle. Tandis qu'ils tentaient vaille que vaille d'organiser la fin de semaine de façon à satisfaire tout le monde, Marie-Claude s'est soudain tournée vers son mari pour lui dire qu'elle aimait beaucoup se retrouver dans ses bras et que c'est précisément ce qu'il lui fallait en ce moment. Cette formule positive a représenté une interruption bénéfique au milieu de tous les mots négatifs. Bernard a tout laissé tomber pour prendre Marie-Claude dans ses bras. Le ton s'est radouci. Ils se sont embrassés. Marie-Claude a oublié ses insécurités et c'est Bernard lui-même qui a suggéré qu'ils s'en tiennent à ce qui était prévu; ses enfants pourraient venir les voir aux prochaines vacances.

Il semble que dans notre société, nous soyons prompts à critiquer mais réticents à faire des compliments ou à offrir des caresses. La règle semble être d'ignorer les bonnes actions d'une personne mais de lui tomber dessus dès qu'elle fait quelque chose de mal. À la base de notre réticence à distribuer compliments et gentillesses, il y a notre peur de trop nous rapprocher, de nous rendre vulnérables et de finir par en souffrir. Si bien que nous semblons tous être des maniaques de l'autoprotection par les temps qui courent. Même des partenaires intimes ont tendance à éviter l'intimité qu'ils recherchent pourtant. Le langage des formules positives nous prédispose à faire du renforcement positif quotidien et ainsi rendre plus fort le lien qui nous unit. Les hommes veulent se sentir admirés, exactement comme nous. Quand nous les complimentons, leurs oreilles se retroussent et leur poitrine se gonfle. Bien sûr, si nous ne les critiquons pas aussi un peu de temps en temps, on ne croira guère à nos compliments. Certains chercheurs spécialisés dans les relations de couple ont montré qu'une seule remarque négative efface d'un seul coup une vingtaine de gentillesses et la plupart des experts sont d'accord sur ce point. Les compliments devraient être plus nombreux que les critiques dans une proportion d'au moins cinq pour une, cinq remarques positives pour une critique néfaste. Est-ce que vos compliments et vos critiques se conforment à la dose recommandée?

Vérifiez-le donc. Sur une journée, tenez un journal des compliments et des critiques qui ponctuent votre communication. Ceci vous sensibilisera à la nécessité de réduire le nombre de vos remarques négatives qui sont peut-être en train de miner votre Langage de l'Amour. Remplissez l'auto-évaluation 38 et découvrez ce qui échappe peut-être à votre attention.

AUTO-ÉVALUATION 38

JOURNAL DE MES COMPLIMENTS ET CRITIQUES

Date:__________

Contrairement à tout ce qu'on nous a appris, la flatterie, loin de ne mener nulle part, *mène à tout.* Gardez trace de la façon dont vous communiquez votre amour.

1. Les compliments que j'ai faits: ____________________.
2. Les compliments que j'ai reçus: ____________________.
3. Les critiques que j'ai faites: ____________________.
4. Les critiques que j'ai reçues: ____________________.

Si les critiques que vous avez reçues ou faites dépassent les compliments ou les critiques que vous avez faits ou reçus, il est temps de changer!

Après avoir rempli son journal sur une période d'à peine une semaine, Marie-Claude a découvert qu'elle faisait à Bernard plus de critiques que de compliments. Elle a été choquée par le caractère négatif de ses communications avec lui. Se souvenant que son objectif était de préserver et d'enrichir leur histoire d'amour, elle s'est mise à renforcer consciemment les actions de Bernard avec des commentaires positifs. Quand nous soulignons leurs comportements positifs, les hommes deviennent plus réceptifs à ce que nous avons à leur dire, et quand ils sont plus réceptifs à ce que nous avons à leur dire, nous pouvons continuer à aiguiser notre interaction et à affiner l'objectif de notre relation. Puisque nos échanges amoureux se trouvent ainsi intensifiés, nous voici prêtes à aborder le test suivant qui porte sur notre Langage de l'Amour.

Se brancher sur le bon canal

Chaque sexe a des façons différentes de montrer qu'il écoute. Comparées aux hommes, les femmes font appel à davantage de bruits, ou paralangage, pour dire qu'elles écoutent. Au contraire, les hommes restent immobiles; ils nous écoutent probablement, mais ils montrent généralement peu d'émotions. La plupart des femmes pensent que leurs hommes souffrent du syndrome du: «Excuse-moi, je n'ai pas entendu.» Mais la réaction, ou plutôt l'absence de réaction de votre homme, ne veut pas nécessairement dire qu'il n'est pas attentif ou qu'il n'entend pas le moindre de vos mots... encore que cela puisse aussi vouloir le dire. Pour découvrir si votre homme est inattentif ou si c'est seulement sa façon d'écouter, remplissez l'auto-évaluation 39.

AUTO-ÉVALUATION 39

L'ATTENTION DE MON HOMME

1. Quand votre homme vous raconte une histoire, reproduisez son comportement et restez assise sans manifester la moindre émotion ou faire appel au paralangage.
2. Laissez-le continuer à parler en restant immobile et silencieuse.
3. Si votre homme est comme la plupart des autres, il va s'arrêter en plein milieu de son monologue et vous demander si vous l'écoutez. (Apparemment, non seulement il est habitué à vos réactions, verbales et non verbales, mais il dépend même d'elles pour continuer.)
4. Quand il vous posera la question, expliquez-lui l'expérience que vous êtes en train de faire. Dites-lui que vous reproduisiez le comportement qu'il a quand il vous écoute et demandez-lui quel effet ça lui a fait.

Que s'est-il passé?

Cette petite expérience marche à tous coups. Quand Marie-Claude l'a essayée, Bernard a parfaitement compris que les résultats obtenus lui indiqaient d'écouter sa femme comme elle aurait aimé qu'il le fasse. S'il y a le moindre espoir que votre homme vous démontre son attention, c'est en lui faisant d'abord comprendre l'impression que ça fait de parler à un interlocuteur impassible. Eh oui, encore une fois c'est à la femme qu'il revient de faire tomber les barrières de la communication. Mais si elle ne le fait pas, qui va le faire?

La technologie bien connue de la programmation neurolinguistique nous apprend que chacun de nous traite l'information au moyen du canal visuel, du canal auditif ou du canal des sensations. Certaines personnes sont davantage capables de passer rapidement et en souplesse d'un canal à un autre, tandis que d'autres se concentrent sur un canal dominant, ou peut-être, au maximum, sur deux à la fois. Pour savoir nous faire écouter de quelqu'un, nous devons parler selon le mode de communication qu'il comprend. Si vous voulez apprendre à le faire, découvrez d'abord, en remplissant l'auto-évaluation 40, quels sont les canaux dont vous vous servez quand vous écoutez.

AUTO-ÉVALUATION 40

CANAL D'ÉCOUTE

Découvrez quel est votre canal d'écoute dominant: le canal visuel, le canal auditif ou le canal des sensations.

Cochez, parmi les suivantes, les phrases qui vous décrivent le mieux:

_____1. J'aime regarder les étoiles.
_____2. J'aime recevoir des massages.
_____3. Je mets sur papier les buts que je me fixe.
_____4. Je me parle à moi-même.
_____5. Je sais écouter les autres.
_____6. J'aime danser.
_____7. J'ai de la difficulté à dormir quand il y a du bruit.
_____8. Je touche les gens en leur parlant.
_____9. Après une mauvaise journée, mon corps est tendu.
_____10. J'aime observer les gens.
_____11. Je passe beaucoup de temps à soigner mon apparence extérieure.
_____12. Je réagis au son de la voix des gens.

Encerclez la catégorie où vous vous êtes le plus reconnue.

VISUEL: 1, 3, 10, 11 AUDITIF: 4, 5, 7, 12 SENSATIONS: 2, 6, 8, 9

Maintenant que vous avez découvert vos canaux d'écoute, identifiez ceux de votre partenaire dans l'auto-évaluation 41.

AUTO -ÉVALUATION 41

LE CANAL D'ÉCOUTE DE MON PARTENAIRE

Découvrez quel est le canal d'écoute de votre partenaire — le canal visuel, le canal auditif ou le canal des sensations — pour pouvoir améliorer votre communication avec lui.

Cochez, parmi les suivantes, les phrases qui le décrivent le mieux:

____1. Il aime regarder les étoiles.
____2. Il aime recevoir des massages.
____3. Il met sur papier les buts qu'il se fixe.
____4. Il se parle à lui-même.
____5. Il sait écouter les autres.
____6. Il aime danser.
____7. Il a de la difficulté à dormir quand il y a du bruit.
____8. Il touche les gens en leur parlant.
____9. Après une mauvaise journée, son corps est tendu.
____10. Il aime observer les gens.
____11. Il passe beaucoup de temps à soigner son apparence extérieure.
____12. Il réagit au son de la voix des gens.

Encerclez la catégorie dans laquelle il entre le plus.

VISUEL: 1, 3, 10, 11 AUDITIF: 4, 5, 7, 12 SENSATIONS: 2, 6, 8, 9

Après avoir rempli ces deux auto-évaluations, vous devriez comprendre davantage la façon dont vous vous écoutez mutuellement. Et maintenant, qu'allez-vous faire? Pour vous assurer qu'il entend bien ce que vous avez à lui dire, *reproduisez* le style de votre amoureux ou *donnez-lui-en un équivalent*, en parlant un langage qu'il peut comprendre. Ceci vous garantira que votre message sera reçu dans le sens où vous l'entendez.

Comment reproduire le canal de votre partenaire

- S'il dit qu'il *voit* ce que vous voulez dire, répondez en lui *montrant* une vue d'ensemble.
- S'il dit qu'il a *entendu* une histoire à propos d'un de vos voisins, dites-lui que vous aimeriez l'*entendre* à votre tour.
- S'il vous dit qu'il *aime vos cheveux*, répondez: «Je me *sens* super bien quand tu me fais un compliment.»

Les gens réagissent à l'information qu'ils sont capables de comprendre. Cela ne sert à rien de parler en anglais à votre amoureux quand la seule langue qu'il comprend est le français. De la même façon, cela ne sert à rien de lui parler en utilisant le canal visuel quand il fonctionne surtout sur le canal auditif. En vous branchant sur le langage que votre homme comprend, vous pouvez améliorer votre Langage de d'Amour.

 *Pour vous débarrasser de la statique qui nuit à votre communication, changez de canal.*

Celui qui écoute avec les yeux parle avec ses yeux également. Il veut prendre le temps de *regarder* avant de faire ou de ressentir quoi que ce soit. Ne le brusquez pas en essayant de vous rapprocher trop physiquement. Communiquez graduellement en termes visuels. Il va *voir le tableau* et sa *perspective* va *s'éclairer* de voir que vous aimez le *voir*. Faites-lui *voir* quelle personne sensible vous êtes. *Montrez*-lui tout ce que vous pouvez faire pour lui. Demandez-lui: «Qu'est-ce que tu *envisages?*», «Comment *vois-tu* ça?» et «Dans quel genre de relation nous *vois*-tu nous engager?» Sur un autre plan, mais qui est aussi capital pour un homme comme celui-là, soignez au mieux votre apparence.

Celui qui écoute avec les yeux est gêné par un bavardage perpétuel et une musique trop forte. Il est difficile pour lui d'exprimer ses sentiments. Il préfère des tête à tête avec vous à des coups de téléphone. Quand il est en colère, il y a de fortes chances qu'il se taise plutôt que de crier. Il s'habille impeccablement et avec élégance. C'est aussi un excellent preneur de notes, très organisé. Souvent, il ne regarde pas les gens dans les yeux parce qu'il est occupé à visualiser ses pensées pendant qu'il parle. Il va souvent lever les yeux avant de vous dire qu'il *voit* où vous voulez en venir. Quand vous faites l'amour, il garde les yeux fermés pour se sentir encore plus près.

Parmi les mots «visuels», mentionnons *voir*, *regarder*, *imaginer*, *révéler*, *perspective*, *brillant*, *clair*, *couleur*, *conceptualiser*, *faible* (en parlant d'une lumière), *étalage*, *dessiner*, *œil*, *illustrer*, *lumière*, *observer*, *peindre*, *image*, *portrait*, *arc-en-ciel*, *reconnaître*, *spectacle*, *vue*.

L'auditif, lui, aime les sons. Il est touché davantage par la musique que par la peinture. Il s'attache plus à la logique interne des mots qu'aux sentiments. Il organise sa vie et ses activités en fonction du temps, dépend de façon excessive de sa montre pour «savoir comment se sentir», comme me l'a dit un homme. L'homme auditif se parle à lui-même. Ne criez jamais après un auditif. Même si vous êtes très en colère contre lui, essayez de garder une voix bien timbrée. Essayez d'accorder votre timbre au sien de toutes les façons possibles. Faites-lui savoir que vous l'écoutez. Demandez-lui, par exemple: «Qu'est-ce que tu *dis* de ça?», «Trouves-tu que nous nous *entendons* bien?», «Qu'est ce que ça te *dit*?»

L'homme auditif préfère les tête à tête ou les conversations téléphoniques aux lettres et aux petits mots. Il passe beaucoup de temps au téléphone. Il ouvre la radio dès qu'il monte dans sa voiture. Il adore le son de la voix. Quand il est en colère, il vous le fait vite savoir. Il formule bien ses phrases, s'exprime de façon choisie et recherche souvent les débats animés. Il est cultivé et aime partager ses connaissances. Il s'habille correctement mais pas de façon très sophistiquée. Il aime les concerts et les autres expériences auditives. Un homme auditif a tendance à tourner la tête des deux côtés avant de vous dire qu'il *entend* ce que vous voulez dire. Quand il est assis, il adopte souvent la posture de quelqu'un qui parle au téléphone, avec la tête reposant sur la main.

Parmi les mots «auditifs», citons: *entendre*, *écouter*, *demander*, *dire*, *parler*, *tonnerre*, *rythme*, *vacarme*, *applaudissements*, *écho*, *exploser*, *grogner*, *hurler*, *sonore*, *mélodique*, *musique*, *bruit*, *diapason*, *crier*, *brailler*, *cogner*, *grincer*, *son*, *jaser*, *trompette*, *proférer*, *verbaliser*, *murmures*, *beugler*.

Le troisième type d'homme, celui qui perçoit avec ses sensations, a le cœur sur la main. Comme notre société encourage plus les femmes que les hommes à montrer leurs sentiments, il est plus facile pour une femme d'établir des rapports avec un homme qui se laisse guider par ses sensations. C'est pourquoi ce type d'homme a souvent plus d'amies que d'amis.

L'homme guidé par ses sensations se préoccupe plus de savoir quelles sensations donnent les choses que de quoi elles ont l'air ou du bruit qu'elles font. Il a des souvenirs sensuels: quelque chose qu'il a touché, senti, goûté. Si vous voulez qu'il se souvienne de vous, portez du linge doux au toucher, soyeux, texturé. Touchez-le le plus possible. Demandez-lui: «Comment te *sens-tu*?»

L'homme guidé par ses sensations fonde ses décisions sur l'*impression* qu'il a de leur justesse. Il attendra que ses sentiments se manifestent avant de prendre d'importantes décisions. Il préfère des vêtements confortables à des vêtements à la mode. Il aime parler tout en se livrant à des activités physiques. Quand il est en colère, il peut quitter la pièce tumultueusement ou taper sur la table. Il est prompt à exprimer physiquement ses émotions. Il a du mal à rester assis tout au long d'une réunion. Quand il communique, il regarde souvent vers le bas, en diagonale, avant de dire qu'il *sent* qu'il a raison.

Parmi les mots touchant aux sensations, citons: *sentir*, *toucher*, *saisir*, *attraper*, *comprendre*, *furieux*, *anxieux*, *énervé*, *mauvais*, *se comporter*, *amer*, *effrayant*, *froid*, *décontracté*, *dépression*, *sale*, *ennuyeux*, *émotionnel*, *excité*, *crevé*, *content*, *bon*, *heureux*, *dur*, *détester*, *haut*, *souhaitable*, *chaud*, *blessé*, *long*, *nerveux*, *passion*, *pousser*, *dur*, *frotter*, *triste*, *peur*, *sens*, *tranchant*, *doux*, *fort*, *tendu*, *fatigué*, *chaud*, *humide*.

Pour mettre un homme en confiance, apprenez à utiliser son canal d'écoute. «Je t'aime» est une formule un peu trop facile; une autre comme «j'ai confiance en toi» pourrait s'avérer un meilleur choix. La confiance est l'ingrédient le plus important d'un amour durable. Reprendre le langage dont se sert votre homme va lui donner confiance en vous. Même s'il ne sait pas pourquoi, il va trouver que vous avez avec lui les rapports d'un meilleur ami. Les hommes ont besoin d'avoir cette impression pour établir et maintenir des liens avec quelqu'un.

Pierre était un auditif qui passait des heures au téléphone à discuter avec des gens dans le cadre de son travail. Assis à son bureau, il avait l'habitude de poser sa tête sur une main, dans la position du *Penseur* de Rodin. Quand il a rencontré Jocelyne qui, elle, était une visuelle, il y a eu une bonne chimie entre sa personnalité de contremaître et celle de l'hôtesse qu'était plutôt Jocelyne. Ils étaient parfaitement assortis. Au début, leurs styles d'écoute différents étaient un élément positif dans leur relation car, effectivement, les contraires s'attirent.

Un jour, le couple a été invité à visiter la maison de campagne d'un ami de Pierre. Cet ami a indiqué la route à suivre à Jocelyne au téléphone et elle a répété ses indications à haute voix tout en les écrivant. Pierre, qui était en train de se raser, écoutait d'une oreille. Dans l'agitation du départ, Jocelyne a laissé les indications sur la table, mais, grâce à la combinaison de la mémoire auditive de Pierre et de la capacité de Jocelyne de visualiser ses notes, le couple s'est rendu à destination sans le moindre problème. Cela a évité une altercation. Mais leur relation a commencé à se détériorer quand leurs styles différents sont devenus des handicaps empêchant les blessures de se cicatriser.

Après avoir rempli l'auto-évaluation précédente, Jocelyne a pu voir leurs discussions sous un angle différent. En conséquence, au cours de leurs disputes, les deux partenaires ont commencé à reconnaître qu'ils communiquaient tous deux de façon fort différente. Jocelyne a découvert que Pierre devenait furieux quand sa présence interrompait son flot verbal. En tant qu'auditif, Pierre était amené à vouloir que Jocelyne *entende ses arguments* sous la forme d'un débat. Mais Jocelyne était de plus en plus dérangée par le fait que Pierre n'arrivait pas à *voir où elle voulait en venir*. Ils en venaient vite aux invectives qui naissaient tout naturellement de la frustration qu'ils éprouvaient devant leurs barrières de langue. Il fallait faire quelque chose, sinon leur relation était d'ores et déjà condamnée.

Jocelyne a commencé à quitter la pièce quand ils avaient une discussion. Elle allait prendre une autre ligne et *appelait Pierre* au téléphone. Grâce à ce style d'écoute avec lequel il était plus à l'aise, il parvenait à admettre son point de vue sans être perturbé par sa présence physique. Ne vous méprenez pas, c'est Jocelyne qui a dû apprendre le mode d'écoute de Pierre pour pouvoir se faire entendre. Elle dit que son mariage méritait cet effort, du moins aussi longtemps qu'elle voudrait qu'il dure. Elle a intégré le Message éclair de la méthode Gilda: *Choisir plutôt qu'être choisie*. Elle est prête à franchir la prochaine étape avec Pierre à partir de ses forces plutôt que par crainte. Comme vous pouvez le voir, Jocelyne continue à grandir et à se développer. À l'intérieur d'une relation, nous sommes *toutes* des œuvres en cours et le travail ne cesse jamais.

Le canal de communication que nous choisissons peut s'avérer déterminant pour l'avenir de notre relation amoureuse. Nadine fréquentait un homme dont la façon indirecte qu'il avait de la regarder la perturbait. Après l'avoir identifié comme un visuel, elle a compris qu'en regardant en l'air plutôt que de la regarder elle, il choisissait ses mots pour communiquer dans sa mémoire visuelle. Dès qu'elle a eu compris cela, elle ne s'est plus sentie vexée par son manque d'œilalogue. Le mari de Mélanie, lui, passait son temps à lui dire quoi porter; comme son apparence n'avait guère d'importance pour elle, les remarques de son mari l'ont d'abord contrariée. Mais dès qu'elle l'a eu reconnu comme un visuel, elle a décidé d'en faire le domaine par excellence où elle pourrait le satisfaire sans que cela lui en coûte trop sur le plan des émotions. Marilyne n'en revenait pas du temps que pouvait passer Denis au téléphone dans leur propre maison. Elle pensait qu'il aurait dû le passer à se rapprocher davantage d'elle. Mais quand elle a eu compris qu'il était un auditif, elle a su que son homme prenait plaisir à la conversation et son amour lui a fait accepter cela. Esther adorait que son nouveau mari tende souvent la main pour lui toucher le bras, les cheveux, le visage et les mains quand ils échangeaient. Ayant déjà été mariée à un genre de prince Charles, froid et compassé, c'était un changement qui lui faisait chaud au cœur et lui redonnait des forces. Elle comprenait que c'était un homme de sensations et Dieu sait si elle en était ravie!

Souvenez-vous que l'amour exige qu'on donne tout autant qu'on reçoit. Nous devons nous rappeler le but que nous poursuivons en vivant ensemble. Pour donner et recevoir de la passion, nous devons aussi offrir de la *com*passion. Nous devons offrir à notre homme le même genre de compliments que ceux que nous aimerions recevoir de lui. Nous devons lui montrer de quelle façon nous préférons qu'il nous écoute. Nous devons lui parler le langage qu'il peut facilement accepter et interpréter. Et pourquoi une femme amoureuse ne voudrait-elle pas honorer son homme de cette façon? Aux yeux du monde, il représente quelqu'un qu'elle a choisi. Cela fait de lui une image magnifiée d'elle-même. En témoignant ainsi son estime à l'homme qu'elle aime, une femme se témoigne aussi de l'estime à elle-même. Aucun homme ne veut quitter une femme qui le traite avec autant de respect. Et quand elle le respecte, il lui retourne la faveur.

Manifestez votre désir de jouer

Maintenant que Marguerite est plus âgée et plus sage, elle admet qu'une des raisons pour lesquelles ses deux mariages ont échoué, c'est que ses deux maris successifs refusaient de jouer avec elle, son premier dans la neige, son second dans le sable. Quand nous nous unissons par les liens du mariage, nous jurons de nous aimer, de nous honorer et de nous chérir l'un l'autre. Mais ce lien peut devenir un véritable nœud coulant si les deux conjoints n'entendent pas aussi s'amuser. Les anthropologues ont montré depuis longtemps l'importance du jeu dans la dynamique des relations entre les sexes. Il représente la prolongation des caractéristiques de l'enfance dans l'âge adulte. Le jeu rapproche les conjoints et les met sur la même longueur d'onde. Il prolonge notre langage secret dans le domaine de l'humour, des petites blagues intimes et des jeux. Le pouvoir et le sens du but représentent des éléments essentiels de notre Langage de l'Amour mais ce sont des stabilisateurs plus adultes, plus sérieux. Et il y a un vide dans notre vie de couple si nous n'y ajoutons pas un élément plus léger. Le dernier ingrédient de notre Langage de l'Amour, c'est notre désir de jouer.

Jouer ensemble pour rester ensemble.

Dans le jeu, les amoureux recherchent une intimité décontractée et où l'on s'oublie soi-même dans le rire et la joie.

Le jeu est basé sur la capacité de la personne de se prendre au sérieux mais de prendre la vie légèrement et avec humour. Quand deux personnes sont capables de trouver matière à rire dans les choses étranges qui se produisent, cela devient la colle qui rend la relation durable. C'est un vieux mécanisme pour se tirer d'embarras, qui fait disparaître l'angoisse et nous donne la distance nécessaire afin de mettre les choses en perspective et peut-être d'oublier carrément les stupidités de la vie. Les adultes ne perdent pas nécessairement leur sens de l'humour, mais la maturité exige souvent qu'on le mette de côté. Parfois, nous oublions même que nous avons déjà su jouer.

Les enfants rient dans une journée au moins vingt fois plus que les adultes. Une recherche a montré qu'un enfant de maternelle rit quatre cents fois en moyenne dans sa journée, par comparaison à quinze fois pour un adulte! Les adultes se pressent maintenant dans toutes sortes d'ateliers pour apprendre à retrouver l'enfant qui dort en eux, cette partie d'eux-mêmes qui autrefois les poussait à avoir de l'humour et à éprouver de la joie.

Le rire est le langage des anges. Le rédacteur en chef d'un hebdomadaire important a réussi à chasser par le rire une maladie qui menaçait sa vie en regardant des films des Marx Brothers et des émissions de caméra cachée, et ceci après que le corps médical lui ait assuré qu'il serait bientôt mort. Assurément, le rire aiguise le cerveau. Quand nous rions, nos glandes surrénales sécrètent des hormones qui nous rendent plus alertes et améliorent notre mémoire en période de stress. Des tests en laboratoire ont prouvé que l'humour a un effet positif significatif sur nos systèmes cardiovasculaire, respiratoire, musculaire et immunitaire. Le rire réduit le niveau de cortisol, une hormone du stress qui nous rend vulnérables à la maladie. Il libère également l'endorphine, un analgésique naturel qui peut améliorer notre santé psychique. Qui donc choisirait de *ne pas* avoir l'expérience physique totale qui consiste à s'amuser? Eh bien, en fait, beaucoup de gens.

Bernadette a rencontré son mari au début de ses études universitaires. Il y avait entre eux une différence d'âge de treize ans, mais les deux pensaient que leur amour pouvait survivre à tout ou presque. Ils s'étaient entendus pour qu'elle finisse ses études: il la soutiendrait financièrement pendant ce temps. Dans les moments particulièrement difficiles à l'époque des examens et des travaux de fin de session, il lui a accordé aussi un soutien remarquable. Finalement, elle a décroché son diplôme. Une fois sur le marché du travail, elle a voulu récupérer le plaisir et la joie qu'elle estimait lui avoir manqué pendant ses longues années d'études. Débarrassée du stress de ses échéances universitaires, elle a retrouvé son sens de l'humour et son désir de jouer. Quand elle a demandé à son mari de se livrer avec elle à des activités à l'extérieur, en été ou en hiver, il a refusé. Il lui a même dit qu'il ne convenait pas à une «diplômée universitaire» de se montrer si délurée. Il lui a dit de «se calmer» et de se comporter «comme une dame». Elle a essayé de le convaincre que le jeu faisait partie de sa vie, une partie qu'elle avait mise temporairement de côté pendant ses études, mais qu'elle voulait absolument retrouver. À contrecœur, un jour d'été particulièrement chaud, il l'a conduite à la plage, mais une fois sur place, il lui a dit d'aller marcher sur la plage aussi longtemps qu'elle voudrait, quant à lui, il resterait dans la voiture jusqu'à ce qu'elle en ait son soûl. Brusquement, Bernadette s'est dit qu'elle ne connaissait pas cet homme. Être une étudiante dépendante, sérieusement engagée dans ses études, lui avait caché le fait qu'il manquait chez lui l'élément essentiel à une relation durable. Quand elle a divorcé de lui, elle a dit à ses amies que c'était parce qu'il ne voulait pas se promener sur la plage ou se rouler dans la neige avec elle, mais en réalité, c'était parce que son mari était incapable de jouer, au sens de tout simplement jouir de la vie.

Qui ne prend pas le temps de jouer, n'a pas le temps de vivre.

Et si le temps de jouer vous fait défaut, changez de vie avant que la vie vous laisse tomber!

Par contraste avec les gens qui ne prennent pas le temps de jouer, souvenez-vous de Rachel et Alain, les deux pigeons qui, après vingt ans de mariage, roucoulent encore quand ils se voient. Ils ont gardé l'humour des débuts de leur relation et prennent des leçons de cuisine et de danse ensemble. Chacun peut raconter à l'autre sa journée de travail et parler des gens qu'il a rencontrés. Ils s'appuient mutuellement quand un collègue de travail les contrarie ou qu'un ami les déçoit. Bref, ils se respectent l'un l'autre et jouent ensemble; après vingt ans de vie commune, c'est ainsi qu'ils entendent continuer à vivre ensemble. Leur amour est en perpétuelle évolution; il se fonde sur le pouvoir de chacun, son sens du but et, bien sûr, sa volonté de jouer.

Pour augmenter le côté ludique de votre histoire d'amour, employez votre Langage de l'Amour comme s'il s'agissait d'un monologue comique. Prenez du recul par rapport à vos conflits, distanciez-vous de vos expériences et si vous n'aimez pas la scène, zappez. Votre capacité de rire et de jouer raffermit vos liens amicaux avec votre partenaire. Souvenez-vous que c'est ainsi que prend naissance le Langage de l'Amour: amis d'abord, amoureux ensuite. L'amitié est un jeu qui prépare le terrain pour les préliminaires amoureux qui vont suivre. C'est un langage particulier que deux personnes reconnaissent instinctivement comme le leur. C'est le langage suprême, celui qui n'a pas besoin de mots. Si une colonie de fourmis peut durer plus de vingt ans, il n'y a pas de raison pour qu'un mariage se termine après seulement trois ou quatre ans. S'amuser et rire s'avèrent être le baume qui chasse l'ennui et l'accoutumance d'une relation en solidifiant une union et en lui faisant traverser le temps. Une fois que deux personnes ont affirmé leur pouvoir, leur sens du but et leur volonté de jouer, chacun peut se servir du langage que l'autre comprend, offrir à son partenaire la caresse des compliments sincères et avoir hâte de se réveiller dans le même lit pour se lancer dans l'aventure d'un nouveau jour en commun. Plus nous communiquons avec humour, respect et bonté, plus vite le Langage de l'Amour parvient à se changer en Langage du Sexe.

 *Ne remettez pas le jeu à plus tard.*

MESSAGES ÉCLAIR
DU CHAPITRE 8

Maîtriser le Langage de l'Amour

- *Amis d'abord, amoureux plus tard.*
- *Devenir amie avant de devenir amoureuse.*
- *Pour réduire le stress dans la communication avec un homme, faites passer votre message d'abord comme un homme, puis comme une femme: l'essentiel en premier, les détails ensuite.*
- *Les quatre mots que les hommes détestent le plus sont: «Discutons de notre relation.»*
- *L'intimité pour un homme consiste à communier, pour une femme à converser.*
- *Votre langage en amour prédit son avenir.*
- *Sans règles, pas de limites.*
  Sans limites, pas de moi.
  Sans moi, pas d'amour.
- *Pour vous débarrasser de la statique qui nuit à votre communication, changez de canal.*
- *Jouer ensemble pour rester ensemble.*
- *Qui ne prend pas le temps de jouer, n'a pas le temps de vivre.*
- *Ne remettez pas le jeu à plus tard.*

Chapitre 9
Savoir parler le Langage du Sexe

Une bonne communication représente le meilleur lubrifiant.

Nous avons déjà vu que le Langage de l'Amour d'une femme surgit du fait qu'elle sait qui elle est, ce qu'elle veut et ce qu'elle doit faire. Nous avons vu comment ces éléments de base constituaient les fondements du pouvoir, du sens du but et de la volonté de jouer d'une femme. Dans le chapitre 8, nous avons montré comment elle devait se servir de ces capacités pour bien faire comprendre ce qu'elle communique dans le sens où elle l'entend. Les femmes qui ont ce pouvoir, ce sens du but et cette volonté de jouer osent communiquer ce qu'elles sont, quoi qu'il advienne. Comme c'est la force et non la peur qui les fait agir, et comme elles attirent non pas qui elles veulent mais qui elles sont, les hommes qui partagent leur vie sont aussi dignes d'intérêt, respectueux et enjoués. Elles savent comment convaincre leur homme en usant d'un langage toujours adapté à sa personnalité. Tel est le Langage de l'Amour. Mais il y a encore mieux. Le sommet de l'extase est atteint quand une femme sait utiliser le Langage du Sexe.

Les trois aspects du Langage du Sexe

Si les trois éléments qui constituent le Langage de l'Amour sont fondés sur la communication *verbale*, les trois aspects du Langage du Sexe sont basés sur la communication *charnelle* ou corporelle. Ces trois éléments représentent la prochaine étape, après qu'elle a maîtrisé le pouvoir, le sens du but et le jeu. Ce sont le flirt, la sensualité et la sexualité.

Quand une femme utilisera le Langage du Sexe, elle saura *quoi faire*: c'est le **Flirt.** Elle saura *ce qu'elle ressent*: c'est la **Sensualité.** Et elle saura *qui elle est*: c'est la **Sexualité.** Comme pour les trois éléments du Langage de l'Amour, si un de ces trois aspects du Langage du Sexe fait défaut, la capacité que peuvent avoir deux corps de prolonger leur communication verbale jusqu'au niveau supérieur se trouvera bloquée. Mais en *exprimant*, au contraire, ces trois composantes, un couple atteint la plus haute dimension de son union. Les partenaires sont en mesure d'enrichir ce qu'ils ont déjà construit par la communication verbale.

Les trois aspects du langage dont nous parlons sont séquentiels et cycliques, car après un certain temps, tout se fane, y compris nos relations amoureuses. Mais si nous continuons à réinventer sans cesse l'excitation qui nous a réunis la première fois, nous transformons le cycle habituel de l'«attirance-séduction-destruction» en une excitation sans cesse renouvelée. Pour un même amoureux, un flirt *éloquent*, une sensualité *frémissante*, une sexualité *explosive*. Si on veut apprécier ces moments, il faut que le même cycle commence et recommence sans cesse. Tout débute avec l'art du flirt.

Montrez-vous prête à flirter

Le flirt est une série de préliminaires frémissants et charmeurs, centrés sur le regard et entièrement non verbaux. Il exige qu'une femme sache qui elle est et qu'elle connaisse son pouvoir. Quand une femme connaît son pouvoir, elle peut audacieusement multiplier les signes à l'endroit de son partenaire avec des yeux qui scintillent. Elle peut user du regard de force avec confiance. Les yeux disent ce que les lèvres taisent. Le regard d'amour dit qu'une femme se sent bien dans sa peau, assez bien, en fait, pour risquer de jouer dans l'arène des ardeurs. Alors que les femmes affirment que le toucher est leur plus grande source d'excitation, les hommes prétendent que leur sens le plus érotique est la vue. La plupart des hommes semblent avoir une ligne directe entre leur nerf optique et leurs parties génitales. Sans dire un seul mot mais en se servant abondamment d'un œilalogue de plus de cinq secondes, une femme peut faire savoir à un homme qu'elle est intéressée. Pour augmenter l'intensité du flirt, elle peut renforcer l'œilalogue en penchant la tête de quarante-cinq degrés sur le côté, exposant l'autre côté de son cou. Si elle ajoute à cela un mouvement de tête provocant ou ramène une mèche en promenant lentement ses doigts dans ses cheveux, son intérêt amoureux devient immédiatement évident.

Après un œilalogue prolongé, une femme peut faire appel au regard bref et pénétrant qui finit par se fixer sur sa cible. Elle peut se lécher les lèvres ou faire une légère moue. Elle peut exposer l'intérieur de son poignet en pliant la main. Quand elle fait glisser sa paume ouverte de bas en haut puis de haut en bas sur son verre de vin, ses signaux deviennent plus qu'évidents. Elle peut enfin se pomponner en lissant élégamment sa robe ou en la tapotant, ou encore jouer avec un objet quelconque. Sûre de son pouvoir, elle marchera fièrement, le ventre rentré, les épaules en arrière et la poitrine en avant. Le flirt n'est que la première étape du Langage du Sexe.

Le flirt prépare le terrain. C'est le regard qui incite le gars de la table voisine à vous faire servir un verre. C'est le look qui lui fait se demander où vous pouviez bien vous cacher. C'est cet éclat magnétique dans l'œil qui avertit un mari qu'on l'attend dans la chambre… et tout de suite. C'est l'œillade, le clin d'œil, le regard appuyé qui envoient un message sans équivoque… et tout ça, sans un mot.

Quand vous avez flirté jusqu'à l'extrême limite, vous êtes prête pour la manifestation érotisante de votre sensualité. Cette prochaine étape fait appel à d'autres sens que la vue. Vous pouvez maintenant passer des poses suggestives du début à un strip-tease aguichant au son d'une musique langoureuse. Vous pouvez vous filmer sur vidéo, vous et votre amoureux, et vous repasser immédiatement vos mouvements les plus sensuels. Vous pouvez faire appel aux autres sens, le toucher, le goût et l'odorat en étreignant le monde qui vous entoure. Petit à petit votre cercle s'agrandit et votre portée s'étend de plus en plus.

Exprimez votre sensualité

Dans nos sociétés, on a tendance à penser que le sexe n'est bon que s'il y a rapport complet jusqu'à l'orgasme. L'intimité pour les hommes met généralement l'accent sur la pénétration, considérée comme le but ultime, avec une insistance particulière sur les parties génitales (avec l'espoir qu'elles ne leur feront jamais défaut). Mais cela n'a aucun sens de passer de zéro à cent en soixante secondes d'autant plus qu'à peine 30 % des femmes peuvent atteindre l'orgasme par la pénétration sans stimulation du clitoris. Comme les hommes prennent généralement un grand plaisir à voir une femme excitée, ceci peut finir par représenter un problème pour les hommes qui n'ont pas autant confiance en eux sexuellement que les femmes le croient.

La plupart des gens se trémoussent et s'agitent avec tant d'ardeur que la pénétration finit par nuire aux importantes sensations érotiques qui font le caractère délicieux de l'acte. Pour vivre une expérience qui implique la totalité du corps, il faudrait étendre l'espace de notre sexualité d'un court moment à une heure et même à une semaine; alors l'orgasme ne serait plus le seul moyen d'atteindre le plaisir. Pour vraiment apprécier le sexe au maximum, essayez de flirter le lundi, d'accélérer le rythme jusqu'aux baisers le mardi, de passer aux caresses le mercredi et de garder votre excitation jusqu'au jeudi. Parfois, l'étreinte complète pourra représenter la destination de votre voyage, et parfois elle ne sera que le voyage. Même si peu d'entre eux le reconnaissent publiquement, les hommes, comme les femmes, aiment qu'on s'occupe d'eux, qu'on les entoure, qu'on les adore, qu'on les caresse et qu'on les touche tendrement de la tête aux pieds. En agrandissant le champ de la sexualité, vous augmentez l'anticipation et le plaisir. Les partenaires qui se touchent comme si c'était la dernière fois comprennent bien que c'est le processus, le flirt, la séduction qui comptent, plus souvent que le but marqué. De même que le processus de croissance, et non la relation, devrait être votre but, c'est la montée progressive du plaisir, et non l'orgasme, qui devrait constituer votre véritable objectif. La montée représente la progression et la progression augmente l'excitation. L'excitation, elle, est la clé du plaisir et de la véritable jouissance.

On estime que le corps humain est recouvert de plus de dix mille centimètres carrés de peau. Eh bien, notre sensualité peut s'incarner dans chacun de ces centimètres carrés. Par ailleurs, selon l'Organisation mondiale de la santé, il se produit chaque jour dans le monde plus de cent millions de relations sexuelles avec pénétration. Les neuf cent dix mille conceptions et les trois cent cinquante mille cas de maladies vénériennes qui en résultent laissent à penser qu'il devrait y avoir une alternative au plaisir sexuel. Personne n'est jamais mort de désir et l'art de la retenue peut faire beaucoup de bien à un couple qui fait ainsi durer la tension sexuelle. Une fois de plus, et j'en suis désolée, ce sont les femmes qui doivent montrer la voie. Ce sont elles qui doivent guider leurs hommes vers d'autres aspects du Langage du Sexe. Après tout, cela n'est pas si mal. Les hommes disent toujours que ce sont les femmes qui se montrent les plus audacieuses et les plus imaginatives au lit qui les excitent le plus. C'est votre chance d'exprimer votre sensualité dans un riche répertoire de fantaisies, en vous servant de tous vos sens et de toutes les parties de votre corps et pas seulement des parties génitales. Pourquoi ne pas essayer? L'autre choix, c'est de rester où vous êtes. Dans *l'ennui* le plus total!

Une forme de sexualité met l'accent sur ce processus d'expansion multisensorielle: le sexe selon le tantrisme. Inspiré des philosophies orientales, il se base sur la croyance que chaque personne ne dispose que de cinq mille orgasmes. Il faut donc bien utiliser chacun d'eux. N'étant pas centré sur l'orgasme, le tantrisme ne met plus l'accent sur les parties génitales et sur la pénétration mais préfère les connexions psychiques, spirituelles et physiques. Il s'agit d'une énergie cyclique qui force mentalement le sexe à traverser toute votre personne pour pénétrer votre partenaire, en ressortir et vous revenir. En passant des parties génitales au cœur, cette énergie circule à travers tout votre corps.

Dans la sexualité du tantrisme, c'est finalement le voyage qui devient le but. On montre son appréciation, son affection et son attention à son partenaire par des baisers, des caresses et des stimulations orales et manuelles, sans diviser les jeux amoureux en préliminaires, étreinte et caresses d'après l'amour. De façon surprenante, ce sont les hommes qui disent que la plus grande erreur des femmes en matière de sexualité, c'est de ne pas assez prendre leur temps quand elles font l'amour ou de ne pas se réserver assez de temps pour le faire, comme cela se passait au début de la relation. Le tantrisme permet non seulement aux hommes d'oublier la hantise de la performance, mais il produit une sexualité lente, agréable et détendue. Et, ce qui est plus important encore, il fusionne l'amour et le sexe.

Il existe, paraît-il, deux mille huit cent soixante-deux façons de satisfaire sexuellement votre partenaire et vous-même sans pénétration. Quel plaisir ce peut être d'en essayer au moins quelques-unes! De cette façon, les femmes peuvent prendre tout leur temps avant de décoller et les hommes apprendre à accepter des critères de performance différents. Personne n'y perd.

La sensualité fait appel à tous les sens et chaque excitation produite par l'un des sens peut rejaillir sur l'autre. Mettez-vous un parfum sexy qui fasse littéralement fondre votre homme. Les parfums du corps jouent un rôle important dans la séduction de notre partenaire, notre fragrance la plus sexy étant l'émanation de nos hormones sexuelles. En fait, il existe dans n'importe quelle maison des odeurs qui peuvent spécifiquement augmenter de 20 à 40 % l'afflux de sang au pénis: celles de la tarte à la citrouille, des beignets, de la réglisse et de la lavande. Vous pourriez en placer à des endroits stratégiques. Chaque personne a également une «empreinte odorante» qui embaume aux yeux de son partenaire. Le baiser esquimau, qui consiste à se frotter le nez, est un cas patent de reniflement mutuel des odeurs corporelles qui fait grand usage de ces «empreintes odorantes».

Le monde occidental a reprogrammé le baiser pour en faire la marque personnelle de notre érotisme. Dès l'enfance, la bouche a été notre première zone érogène. Sans dire le moindre mot, elle reflète quelque chose de notre caractère, de notre générosité et de notre désir de satisfaire un partenaire. Selon une recherche récente, maris et femmes s'embrassent en moyenne 5,76 fois par jour. Dans une étude menée auprès de personnes appartenant à dix-neuf pays différents, les trois quarts des femmes ont dit trouver le baiser plus intime que la pénétration et, chose surprenante, la moitié des hommes ont fait la même réponse. Le baiser est érotique à cause des nombreux nerfs qui aboutissent aux lèvres. Il peut permettre de goûter, sentir et respirer l'énergie de l'autre aussi bien que son odeur. Pour maintenir nos liens dans le domaine de la sensualité, nous serions bien avisés d'en revenir aux marathons de baisers auxquels nous nous livrions au début de notre relation.

Le baiser est une excitation au niveau du goût mais qui implique aussi le toucher. Le toucher comprend des frôlements et des caresses qui peuvent rendre fou votre partenaire. Quand nous touchons notre partenaire, nous pouvons repérer ses points chauds. Certains de ces points ont plus de terminaisons nerveuses que d'autres et ils enregistrent donc plus de sensations. Alors que la colonne vertébrale et le haut du bras sont les parties les moins sensibles, le bout de la langue, le bout des doigts et le bout du nez (à la mode esquimaude) sont nos trois plus importants centres du toucher. Avec un peu de léchage, de mordillements, de «suçage», votre coefficient de plaisir peut monter en flèche. Et souvenez-vous d'étendre sa zone érogène de ses doigts de pieds à son scrotum, ses mains, ses oreilles, bref ses dix mille centimètres carrés d'amour.

N'oubliez pas les sons sexy comme les soupirs, les ressorts du lit qui grincent, les battements de cœur et une musique suggestive. Ces divers éléments affectent l'émission d'hormones, l'activité des ondes du cerveau, les battements cardiaques et l'énergie électrique du corps. Noyez votre homme sous les compliments sincères, en particulier à propos de sa performance. Louez-le sans l'évaluer. Masturbez mentalement son ego. Une femme a besoin de stimulation cognitive avant toute stimulation clitoridienne, et c'est pour cela que nous recherchons les compliments. De la même façon, nous devons nous souvenir de laisser nos orgasmes être des *audiogasmes* particulièrement évidents et démonstratifs de façon que notre homme sache hors de tout doute qu'il nous a fait fondre. Quand un homme court la galipote, il met ça non seulement sur le compte de la perte de séduction de sa femme mais aussi sur son manque d'attention à *son* endroit. Un homme aime qu'une femme soit excitée, il aime savoir que c'est lui seul qui l'a conduite à l'extase. Manifestez à votre homme que vous êtes là pour lui, corps *et* âme. Et laissez parler votre corps à travers tous vos sens.

Jouissez de votre sexualité

Une revue de psychologie sociale a découvert que les femmes qui ont une vision positive de leur sexualité ont des relations amoureuses plus satisfaisantes. C'est compréhensible si on considère que la sexualité est une expression de la sensualité et que la sensualité, elle, exprime notre volonté de faire concourir nos sens à notre excitation. Pour jouir au maximum de votre sexualité, vous devez garder tous vos pouvoirs au lit. Comme vous savez déjà comment projeter une image de pouvoir quand vous êtes à la verticale, la chose qu'il vous reste à faire, c'est de transférer les mêmes qualités à la position horizontale. Mais d'abord, dans la position verticale, déshabillez-vous complètement. Placez-vous devant un miroir et dites tout haut: «Je suis une femme très sexuelle»; «J'adore mon corps, il est magnifique»; «Je sais comment donner du plaisir à un homme»; «Je mérite d'avoir du plaisir, moi aussi»; «J'aime montrer à mon partenaire comment me donner du plaisir au lit.» Soyez fière de votre beauté, elle est unique. Souriez-vous et faites courir vos mains sur vos zones de plaisir personnelles.

Le sexe ne se borne pas à l'acte sexuel proprement dit, cela concerne surtout la façon dont une femme perçoit son corps et sa liberté de s'en servir. En dépit des nombreux tabous dans lesquels nous avons été élevées et du fait qu'entre les hommes et les femmes il y aura toujours deux poids deux mesures, même si ce n'est pas explicite, chaque femme doit penser qu'elle a le droit de jouir de sa sexualité. Elle n'a pas besoin de s'en excuser. Fière de son corps, elle est donc libre de dire à son partenaire qu'elle *mérite* d'être excitée.

Le sexe représente le langage par lequel un couple se donne une extase mutuelle. Une sexualité excitante transporte la communication de tous les jours dans une sphère supérieure. Pour atteindre cette liberté de l'excitation, une femme doit oublier les contes à dormir debout et les histoires de grands-mères. Elle doit se débarrasser de ses inhibitions et de ses craintes. Elle doit accepter de perdre le contrôle.

Débarrassez-vous des mythes sexuels et fondez vos actions sur la vérité

Pour bien des gens, le sexe est un mystère fait de fantasmes lubriques et de mythes ennuyeux à propos du mariage. Quelle proportion de ce que vous savez sur le sexe se fonde sur des faits? Vérifiez vos connaissances sur ce point en remplissant l'auto-évaluation 42. Vous serez peut-être surprise de ce que vous *ne savez pas*. Quand vous aurez acquis le savoir dont vous avez besoin, vous pourrez atteindre l'harmonie sexuelle en menant une vie sexuelle plus excitante que jamais. Mieux connaître votre propre corps et celui de votre partenaire vous donnera plus de liberté pour faire des expériences et jouir des fruits de l'amour physique d'une façon que vous n'auriez jamais crue possible.

AUTO-ÉVALUATION 42

LA LIBIDO, LES FANTASMES ET L'ORGASME

Répondez par Vrai *ou* Faux *à chacune des affirmations suivantes:*

___1. Un homme ne peut éjaculer sans érection.

___2. Presque tout le monde, marié ou célibataire, se masturbe.

___3. Un bon mariage peut survivre à une vie sexuelle défaillante.

___4. Au début d'une relation, les gens ont souvent de la difficulté à faire part à leur partenaire de leurs préférences sexuelles. Mais à mesure que la relation se développe, le manque de communication au niveau sexuel reste souvent tout aussi flagrant.

___5. Contrairement aux femmes, les hommes sont prêts à faire l'amour n'importe quand et n'importe où.

___6. Quand un des partenaires initie la relation sexuelle, cela veut toujours dire qu'il désire son partenaire.

___7. Les femmes atteignent l'orgasme plus facilement dans la position du missionnaire.

___8. Les hommes et les femmes ont le même nombre de zones érogènes.

LES BONNES RÉPONSES

1. *Faux.* Même un pénis mou et partiellement en érection peut éjaculer.

2. *Vrai.* Les gens de tous âges se masturbent. Les couples qui vivent le début d'une relation excitante se masturbent en fantasmant sur leur partenaire quand ils sont séparés. Les gens mariés se masturbent pour compenser une éventuelle différence de leurs besoins sexuels.

3. *Vrai.* Un «bon mariage» est le terme important ici. La présence d'un problème ne veut pas dire qu'il n'y a aucune satisfaction sexuelle. Une relation dans laquelle les partenaires s'aiment et s'engagent l'un envers l'autre implique des compromis sur le plan sexuel, compromis que les partenaires font volontiers pour s'adapter l'un à l'autre.

4. *Vrai.* Dans les premiers temps d'une relation où tout est encore fragile, la confiance et la franchise sur le plan sexuel sont plutôt rares. Plus tard, les partenaires se montrent réticents à évoquer leurs préoccupations sexuelles de peur d'être perçus rétrospectivement comme ayant été manipulateurs, hypocrites et malhonnêtes au début de la relation. Ils craignent également de menacer la sécurité de leur partenaire. Il semble que ce ne soit jamais le bon moment pour discuter de ces questions délicates et il s'avère ainsi fort difficile de rompre avec les vieilles habitudes.

5. *Faux.* Comme les femmes, les hommes ont leurs moments d'excitation et leurs moments de calme plat. Même si, généralement, les femmes font davantage preuve de discrimination que les hommes, le mythe qui veut que les hommes puissent

faire l'amour à n'importe quelle femme, n'importe où, représente une pression supplémentaire qui les pousse à «performer».
6. *Faux.* Les gens font l'amour pour toutes sortes de raisons: pour créer l'intimité, pour se faire toucher, pour se retrouver dans les bras de quelqu'un, pour fuir l'intimité, pour faire tomber la tension, pour baiser quelqu'un au sens figuré. Durant la phase paradoxale du sommeil, les hommes peuvent avoir jusqu'à cinq érections, chacune durant de trente à quarante-cinq minutes. Même si elles ne sont pas nécessairement l'expression du désir, on peut toujours en faire bon usage.
7. *Faux.* Bien que beaucoup de femmes aiment bien qu'un homme assume la position dominante au moment de la pénétration, la majorité trouve que la position où la femme est sur l'homme leur procure une bonne stimulation du clitoris contre l'os du pubis de l'homme. Cette position permet aussi à la femme de contrôler le rythme et l'amplitude de la pénétration. Les hommes disent que c'est leur position favorite, suivie de la pénétration par en arrière.
8. *Vrai.* Le corps humain possède beaucoup de zones sensibles au toucher. S'il s'écarte un peu des parties génitales considérées comme seule source de plaisir sexuel, un couple peut ainsi s'ouvrir de nombreuses avenues d'excitation nouvelle.

Quelle a été votre performance à ce petit test? Qu'avez-vous découvert que vous ne saviez pas? La sexualité est un sujet tabou dans de nombreux milieux: beaucoup de gens éprouvent de grandes réticences à discuter de leurs problèmes, même avec leur médecin de famille. Quand les vérités dans ce domaine demeurent cachées, les mythes et les mauvaises interprétations fleurissent. Mais cela ne se produit pas quand deux personnes connaissent le magnifique Langage du Sexe et l'utilisent.

Il n'empêche que dans le domaine de la sexualité, les mythes ont la vie dure. Par exemple, une bonne part de notre fascination pour le sujet vient du fait que nous croyons au mythe selon lequel il y a pour ça un moment qu'il ne faut pas laisser passer: selon ce mythe, les hommes atteindraient le sommet de leur puissance sexuelle aux environs de l'adolescence et les femmes un peu après. Sur la foi de cette diminution supposée de la puissance sexuelle avec le temps, toute personne de plus de trente ans serait impuissante sexuellement. Il est vrai que nos composantes biologiques, y compris nos parties génitales, vieillissent avec nous. Mais des recherches récentes semblent indiquer que pour un homme, la façon la plus simple de conjurer la menace d'impotence consiste à continuer d'avoir des érections sur une base régulière, car un pénis mou est probablement l'organe le moins oxygéné qui soit. Ces mêmes recherches suggèrent également qu'un orgasme par jour prévient l'ablation chirurgicale de la prostate.

Il est également recommandé aux femmes de procéder régulièrement à un «changement d'huile» parce que le sexe sur une base hebdomadaire double le niveau d'œstrogènes d'une femme, augmente sa fertilité, réduit le stress, aide à prévenir les maladies cardio-vasculaires, brûle entre cent et deux cent cinquante calories à l'heure et augmente l'espérance de vie. Une autre étude a montré que le tiers des femmes qui souffrent de migraines se sentaient mieux après avoir fait l'amour, le soulagement de la douleur étant directement relié à l'intensité de l'orgasme. De plus, une relation sexuelle satisfaisante fait bien dormir parce que les hormones et les substances neurochimiques du corps sont dosées de telle façon que le cerveau ferme boutique après le tremblement de terre de l'orgasme. Freud lui-même recommandait trois orgasmes par semaine. Des études récentes ont également montré que les femmes ayant survécu à un cancer du sein et qui connaissent l'orgasme — que ce soit par la masturbation ou en faisant l'amour — se remettent plus facilement que celles qui n'ont jamais d'orgasmes. Alors, si les rapports sexuels sont si bons *pour la santé*, pourquoi ne voulons-nous pas en avoir davantage? Comment se fait-il que la chose dont se plaignent le plus les couples unis à leurs thérapeutes soit précisément le manque de désir?

Êtes-vous complètement éteinte au lit?

Quel est votre niveau de désir? Remplissez l'auto-évaluation 43 et évaluez votre quotient de désir pour déterminer votre capacité d'atteindre l'extase avec votre partenaire.

AUTO-ÉVALUATION 43

MON QUOTIENT DE DÉSIR

Répondez par Vrai *ou* Faux *à chacune des affirmations suivantes:*

_____1. Nos corps entrent en combustion sans inhibition et de façon créative.

_____2. Au lit, je me laisse complètement aller.

_____3. Nous nous touchons, nous nous embrassons et nous flirtons, même si nous ne faisons pas l'amour.

_____4. Quand des problèmes sexuels se présentent, nous en parlons.

_____5. Il m'écoute, il se montre sensible à mes besoins et je me sens en sécurité avec lui.

_____6. Émotionnellement nous ne nous cachons rien et je me rends sexuellement disponible pour lui.

_____7. Nous aimons faire des expériences, essayer de nouvelles techniques, nous servir de gadgets sexuels et nous donner des massages érotiques.

_____8. Nous trouvons toujours le temps de faire l'amour, même si notre emploi du temps respectif est très chargé.

_____9. Nous ne ressentons aucune pression pour performer sexuellement.

_____10. Nous nous concentrons autant sur les préliminaires que sur les caresses d'après l'amour; pour nous, c'est l'ensemble de l'expérience qui compte.

RÉSULTATS

Comptez votre nombre de «Vrai»:

8 à 10: Haut quotient de désir: *Vous avez une relation torride.*

4 à 7: Quotient médiocre: *Vous devriez mettre un peu d'épices dans vos sucreries.*

0 à 3: Quotient faible: *Vous êtes l'un et l'autre complètement éteints.*

Tous les problèmes que nous pouvons rencontrer sur le plan du désir se situent entre nos deux oreilles plutôt qu'entre nos jambes. Si votre quotient de désir est élevé, c'est que vous savez probablement comment mettre en œuvre les trois éléments du Langage du Sexe. Mais si votre quotient de désir est médiocre ou faible, vous avez besoin d'une mise au point sur le plan sexuel. Pour commencer, fermez la bouche et les jambes mais ouvrez vos oreilles et votre cœur. Et ayez foi en votre propre sexualité.

 *Il y a dans chaque femme une déesse du sexe qui sommeille et cette déesse, c'est vous.*

Votre sexualité naturelle ne demande qu'à s'exprimer.

Avez-vous atteint la perfection que donne la maturité?

Aucun adolescent ne peut se vanter d'avoir la même expérience de la vie qu'un *baby boomer*. Mais les adultes d'aujourd'hui ont tellement assimilé la forme sexuelle à la forme génitale que les autres parties qui devraient entrer en jeu sont parfois un peu trop tôt fermées pour rénovation ou pire, condamnées définitivement. De plus en plus, un nombre record de «pas ce soir, chérie» apparaissent dans la bouche des hommes alors qu'autrefois la formule semblait réservée aux femmes. Oui, à mesure qu'un homme vieillit, il met plus de temps à récupérer entre chaque orgasme. À dix-sept ans, il lui suffit de sept *minutes* environ mais un quinquagénaire peut avoir besoin de huit à vingt-quatre *heures*. Beaucoup d'hommes ont de la difficulté à vivre les changements qui affectent leur corps. Mais en fait, la plupart des adultes en santé peuvent continuer d'être actifs sexuellement tout au long de leur vie.

Avec la pression qui s'exerce de plus en plus sur les hommes pour qu'ils performent, la nécessité de s'occuper de la mise en scène et de l'action, de l'atmosphère, des préliminaires et même de l'après étreinte, fait de toute relation sexuelle une autre tâche à accomplir. Quand la performance qui s'annonçait ne se réalise finalement pas, ce peut être un véritable désastre. Vous vous souvenez de Claire, la femme aux bottes que nous avons rencontrée au chapitre 6? Eh bien, quand son beau jeune homme et elle se sont finalement rencontrés sexuellement, à son grand étonnement — ou du moins c'est ce qu'il a prétendu — il n'est pas parvenu à avoir une érection. Quel embarras pour lui, après des heures et des heures passées au téléphone depuis l'autre bout du continent, à promettre une expérience sexuelle torride. Après de vains efforts, il a fini par admettre en désespoir de cause qu'il venait de commencer à prendre des médicaments pour lutter contre son taux de cholestérol élevé. Paniqué par son impotence sous les draps, il s'est éjecté du lit comme une gazelle pour voir si la boîte de pilules ne mentionnait pas l'impuissance parmi les effets secondaires possibles de la médication. À son grand désappointement, ce n'était pas le cas. Et c'est comme ça que s'est achevée la nuit, avec tout espoir de relation.

De nombreuses études ont montré qu'une des plus grandes phobies des hommes est de ne pas réussir à performer sexuellement, alors que les pires craintes de femmes sont d'être laides et de devenir trop grosses. Incontestablement, les femmes se réalisent de plus en plus sur le plan sexuel mais il semble que maintenant qu'elles se montrent plus exigeantes, leur partenaires, eux, soient moins avides de relations sexuelles. La crainte qu'éprouvent les hommes de ne pas être à la hauteur des attentes des femmes est appelé Syndrome d'Insécurité Sexuelle Masculine que l'on peut aussi traduire en langage courant par: «Désolé, chérie, j'ai mal à la tête.»

En vérité, même si notre pleine forme génitale grandit puis décroît, la plupart des gens ne réalisent jamais pleinement leur potentiel. À vingt ans, le sexe est essentiellement une question d'ego. À trente ans, il se donne des objectifs. Mais à quarante ans et après, il peut s'avérer pacifiant, paisible et chaleureux. Ceux qui s'approchent le plus de la perfection sexuelle font généralement partie de la classe d'âge des quarante ans et plus. Finalement, ce qu'ils pouvaient faire pendant toute la nuit, leur prend maintenant toute la nuit à faire. Mais qui s'en plaindrait?

Le facteur de prévision qui pousse les gens à croire qu'ils ne seront plus du tout fonctionnels sur le plan sexuel devient souvent une prophétie qui se réalise d'elle-même. Les hommes s'attendent à ne pas être à la hauteur de la situation et les femmes à être plus sèches que de l'amadou. Il se sent moins viril, elle se sent moins séduisante et ce sont là les pires craintes de chacun des sexes. À cause de cette angoisse de l'échec, beaucoup de couples cessent tout simplement d'essayer. Dans nos sociétés, les mariages sans vie sexuelle sont plus courants qu'on ne le croit. Une étude menée auprès de six mille couples a prouvé qu'un sur six n'avait pas de vie sexuelle. Quand notre partenaire ne parvient pas à performer, nous les femmes, en notre qualité de police de la relation, nous mettons le blâme sur nous-mêmes. Parviendrai-je à l'amener à avoir une érection? Suis-je assez attirante? Serai-je assez lubrifiée? Aurai-je un orgasme? Aurai-je un orgasme assez vite? Combien aurai-je d'orgasmes? En lui-même, le sexe n'est pas l'élément le plus important d'une relation. Mais quand on le replace dans le contexte des hauts et des bas d'une relation, il peut revêtir une importance capitale. Nous devons apprendre à ne pas nous laisser *obséder* par notre vie sexuelle, mais nous devons aussi nous attendre à une vie sexuelle saine et savoir comment la commander.

> *Chère docteure Gilda,*
> *J'imagine que je suis égoïste, mais je me considère insatisfaite sur le plan sexuel depuis fort longtemps. Vous allez probablement me demander si notre relation de couple est basée sur le sexe et la réponse est non. Mais la sexualité joue quand même son petit rôle et quand l'insatisfaction s'en mêle, il semble que cela finisse par beaucoup compter.*

Demander la satisfaction sexuelle n'est pas être égoïste. Le sexe est un besoin qui demande à être satisfait, au même titre que la faim ou la soif. Nous avons tous le droit et même le devoir de demander ce dont nous avons besoin. Si nous ne le demandons pas, nous finissons par nous mentir à nous-mêmes et si nous nous mentons à nous-mêmes, à nous qui sommes la personne la plus importante dans notre relation, comment pourrons-nous nous montrer disponibles pour notre amoureux?

Tout le monde ne veut pas manger la même chose au même moment. Comme pour la nourriture, la variété de nos appétits sexuels couvre une gamme extrêmement vaste et la façon dont nous définissons ce qui est extraordinaire est elle aussi extrêmement diversifiée. Dans ***Annie Hall*** de Woody Allen, la caméra va de Woody à Diane Keaton parlant chacun à son psychiatre de la fréquence de leurs relations sexuelles:

> *Lui: «Pratiquement jamais. Peut-être trois fois par semaine.»*
> *Elle: «Constamment. Je dirais trois fois par semaine.»*

On ne trouverait pas deux personnes pour être toujours d'accord sur ce qui est satisfaisant. Mais une chose est sûre, c'est que lorsque nous sommes à l'aise avec nous-même, nous n'éprouvons aucune gêne à demander à nos partenaires ce dont nous avons besoin. Si, au contraire, nous avons plus de facilité à dire à nos amis ou à notre thérapeute ce qui nous *manque* qu'à le lui dire à lui, notre amoureux ne parviendra jamais à connaître nos besoins et c'est ainsi que nous n'aurons jamais cette petite gâterie que pourtant nous méritons bien.

Le Langage du Sexe exige qu'on ralentisse et qu'on aiguise ses sens, qu'on pense séduction et qu'on invite à la spontanéité. Commencez par le flirt, continuez par la sensualité et poussez jusqu'à la sexualité quand vous êtes en forme. Le Langage du Sexe exprime le Langage de l'Amour. Faites-en une aventure de tout votre corps. Et faites que ça dure. Mais surtout, souvenez-vous que passer du flirt à la sensualité puis à la sexualité prend du temps. À moins que vous n'ayez un autobus à prendre, ralentissez et savourez chaque moment.

Besoin de temps

Le temps est un facteur important dans l'établissement d'une relation profonde et durable. Alors que la passion peut frapper vite et s'évanouir tout aussi vite, l'implication exige une intimité qui s'établit avec le temps. Selon certaines études portant sur l'intimité du point de vue des hommes, cinq éléments déterminent la qualité du lien émotionnel qui s'établit entre deux individus: le temps passé ensemble, les expériences partagées, la profondeur de la communication interpersonnelle, l'exclusivité et le souci que les deux partenaires ont l'un de l'autre. Notez bien qu'il s'agit de l'intimité telle que les hommes la vivent. Et c'est encore un autre signe qui nous montre que les hommes veulent la même chose que les femmes. Une étude récente suggère que les gens qui finissent par se marier connaissaient leur partenaire depuis plus longtemps avant d'avoir une relation sexuelle avec lui que les couples qui ont vécu une relation de courte durée, et ce, qu'ils se soient rencontrés dans un bar, dans une soirée, à l'école ou au travail. Avec le temps, un couple a la possibilité de développer une amitié profonde qui dure longtemps après que les premiers élans romantiques se sont éteints. L'amitié est la base de la liberté sexuelle. Elle permet à deux personnes de se révéler sans gêne leur vulnérabilité aussi bien que leurs petits travers. Bref, elles peuvent être pleinement elles-mêmes. Même si l'attirance sexuelle qu'elles éprouvent l'une pour l'autre n'est pas très forte au début, elle peut finir par grandir avec l'approfondissement de l'intimité émotionnelle qui les lie. «Amis d'abord, amoureux après», telle est la formule sur laquelle se fonde l'intérêt réciproque qu'on se porte. Et quand on suit cette progression, le sexe devient encore meilleur avec le temps.

 *L'amour à l'horizontale s'améliore quand, à la verticale, on se soucie de l'autre.*

Comment maintient-on une bonne relation amoureuse? En ne séparant pas le sexe de l'amour. Les relations de couple que nous pouvons observer dans notre enfance déterminent nos expériences d'adultes de bien des façons. Si l'un ou l'autre des deux partenaires, ou même les deux, ont appris à séparer l'amour du sexe, le sexe peut servir de substitut à l'intimité des émotions qui manque dans le couple, et ce, même quand ils sont en train de divorcer. C'est pour cela que certains couples continuent à avoir des relations sexuelles même après leur séparation. Mais ce genre d'activité ne compensera jamais le manque d'intimité et d'engagement qui a probablement été la cause première de la séparation du couple. Néanmoins, ce qu'il y a de bien avec le comportement humain, c'est que si une de nos habitudes sexuelles ne nous sert plus, nous pouvons toujours la changer. Nous savons que nous ne pourrons jamais changer les habitudes de quelqu'un d'autre, mais nous pouvons très certainement changer les nôtres car:

 *Nous apprenons notre façon d'aimer, nous n'en héritons pas, et ce qui a été appris peut aussi être désappris.*

Dans la culture populaire, le sexe est la vitrine de l'amour. Dans une tentative pour remettre tout cela dans une perspective plus juste, le Mouvement national pour la chasteté, aux États-Unis, recommande le célibat avant le mariage afin que les relations sexuelles prémaritales ne se mettent pas en travers de l'amour romantique. Et si devenir une «vierge rétro» est difficile à avaler, sachez qu'il existe toute une tendance de romans d'amour chrétiens dont l'action se situe à l'intérieur du mariage et se développe dans *la prière* et non l'alcool ou la nudité et qui se proposent d'enseigner l'abstinence et la pureté aux personnes seules. D'après cette philosophie, apparemment il n'y a pas de date d'expiration pour la virginité. Et pour ceux qu'inquiète la montée des maladies sexuellement transmises, cette doctrine qui prêche la maîtrise de ses hormones peut s'avérer un mode de vie sûr et satisfaisant. Cela dit, la plupart des gens dans nos sociétés seraient d'accord pour dire qu'il y a deux types de sexe différents: le sexe sans importance et le sexe dans l'amour.

Le sexe sans importance et le sexe dans l'amour

Chère docteure Gilda,
Je suis complètement folle d'un garçon que je vois à l'université. Beaucoup de filles lui courent après et il le sait. Nous sommes en train de devenir amis. J'aimerais beaucoup que nous ayons une relation. Mes amies me disent que je devrais me tenir loin de lui parce qu'il a la réputation de se servir des filles. Se pourrait-il qu'elles soient tout simplement jalouses? Devrais-je coucher avec lui quand même? Je le désire terriblement!

Cette jeune femme dit qu'elle désire une *relation,* mais elle est prête à *tout céder* à un beau don Juan, champion de la «petite vite» parce qu'elle s'imagine qu'ils sont déjà «amis». L'avertissement est pourtant bien visible ici. Je lui réponds qu'elle se prépare bien des malheurs et des désappointements et que si elle veut éventuellement gagner le cœur de ce garçon — si tant est qu'il vaille la peine d'être gagné — elle devrait se distinguer des autres et *prendre son temps.* Si c'est vraiment une relation qu'elle veut, elle ne la trouvera pas en sautant si vite sous les draps, surtout si c'est ce qu'on lui offre déjà sans arrêt.

Quand des célibataires commencent à sortir ensemble, ils se sentent souvent obligés de choisir entre les deux plus importantes options qui s'offrent à eux dans leur nouveau monde sexuel: «Combien?» et «À quel moment?» S'ils n'ont pas assez réfléchi à la question, ils peuvent se retrouver en train d'écrire des lettres semblables à celle-ci, qui ressemblent à des centaines d'autres que je reçois régulièrement:

Chère docteure Gilda,
J'ai dans ma vie depuis deux ans un homme que j'aime bien. Nous avons des relations sexuelles depuis maintenant deux mois. Le problème, c'est qu'il ne veut pas s'engager. J'aime être avec lui et je ne veux pas lui demander de s'engager parce que je ne veux pas lui faire peur. Je n'ai jamais aimé personne autant que lui. Tout en lui est parfait. Nous sommes parfaits l'un pour l'autre. Je vous en prie, aidez-moi.

Il est fort surprenant de voir ce que certaines femmes considèrent «parfait». Si cette femme est malheureuse, cette «relation» est loin d'être «parfaite». Combien de temps va-t-elle accepter de ne pas communiquer ses besoins dans cette aventure? Est-ce que cela vaut la peine d'oublier ses besoins pour «ne pas l'effrayer»? Toute femme impliquée dans une situation semblable devrait décider ce qui est le plus important pour elle: satisfaire ses désirs à elle ou ceux de son partenaire. Bien sûr, au début, le sexe sans importance est la seule chose qui s'offre aux célibataires alors que le sexe dans l'amour est plutôt réservé aux gens vraiment monogames. Mais la distinction entre les deux n'est pas absolue. Des partenaires qui s'aiment peuvent et même devraient avoir des relations sexuelles pour le plaisir, et le sexe sans importance des célibataires peut fort bien aboutir à un amour véritable. Mais — et c'est une question importante — si des célibataires choisissent de se livrer à des relations sexuelles sans importance, ils doivent 1) l'accepter exactement pour ce que c'est et 2) être honnêtes avec eux-mêmes et admettre que si cela reste purement sans importance, il va falloir s'en accommoder. Malheureusement, la plupart des femmes souhaitent que l'homme avec lequel elles s'amusent *se change* en partenaire capable de s'engager. Tiens, tiens! encore cette question d'engagement!

Tout bien considéré, ce qu'on recherche le plus dans un partenaire sexuel engagé, ce n'est pas un amoureux mystérieux qui nous amène à nous poser des questions à son sujet, mais un compagnon qui se soucie de nous et sur lequel on puisse toujours compter. Si les hommes disent rechercher d'abord la beauté physique pour une relation sexuelle *sans lendemain*, ils préfèrent, pour leurs engagements à long terme, des femmes honnêtes, fidèles et chaleureuses à des beautés purement extérieures. Les femmes veulent quelqu'un de généreux, d'honnête et qui a le sens de l'humour. Quelqu'un qui a les mêmes valeurs et les mêmes intérêts qu'elles et qui est sensible à leurs besoins. Quelqu'un avec qui se mettre au lit pour la nuit, à prendre dans ses bras et à serrer, peu importe que le sexe soit bon, mauvais ou même inexistant. Quelqu'un capable d'offrir de la sensualité tout autant que du sexe. Comme notre partenaire potentiel ne nous est pas livré avec un sceau de garantie, nous devons nous en remettre à nous-mêmes pour déterminer si c'est celui qui nous convient.

Avec le temps et de la patience, le sexe sans importance peut devenir du sexe dans l'amour. Cela impose d'oublier le plaisir immédiat avec Monsieur Tout-de-Suite, quand bien même ça nous démange. C'est une chose difficile. Mais tout dépend de ce qu'une femme veut. Si elle veut un engagement ferme, elle doit savoir que même en ces temps d'égalité, beaucoup d'hommes font encore la différence entre la bonne fille et la mauvaise. Dans leur esprit, la bonne fille ne couche pas trop vite avec un homme, sinon il va croire qu'elle couche aussi avec beaucoup d'autres et alors, adieu le respect. Quant aux femmes, on leur a appris à elles aussi dès l'enfance que les filles qui aiment le sexe sont des «traînées» et que les femmes sexy sont des idiotes faciles. Pour combattre ces stéréotypes galvaudés, nous devons jouir de notre vie de tous les jours avec toutes ses passions jusqu'à ce qu'un homme digne d'intérêt entre en scène. Et quand il se présente, nous pouvons commencer lentement à bâtir une amitié pour l'avenir. Ce processus ne peut pas être accéléré parce qu'il exige des épreuves à traverser, de la confiance à acquérir et toutes sortes d'avancées et de reculs. Chaque étape successive peut exiger une nouvelle négociation. Avec chaque négociation, nous apprenons quelque chose de nouveau sur nous-mêmes et c'est là que réside le plus grand objectif de toute vie: apprendre et grandir, et pas seulement pour faire partie d'un couple.

Histoires d'excitation: deux cas fort différents

Viviane et Serge étaient mariés depuis six ans. C'était un couple rayonnant. Pour eux, il n'y avait rien de plus sexy que leur monogamie. L'amour et le respect qui les liaient l'un à l'autre étaient contagieux; même à ce stade de leur relation, chaque fois qu'ils étaient avec des amis, ceux-ci restaient étonnés de voir que le simple fait de se passer le sel ressemblait, pour ces deux-là, à des préliminaires amoureux.

Ils se retenaient pour ne pas se toucher à la moindre occasion. Ce soir-là, ils avaient été invités à dîner chez des amis. Assis au coin du feu et tout en discutant avec les autres, ils se mirent à feuilleter, sans y prêter trop d'attention, un livre de photographies qui traînait là. Il s'agissait du livre de Madonna, *Sexe*, avec des images de pratiques sexuelles explicites. En regardant les photos, leurs températures combinées se sont mises à grimper au point de pratiquement chauffer toute la maison. Ils se sentirent bientôt irrésistiblement poussés à s'éclipser pour monter à l'étage, où leurs petites agaceries purent se changer en caresses enthousiastes. Même s'ils n'ont pas vraiment fait l'amour, l'excitation du fruit défendu, tandis que la soirée se poursuivait en bas, les faisait se sentir spontanément délinquants. Ce fut certainement une des expériences les plus érotiques que le couple ait jamais connues. L'intimité basée sur la confiance fait appel à tout ce qui se mijote dans nos esprits, nos cœurs, nos âmes et pas seulement dans nos membres et nos organes.

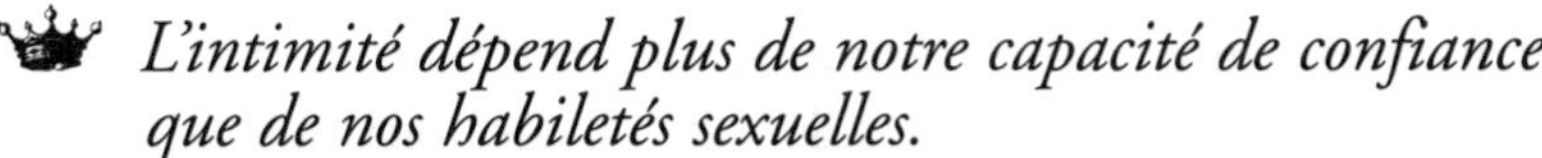

L'intimité dépend plus de notre capacité de confiance que de nos habiletés sexuelles.

Céline et André étaient deux célibataires qui avaient connu un tout autre genre de relations sexuelles. Par une matinée tranquille de dimanche, André a invité Céline à venir le rejoindre pour un petit jogging dans le parc. Ils n'avaient pas encore eu de vraies relations sexuelles, mais lors de leurs deux rendez-vous précédents, ils s'étaient offert des soirées entières de caresses excitantes et passionnées. Ce matin-là serait donc la troisième rencontre, celle qui sert de test dans la règle des trois rendez-vous du célibataire. Céline pensait que l'invitation à «jogger» que lui avait lancée André n'était qu'un euphémisme pour sexe. Au fond, elle se disait qu'ils étaient bien assortis: elle était une hôtesse aimant s'amuser et lui un contremaître bien organisé. Elle avait remarqué qu'il avait désespérément besoin de rire un peu dans sa vie, ce que la personnalité flamboyante mais attentionnée qu'elle possédait se ferait un plaisir de lui donner. Tous les gens s'assemblent pour accentuer, équilibrer ou cacher certaines parties de leur moi secret. Céline et André semblaient vouloir apprécier leurs différences. Par ce matin d'été, elle ne savait pas trop si elle était plus excitée que prête à devenir intime avec cet homme, mais comme il y avait un certain temps qu'elle n'avait pas fait l'amour, elle se sentait fortement poussée à tâter de plus près la question. Le besoin d'être touchée est si fort que beaucoup de femmes atterrissent dans un lit sans en avoir eu l'intention.

Quand il a ouvert la porte, elle a eu la surprise de constater que, malgré tout le temps qui s'était écoulé entre le coup de téléphone et son arrivée, André ne s'était encore ni douché ni rasé. Cela ne ressemblait guère à son caractère anal d'homme rangé et ordonné. Elle savait que si les rôles avaient été inversés, elle se serait, elle, pomponnée pendant des heures en vue de ce qui allait se passer. Pas du tout comme le caractère oral et plein de fantaisie qu'elle était. En fait, quand elle est arrivée, André était en train de faire des exercices pour ses maux de dos, ce qui, par cette chaude matinée d'été, le faisait ruisseler de sueur. Il lui a dit qu'il voulait terminer ses échauffements, si cela ne lui faisait rien. Elle en a aussitôt conclu que cela n'allait guère ressembler à une séduction classique avec roses et champagne. Ayant une certaine expérience en matière de séduction, Céline trouvait le comportement d'André très curieux. Mais c'était une femme prête à toutes les aventures et elle voulait savoir comment allaient se manifester les talents amoureux de cet homme.

Pendant qu'elle l'attendait dans le salon, elle en a profité pour connaître ses goûts en matière de livres et de disques, ce qui, pensait-elle, lui apprendrait des choses sur lui. Elle avait remarqué qu'il avait posé peu de questions sur elle et sur sa vie, même sur l'important article qu'elle était en train d'écrire pour un célèbre magazine et dont il savait qu'elle y travaillait d'arrache-pied. Parlant de lui-même, il avait déclaré qu'à trente-deux ans, il n'était pas amoureux et ne l'avait jamais vraiment été. Mais il témoignait beaucoup d'affection à ses jeunes enfants alors elle se disait qu'avec le temps, son cœur pourrait finir par s'ouvrir à l'amour de la femme qu'il lui fallait. Bref, *il changerait.* Voyez comment une femme, avec les meilleures intentions du monde, finit par se tromper elle-même dans *l'espoir* d'être aimée.

Quand André a eu fini ses exercices, il a appelé Céline depuis la chambre. Comme un bon petit soldat, elle a obéi et est entrée dans la chambre où il l'a prise dans ses bras et l'a embrassée avec tant de passion que, malgré la sueur dont il était couvert, elle était prête à se déshabiller immédiatement. Oui, elle était très excitée et cet homme était en quelque sorte parvenu à lui faire sortir son petit côté séducteur qu'elle gardait généralement caché. Mais elle a dit à André que sa barbe était si dure qu'elle lui irritait le visage. Il a proposé de se doucher et de se raser pour ne plus lui irriter la peau. «Comme cet homme est galant et attentionné», a-t-elle pensé.

En sortant de la salle de bain, il l'a embrassée avec une peau de bébé. Elle avait apprécié depuis le début la qualité de ses baisers. Mais comme ils commençaient à se livrer à l'activité pour laquelle Céline pensait qu'il l'avait fait venir, André lui a dit machinalement: «Je ne pourrai pas te faire l'amour oral maintenant parce que je viens de me raser et tes poils vont m'irriter la peau. Alors, ne va pas penser que c'est parce que je ne veux pas.» Cela dit sur le ton analytique d'un caractère anal typique, à moins que ce ne fût celui d'un militaire en campagne. Elle avait remarqué chez lui des crèmes anti-allergiques pour à peu près toutes les affections connues du genre humain. Mais elle s'est également souvenue qu'il se plaignait de démangeaisons et de douleurs partout, de son manque constant de sommeil, qu'il était préoccupé par la perte de ses cheveux et le fait qu'il avait pris trois kilos; elle a repensé aux précautions qu'il prenait en joggant pour ne pas se faire mal aux genoux et à la véritable terreur qu'il éprouvait de perdre l'emploi pour lequel il s'était tant démené. Oui, cet homme était décidément un véritable hypocondriaque.

Comme le sexe oral était un des domaines de la sexualité que Céline appréciait particulièrement et auquel elle s'attendait, elle s'est demandée pourquoi il ne lui avait pas parlé de ses problèmes de peau avant de se laver. Incontestablement, pour cette fois, André n'avait guère l'intention de se servir de sa bouche sur elle. Vous parlez d'un déversement de glace sur le brasier! Manifestement, il avait déjà fait ça avant et, manifestement, il s'était fait accuser de ne pas vouloir se plier à ce genre de caresses par certaines de ses partenaires antérieures; il voulait donc éviter un «incident» avec Céline. C'était donc son excuse pour ne pas pratiquer le cunnilingus même s'il appréciait indiscutablement qu'on lui fasse une fellation.

Sous prétexte qu'ils ne se connaissaient pas assez, Céline n'a pas osé lui demander de but en blanc pourquoi il ne lui avait pas parlé de ses problèmes d'allergie avant de se raser. C'est ce qui se produit quand des célibataires ont des relations sexuelles trop tôt: *Je suis juste assez bonne pour lui donner mon corps, mais pas assez pour qu'il se montre franc envers moi*. En toute justice, il faut dire qu'André avait peut-être souffert d'une crise de nervosité passagère qui avait gâché son aptitude à communiquer de façon ouverte. Quoi qu'il en soit, à partir de là, la situation entre eux s'est détériorée progressivement.

Voici deux personnes qui auraient pu s'entendre mais qui se lançaient dans des relations intimes indubitablement trop tôt. Il y a vingt ans, Masters et Johnson ont affirmé que 50 % des couples américains ne se disaient pas ce qu'ils aimeraient faire ensemble en matière sexuelle. Deux décennies plus tard, il n'y a pas grand-chose de changé. Au début d'une relation intime, les partenaires devraient normalement se dire ce qu'ils préfèrent comme caresses. André n'a jamais demandé à Céline ce qu'elle préférait au lit et elle n'était pas assez à l'aise pour faire état de ses goûts personnels. Après tout, ce n'était que leur troisième rendez-vous. S'ils ne s'étaient pas pressés ainsi, peut-être se seraient-ils sentis plus libres de se communiquer leurs préférences. Céline, quant à elle, se demandait pourquoi elle n'avait pas eu le courage de dire ce qu'elle pensait. Où était donc passée la fille pleine d'assurance qu'elle croyait être devenue?

Pendant leurs ébats sous les draps, il l'a embrassée doucement tandis qu'ils se touchaient. *Oh, ces baisers!* Sa belle allure et son corps ferme excitaient énormément Céline. Puis André l'a priée de lui masser le dos. Elle y a mis tous ses soins mais il a trouvé à redire: ses mains sur ses pectoraux ne suivaient pas ses indications. *Oh, cette manie des règles si chère aux contremaîtres!* Il lui a montré à lui pétrir la chair, «comme elle pétrirait du pain», a-t-il ajouté. (Que diable pouvait-elle bien savoir de la façon dont on pétrit le pain?). *Où donc était le manuel d'instructions de ce contremaître?* Après avoir fait tout ce qui était en son pouvoir pour le satisfaire de la façon qui lui plaisait, elle s'est jetée à plat ventre sur le lit, épuisée. Il l'a récompensée de quelques caresses avant de se plaindre: «Hé, c'est moi qui ai demandé un massage de dos!» Ils se sont livrés à quelques autres exercices d'aérobic rapides et pendant tout ce temps, il l'embrassait, ce qu'elle aimait particulièrement. *Oh, ces baisers!* Incontestablement, cet homme l'excitait. Mais le corps d'André refusait de coopérer comme il l'aurait voulu. Le grand guerrier a alors mis son incapacité à garder son érection sur le compte de son manque de condom. Et l'ode à son éminence est devenue une lamentation sur sa mollesse!

Dans le domaine sexuel, c'est le plus petit commun dénominateur qui règle tout. Au début, c'est la femme qui garde les portes de la forteresse et décide si et quand le couple a une relation sexuelle. Mais une fois que la relation a lieu, ce sont les peurs réelles ou imaginaires de l'homme qui déterminent sa poursuite et son résultat. Avec tous ces tripotages et ces serrements, toutes ces manipulations et ces caresses — sans résultat — Céline a fini par douter: elle n'était peut-être pas assez désirable ni assez attirante, ou c'était peut-être sa cellulite. (*Hé les filles, les dernières découvertes en la matière suggèrent qu'il y a un rapport certain entre la cellulite et le potentiel sexuel d'une femme. Imaginez un peu!*) André n'a pas abandonné et finalement, hélas, son membre a cédé. Une émission sans émotion. Une éjaculation sans orgasme. L'orgasme, en tant que sensation qui touche tout le corps, permet à un homme de conserver son érection et de combiner le sexe à l'amour. Un orgasme peut durer entre vingt et trente minutes. Seule l'éjaculation implique une émission, une expulsion et une sortie. Elle ne se fonde que sur la gratification sexuelle et dure environ une minute. André n'a jamais su ce qu'il perdait en séparant ainsi l'amour du sexe. Céline, quant à elle, était peut-être au bord de l'orgasme mais n'y est pas parvenue. Qu'a-t-elle fait? Elle en a simulé un.

Parce que l'orgasme féminin conduit à l'attachement, la plupart des femmes qui n'ont pas établi de relation de confiance à l'intérieur du couple avant la relation sexuelle craignent d'être malheureuses. Alors, comme Céline, elles se protègent en exagérant leur extase. Tout comme les faux diamants, la fausse fourrure et le faux cuir, le faux orgasme dévastateur est devenu partie intégrante du répertoire sexuel de beaucoup de femmes. Souvent elles veulent renforcer l'ego de l'homme sans trop se laisser aller; elles se sentent trop peu en sécurité pour se laisser aller. Une étude menée par un grand magazine féminin a révélé que 98 % des répondantes simulaient un orgasme sans que leur partenaire s'en aperçoive. Dans une enquête sur la sexualité très publicisée, 44 % des hommes ont dit que leurs partenaires atteignaient toujours l'orgasme, mais seulement 29 % des femmes ont déclaré qu'elles en avaient un. En fait, pour qu'un homme puisse dire si sa partenaire a simulé l'orgasme, il lui faudrait l'équipement nécessaire et l'aide d'un expert pour déterminer sa pression sanguine, ses battements cardiaques, son activité cérébrale et ses contractions vaginales. Dans le cas qui nous occupe, André n'a rien remarqué; peut-être même ne s'en souciait-il pas du tout. La durée moyenne du temps dont une femme a besoin pour passer de l'excitation à l'orgasme est de treize à quinze minutes, alors que pour un homme il suffit de trois à cinq minutes. En d'autres termes, il faut à une femme trois à quatre fois plus de temps qu'à un homme pour être excitée sexuellement, mais la plupart des hommes ne le savent pas. En un temps record, le partenaire sexuel et le primate qu'il abritait sont parvenus à satisfaire la même personne: lui, André.

Et voilà, c'était fini. En tant que membre dûment inscrit de la Confrérie des obsédés de l'infection, André s'est précipité vers la salle de bain pour enlever son condom et prendre *une autre* douche. Dans un effort pour se montrer proche de lui, Céline l'a rejoint. Sous le jet, elle lui a demandé de la prendre dans ses bras. Il a obéi sans grande conviction, mais il a vite desserré l'étreinte. Elle s'est sentie émotionnellement abandonnée. Il a fait très attention de ne pas savonner ses parties génitales pour ne pas s'irriter les muqueuses. Elle a trouvé littéralement miraculeux qu'il ne se plaigne pas en plus de l'allergie au latex du condom qui frappe 5 % des hommes. Mais sans son condom, il n'aurait été bon à rien.

Une fois séché, le couple a regagné le lit où Céline pensait qu'au moins ils allaient se blottir l'un contre l'autre. Ce moment d'après l'amour est souvent considéré comme une relation particulière, au même titre que les préliminaires. Après que chaque partenaire, idéalement, se sent repu, cette phase de résolution les amène tous les deux à se caresser, à se blottir l'un contre l'autre, à s'étreindre et à s'endormir, ce qui peut les conduire jusqu'au stade ultime de l'unité des émotions. Céline était toujours à la recherche du lien qu'elle avait désiré au premier chef. André a mis la bande d'un film qu'il avait enregistré et il a entrepris de lui tourner le dos: sans même solliciter son avis, il avait décidé qu'ils allaient regarder le film ensemble. Il en a profité pour lui tourner le dos pendant près de deux heures, ce fameux dos qui avait tant besoin d'être pétri!

Quand elle est partie, il faisait déjà nuit. Même si elle venait de passer toute la journée avec un homme avec qui elle avait énormément d'atomes crochus, Céline se sentait vide et seule. André qui, au début, s'était montré plutôt chaud lapin, s'était transformé en réfrigérateur. Complètement déconnecté. Ce qui n'est pas inhabituel en matière de sexe entre célibataires. On l'a souvent remarqué, quelque chose arrive aux hommes après le coït: c'est comme s'ils devaient fuir le lieu d'un accident. Ils donnent comme excuse qu'ils doivent se lever de bonne heure. Brusquement, les voilà tous devenus des fermiers!

La fièvre était tombée. Mauvais jugement, mauvais synchronisme. Mauvais partenaire. Ou peut-être que les relations sexuelles étaient intervenues trop tôt dans leurs échanges. Maintenant Céline se demandait ce qui avait bien pu lui passer par la tête; s'était-elle fait trop d'illusions? Elle voulait un véritable festin d'échanges de toutes sortes et lui s'était contenté d'un petit casse-croûte. Dommage!

La communication sexuelle doit être une communication honnête

 *Le Langage du Sexe en dit long sur les choses dont un couple ne veut pas discuter.*

Comme Céline pourrait le confirmer, une enquête récente a montré que 55 % des femmes trouvaient le sexe sans amour peu agréable. S'il est vrai qu'une femme doit s'ouvrir physiquement pour laisser pénétrer un homme, un homme doit s'ouvrir émotionnellement pour se faire connaître. Déterminer de quoi chacun a besoin et à quel moment peut représenter un problème pour une relation en train de se constituer. Une femme a besoin d'amour pour se sentir à l'aise dans une relation sexuelle, alors qu'un homme a besoin de relations sexuelles pour être à l'aise dans l'amour. L'ouverture est nécessaire, en particulier pour les femmes. C'est une des ramifications du sexe dans l'amour. Et cette communication honnête peut aussi prévenir l'inquiétude d'être sèche qu'on éprouve, sans la dire, avec l'âge.

 *Une bonne communication constitue le meilleur lubrifiant.*

Quand deux personnes sont honnêtes l'une envers l'autre, aucune ne s'engage dans une activité sexuelle quelconque avant d'y être prête. Comme les femmes ont tendance à se rapprocher par la conversation, la communication peut éveiller leur appétit sexuel. C'est également vrai des hommes évolués (une autre raison pour les femmes de choisir leur prince avec discernement). Même dans les meilleures unions, il y a, avec le temps, des hauts et des bas. Les couples qui peuvent discuter librement des questions sexuelles n'ont pas besoin de thérapeute. Ils savent se communiquer leurs inquiétudes en terrain neutre et non dans la chambre, afin de ne pas nuire à ce qui se passe sous les draps. Leur capacité d'arranger les choses par eux-mêmes ouvertement devient leur marque de lubrifiant personnelle.

Céline ne s'était pas montrée honnête sexuellement. En adoptant un rôle beaucoup trop passif dans leurs échanges, elle n'a pas demandé ce qu'elle voulait. Elle attendait que cela vienne de lui et ce n'est jamais venu. L'idée qu'une femme doit prendre en charge sa sexualité, même si elle vit une relation amoureuse stable, s'est formée dès le dix-neuvième siècle. Dans un livre sur le mariage, en 1876, une certaine Madame E. B. Duffey affirmait que les femmes devraient...

> *Accorder ou non leurs faveurs selon leur meilleur jugement, sans se laisser influencer ni par la peur ni par la persuasion. Un homme n'a d'autre «droit conjugal» dans ce domaine que celui de prendre ce qui lui est offert librement et avec amour. La passion doit venir (...) accompagnée non seulement d'amour mais aussi des tendres grâces de la gentillesse et de la considération...*

Ceci a été écrit il y a plus d'un siècle et les femmes continuent toujours d'affirmer qu'elles désirent un amoureux tendre et plein de considération. Diverses études montrent que les femmes d'aujourd'hui ont une sexualité plus intense qu'à aucun autre moment de l'histoire. Et l'appétit sexuel d'une femme déclenche le désir de son partenaire car:

Une femme excitée est un aphrodisiaque.

Mais pour une femme, accepter d'avoir une relation sexuelle ne représente qu'une des façons d'exprimer sa sexualité. Elle devrait également se soucier de prendre soin d'elle-même. La plupart des femmes veulent se sentir protégées en sachant que leur partenaire ne disparaîtra pas comme un courant d'air après les avoir poussées sous les draps. Alors, quand vos hormones font les folles et que vous avez brusquement oublié comment dire «non», protégez-vous contre toute blessure possible en appliquant cette règle fondamentale:

 *Ne vous déshabillez pas avant de vous sentir en sécurité.*

La question demeure de savoir comment intégrer nos besoins sexuels dans notre désir d'un amour qui englobe tout. Beaucoup de femmes seules se mentent à elles-mêmes tout autant qu'elles mentent à leur partenaire quand elles prétendent être prêtes à des relations sexuelles sans importance. La plupart espèrent secrètement que la relation va aboutir à quelque chose de plus. Une étude a montré que les adultes mentent en moyenne treize fois par semaine, ou du moins c'est ce qu'ils sont prêts à admettre. De pieux petits mensonges sexuels ponctuent souvent même la meilleure des relations, qu'il s'agisse d'un couple marié, non marié ou entre les deux. Les hommes mentent souvent quand ils prétendent écouter les femmes; les femmes mentent souvent quand elles affirment que la relation sexuelle a été fantastique. Même si ces fausses vérités semblent passer pour un temps, le chat finit toujours par sortir du sac et alors rien ne va plus.

Le Langage du Sexe considéré dans son ensemble ne ment pas à long terme parce qu'il n'en est tout simplement pas capable. Il représente en effet une façon viscérale de communiquer et il dit charnellement sur nous des choses que nous sommes trop timides pour révéler par des mots. Par exemple, le partenaire d'une femme que j'ai connue voulait qu'elle l'emmène sur les sommets de la volupté, juste au bord de l'orgasme, puis il la renvoyait chez elle pour pouvoir se masturber tout seul et ne pas se montrer en train de perdre le contrôle *devant une femme*. Une autre femme a refusé de se servir de condoms en peau d'agneau, non parce qu'ils ne sont pas aussi sûrs que ceux en latex mais parce que, végétarienne, *elle n'accepterait jamais de laisser pénétrer un produit animal* dans son corps. Une autre incitait sa fille de trois ans à venir se coucher entre elle et son mari parce qu'*elle ne supportait pas que l'homme auquel elle était mariée la touche*. Une autre encore continuait à coucher avec un homme qu'elle croyait bisexuel et dont elle pensait de surcroît qu'il la trompait avec une autre femme, simplement parce que, «pour le moment, c'est mieux que d'être seule et puis peut-être qu'il va se ressaisir».

Certaines personnes se servent du Langage du Sexe parce qu'elles ont peur du Langage de l'Amour qui implique le langage de l'engagement et de l'intimité. L'intimité exige l'honnêteté et implique qu'on participe plutôt que de rester spectateur. Elle empêche les refroidissements émotionnels et prévient les replis sur soi. Quand nous nous impliquons, nous sommes vulnérables et nous nous exposons à ce que notre partenaire tire avantage de notre cœur. Mais quand nous faisons confiance à un homme, nous sommes davantage prêtes à courir ce risque.

Intimité ou formalisme?

Nous venons de voir toute la différence qu'il peut y avoir entre deux couples. Viviane et Serge formaient un couple uni et très lié. Ils avaient réussi à se bâtir une *intimité auto-validée.* Tout comme la force qui nous contrôle peut être interne ou externe, nous avons toutes la capacité de choisir entre l'*intimité auto-validée* et le *formalisme validé par les autres.* L'intimité auto-validée implique que vous êtes prête à révéler honnêtement qui vous êtes. Pas de subterfuge. Vous êtes prête à subir les conséquences de votre franchise, quelles qu'elles soient. Vous sentez votre pouvoir, il est évident. C'est la façon dont vous acceptez ce que vous êtes en tant que personne qui pose les fondations de ce que vous pouvez apporter à votre moi sexuel authentique. Tout comme le contrôle interne, l'intimité auto-validée commence non pas avec le partenaire d'une femme mais avec cette femme elle-même.

 *Pour qu'un rapport sexuel soit réussi, il faut que chacun des partenaires ait sa propre identité sexuelle.*

Si Céline avait eu un sens de l'intimité auto-validée, elle aurait probablement commencé par ne pas accepter de sortir une deuxième fois avec un homme aussi égocentrique. Lui n'était pas auto-validé, il était plutôt auto-impliqué et souffrait de ce que j'appelle une fermeture émotionnelle. Les hommes qui en sont atteints peuvent faire preuve d'émotions pour des choses qui ne leur font courir aucun risque, par exemple, piquer une colère lors d'une rencontre d'affaires, témoigner de l'amour à leurs enfants ou se montrer attentifs aux désirs d'un client. Mais ils se protègent soigneusement quand il s'agit de montrer de l'affection à une femme. Dans un effort pour se donner de la valeur, comme beaucoup d'hommes, André faisait appel au sexe. Et il a vraisemblablement toujours séparé l'acte sexuel de l'émotion profonde que représente l'amour. Même si les contraires s'attirent et si la personnalité d'hôtesse de Céline se sentait en sécurité dans les bras du contremaître qu'était André, nous choisissons en même temps des gens qui présentent certains traits semblables aux nôtres et qui peuvent servir de base à notre entente. En fait, il n'est pas surprenant que Céline ait elle aussi souffert de fermeture émotionnelle. Elle émergeait à peine du deuil d'une relation tumultueuse qui avait duré trois ans. C'est une des raisons pour lesquelles elle s'est montrée incapable de repérer la vraie nature d'André. Beaucoup de gens, tant mariés que célibataires, recherchent à l'extérieur d'eux-mêmes un pouvoir et un sens du but qu'ils ne savaient pas trouver en eux. Comme nous le savons, le contrôle externe n'aboutit à rien. De la même façon, le formalisme validé par les autres ne peut jamais déboucher sur l'amour véritable.

Céline a commencé par manquer de jugement en acceptant un deuxième rendez-vous, mais même alors, si elle avait été dotée d'un sens d'intimité auto-validée, elle ne se serait pas laissée dominer par ses envies sexuelles au point de plonger dans une aventure pour laquelle elle n'était pas prête. Et même à supposer qu'elle se serait quand même laissée entraîner à cette folie, elle n'aurait pas douté de ses charmes quand l'engin d'André s'est mis à piquer du nez. Enfin, si elle avait eu ce sens d'intimité auto-validée, elle se serait levée du lit pour partir dès l'instant où André lui a tourné le dos.

Manifestement, Céline et André n'avaient pas passé assez de temps ensemble pour savoir s'ils étaient au moins compatibles. Chacun comptait sur l'autre pour sa satisfaction. Une telle attitude peut peut-être donner des résultats à court terme, quand on arrive à séparer le corps et l'esprit et qu'on cherche uniquement à s'envoyer en l'air. Mais cela ne pourra jamais se transformer en amour à long terme, parce que si on ne s'est pas laissée connaître par son partenaire, on ne se sentira jamais assez en sécurité pour révéler notre «moi» intime.

Quand un couple est prêt à attendre pour devenir intime, il prend son temps pour apprendre à se connaître. Ainsi, quand les deux partenaires sont prêts, ils dévoilent franchement leurs préférences et admettent que chacun trouve sa satisfaction de façon différente. Avec le temps, ils aiguisent leur sexualité en présence de l'être aimé et avec son aide. Une femme auto-validée contrôle ses propres sentiments et sa propre jouissance sexuelle. De la même façon, les hommes auto-validés ne sont pas des êtres fermés; ils connaissent leur physiologie, se sentent libres de la partager avec leur partenaire et sont confiants que leur femme fera de son mieux pour participer à leur plaisir. Dans la même veine, les femmes auto-validées ne blâment pas leurs partenaires de «ne pas leur donner» un orgasme. Elles savent que, tout comme leur pouvoir personnel et leur sens du but, l'orgasme est à la fois leur droit et leur responsabilité. Elles savent comment leur corps trouve son plaisir; elles en font ouvertement état à leur partenaire et ont confiance qu'il les aidera avec plaisir à satisfaire leurs désirs. Viviane et Serge rayonnaient tous les deux d'intimité auto-validée et c'est pour cela qu'ils pouvaient encore continuer à explorer la liberté et le plaisir de leurs corps après plusieurs années de mariage et les hauts et les bas que cela implique. Pour eux, à la différence de bien des couples autour, le mariage ne voulait pas dire emprisonnement domestique mais terrain de jeu légalisé sur lequel jouir et s'amuser pleinement. Et comme un bon vin, leur plaisir et leur jouissance *augmentaient* avec le temps.

Qu'est-ce qui s'était passé dans l'esprit de Céline pour lui faire croire qu'elle était prête à passer à l'acte? Il était pourtant particulièrement évident que dans la vie d'André, il n'y avait place pour personne d'autre que lui, son travail et ses petits bobos. Céline se berçait incontestablement d'illusions en pensant que cet homme allait se transformer en chevalier à l'armure éclatante si elle lui offrait une gratification sexuelle. On voit peut-être ce genre de renversement dans les films mais dans la vraie vie telle que nous la connaissons, cela ne se passe généralement pas de cette façon, à moins que *l'homme lui-même* n'éprouve le besoin de changer. Les gens qui, comme moi, œuvrent en thérapie personnelle, voient à l'occasion de tels miracles se produire. Mais du point de vue de la femme qui se prend en main, il est capital qu'elle «laisse pousser» les graines qu'elle a semées. Peu importe ce qui va se passer avec son prince, elle ne doit jamais oublier qu'elle peut toujours compter sur elle-même.

Votre vie sexuelle: un besoin ou un désir?

Céline savait qu'elle était mûre sexuellement; c'est une fonction naturelle qui, après tout, va avec la vie. Elle avait des affinités physiques avec André mais pas de liens sur le plan des émotions et aucun

Langage de l'Amour n'avait aidé à faire naître la confiance entre eux. Elle désirait ardemment sentir un homme la toucher. Le «besoin de peau» est un besoin physiologique réel. Pour Céline, n'importe quel homme aurait pu combler ce vide. Le problème, c'est que parfois notre appétit sexuel nous pousse à désirer par *besoin* plutôt que par *désir*. Comme nous l'avons vu au chapitre 3, les *besoins* sont des nécessités indispensables à la survie, alors que les *désirs* sont des préférences dont la satisfaction procure du plaisir. Pour une femme saine, le désir n'est jamais un instinct de survie. Si c'est le cas, c'est que cette femme est obsédée et l'obsession en question ne concerne que son ego et non la volonté de partager sa vie avec un homme, dans l'interdépendance mutuelle. Le désir qui naît d'un *besoin* est quelque chose de vide. Il nous promet faussement que nous allons enfin devenir entiers. Il découle toujours de cette même notion que seule, on ne peut pas se suffire. Comme le désir qui vient d'un besoin pousse la personne à chercher désespérément la satisfaction dans un autre corps, il voue par le fait même à la séparation quand le but a été atteint.

Si c'était la satisfaction que recherchait Céline, l'expédient habituel pour ça, c'est la masturbation. Les bébés se masturbent dès les premiers mois de leur vie. En fait, les petits garçons et les petites filles peuvent avoir des orgasmes avant même d'avoir sept ans. Par la masturbation, une femme peut amener son cerveau à penser que son corps est superbe. Elle ne risque pas, comme on le prétendait avant, de devenir aveugle ou d'avoir du poil qui lui pousse dans la main. La satisfaction discrète de la masturbation est un acte de gentillesse qu'une femme accomplit de temps en temps pour elle-même. Après s'être masturbée, une femme peut se sentir appréciée, aimée et désirée, et tout cela sans manifester de besoin non plus qu'imaginer une intimité là où il n'y en a pas.

Grâce à certains instruments bien utiles, la masturbation a connu un regain de popularité. Une fois qu'ils ont abandonné leurs poupées Barbie, les adultes écument les sex-shops à la recherche d'instruments de plaisir. Une enquête menée auprès de celles qui se servent de ces instruments a dévoilé que la femme typique qui fait usage de vibrateurs est une mère de famille monogame dans la trentaine, blanche, chrétienne et qui a fait des études supérieures. Elle a des idées conservatrices sur le plan politique et jouit d'un revenu familial relativement élevé. Elle possède un ou deux vibrateurs dont elle se sert aussi bien pour se masturber que pour faire l'amour avec son partenaire. Encore une fausse légende: oui, les filles comme il faut *le font* aussi.

La plupart des femmes préfèrent un amour à long terme à une conquête suivie d'un abandon. Les regrets et les peines qu'éprouve une femme après une aventure décevante comme celle qu'a connue Céline forment le sujet de bon nombre de chansons populaires. Mais cela ne sert à rien de se sentir coupable après le fait. Tout ce qu'une femme peut faire, c'est sécher ses larmes du lendemain et reprendre le cours normal de sa vie, en essayant d'agir plus intelligemment avec le prochain homme qu'elle va rencontrer. L'idéal, c'est de désirer par pur *désir*, une situation où la femme et son partenaire sont émotionnellement indépendants et comblés *avant* de former un couple. Ainsi, quoi qu'ils puissent devenir ensemble, cela viendra toujours s'ajouter à ce que chacun d'eux est déjà de son côté. Ils peuvent prendre tout leur temps pour apprendre à se connaître et à faire naître la confiance entre eux. Ils peuvent s'apprécier l'un l'autre sans rêver de possibilités qui ne sont peut-être même pas là. Et quand finalement ils s'engagent dans une relation sexuelle, ils peuvent fondre leurs corps fatigués en un seul, dans la vérité et le souci de l'autre. Ils ont le sentiment qu'à leur réveil, leur partenaire sera toujours là avec son amour et l'intérêt qu'il éprouve pour eux. C'est ce sentiment que la plupart des femmes tentent de faire naître de toutes pièces dans des relations sexuelles à court terme. Et c'est l'absence de ce sentiment qui explique la tristesse qu'éprouve une femme quand elle s'aperçoit qu'elle est rejetée.

Le désir qui émane du *désir proprement dit* et non du besoin exige des bases solides qui commencent avec la personne elle-même. La femme doit savoir qui elle est, ce qui l'anime, et se montrer ouvertement prête à partager cette connaissance de soi.

 *Le sexe, ce n'est pas tant un acte qu'on fait qu'une expression de ce qu'on est.*

Bien sûr, dans chacune des catégories du sexe sans importance et du sexe dans l'amour, il existe des différences de style. Ce n'est pas tout ceux qui se livrent au sexe sans importance qui le font par désir de jouissance et à partir d'un désir qui vient d'un *besoin*. Parfois ils recherchent simplement une petite niche où pouvoir satisfaire leur démangeaison. De la même façon, dans la catégorie des gens qui vivent leur sexualité dans l'amour, ce n'est pas tout le monde qui fonctionne dans la confiance et dont le désir provient d'un véritable *désir*. Il leur arrive parfois de vouloir satisfaire la même démangeaison que les gens du sexe sans importance. En règle générale, ces catégories ne sont que des généralisations fondées sur ce qu'on sait des femmes en tant que groupe. Des deux, lequel préférez-vous?

Sexe sans importance	**Sexe dans l'amour**
Formalisme validé par les autres	*Intimité* auto-validée
Jouissance	Confiance
Chimie corporelle	Communication
Besoin	*Désir*
Rencontre sans conséquence	Amour à long terme
Recherche de soi	Acceptation de soi
Performance	Liberté et flexibilité
Relâchement des tensions	Tendresse

Vous venez de voir où vous aimeriez vous situer. Si vous êtes comme la plupart des femmes, la question ne se pose même pas: vous préféreriez un engagement à long terme pour ne pas vous retrouver dans la position de la pauvre Céline ou de toutes celles qui lui ressemblent. Maintenant, déterminez où vous vous situez. S'il y a un décalage entre ce que vous voudriez vivre et ce que vous vivez effectivement, il est temps de changer de comportement. Souvenez-vous simplement que la communication est la base de la lubrification. Votre Langage du Sexe dépend de votre capacité à exprimer votre pouvoir, votre sens du but et votre volonté de jouer. Il se déploie dans le flirt, la sensualité et la sexualité. Toutes ces étapes prennent du temps et le temps permet l'émergence de la confiance sur laquelle repose une sexualité dans l'amour. On ne peut parler le Langage de l'Amour dans une relation à court terme. Rappelez-vous surtout que votre mission, c'est de croître. Quand vous vous exprimez et quand vous misez uniquement sur vous-même, vous devenez attirante pour un homme digne d'intérêt. Et après tout, si vous jouissez vraiment de votre vie, qu'est-ce qui peut tant presser?

MESSAGES ÉCLAIR
DU CHAPITRE 9

Savoir parler le Langage du Sexe

- *Il y a dans chaque femme une déesse du sexe qui sommeille et cette déesse, c'est vous.*
- *L'amour à l'horizontale s'améliore quand, à la verticale, on se soucir de l'autre.*
- *Nous apprenons notre façon d'aimer, nous n'en héritons pas, et ce qui a été appris peut aussi être désappris.*
- *L'intimité dépend plus de notre capacité de confiance que de nos habiletés sexuelles.*
- *Le Langage du Sexe en dit long sur les choses dont un couple ne veut pas discuter.*
- *Une bonne communication constitue le meilleur lubrifiant.*
- *Une femme excitée est un aphrodisiaque.*
- *Ne vous déshabillez pas avant de vous sentir en sécurité.*
- *Pour qu'un rapport sexuel soit réussi, il faut que chacun des partenaires ait sa propre identité sexuelle.*
- *Le sexe, ce n'est pas tant un acte qu'on fait qu'une expression de ce qu'on est.*

Conclusion

Soyez une femme bien et vous trouverez un homme bien

S'il est à moi, je ne peux pas le perdre; s'il n'est pas à moi, je n'en veux pas.

Repassez en revue les dix Messages éclair les plus importants de ce livre. Ils ont été spécialement choisis pour constituer la base de la technique Gilda qui vous incite à «ne pas miser sur le prince charmant». En réfléchissant à ces Messages éclair et en vous les appropriant, de même qu'en remplissant les auto-évaluations pour en analyser ensuite les résultats, une femme peut apprendre comment réussir en amour en misant sur elle-même.

Les dix Messages éclair majeurs de ce livre sont:

- Avant de dire: «Oui, je le veux», il faut commencer par se demander: «Qui suis-je?».
- Reconnaissez votre propre valeur avant d'évaluer celle de votre partenaire.
- Prenez-vous en main au lieu d'attendre le prince charmant.
- On finit toujours par recevoir ce qu'on croit mériter.
- Chacun est responsable de son destin.
- On ne se fera pas aimer tant qu'on ne prend pas le risque de n'être pas aimée.
- Apprendre à recevoir commence avec les cadeaux qu'on se fait à soi-même.
- On n'attire pas ce qu'on veut, mais ce qu'on est.
- Amis d'abord, amoureux plus tard.
- Une bonne communication représente le meilleur lubrifiant.
- S'il est à moi, je ne peux pas le perdre; s'il n'est pas à moi, je n'en veux pas.

Tout au long de ce livre, nous avons vu comment les femmes ont toujours eu coutume de compter sur un prince imaginaire qui prendrait soin d'elles et leur donnerait une meilleure vie. Tandis que nous misions, en dépit des pronostics, sur le fait qu'il serait toujours à nos côtés, le prince, lui, misait sur autre chose — souvent sa carrière — pour le maintenir à flot et prendre soin de lui, de nous et des enfants pour toujours. Quand ni l'homme-messie ni sa compagne angélique ne tiennent leurs sacro-saintes promesses de rester l'un avec l'autre jusqu'à la fin de leurs jours, les deux sexes se sentent floués. Les femmes sont consternées quand leurs maris les laissent tomber, et elles se retrouvent faibles et démunies. Les hommes sont déconfits quand leur employeur les met à pied et les expulse du territoire qu'ils croyaient le leur pour toujours. Alors, pour les deux sexes, se profile un autre genre d'existence. Cette nouvelle situation ne nous laisse plus qu'une personne à qui nous raccrocher: celle que nous voyons chaque matin dans le miroir quand nous nous brossons les dents.

Le problème, c'est que la plupart d'entre nous n'acceptent pas facilement de ne compter que sur nous-mêmes. «Tout ce que je veux, c'est quelqu'un qui me rende heureuse», tel est le refrain que j'entends sans cesse dans la bouche de femmes de tous âges qui n'ont jamais réalisé que personne d'autre qu'elles-mêmes ne pouvait les rendre heureuses. Quand nous nous retrouvons seules, il semble que nous nous sentions indignes, bonnes à rien et que nous perdions confiance en nos possibilités. Quelque part dans notre éducation, nous avons acquis la notion que les hommes étaient plus brillants, mieux éduqués et qu'ils savaient mieux que nous comment se débrouiller dans la vie. En ma qualité d'ex-consultante auprès d'entrepreneurs masculins, j'ai constaté que ceux qui réussissaient avaient tous une chose en commun: ils avaient pleinement confiance en eux. Ceux qui n'avaient pas confiance étaient des gens résignés à leur sort, alors que les pensées positives des autres leur permettaient d'accomplir de grandes choses. J'en ai déduit que ce que nous retirons de la vie dépend en fin de compte de ce que nous croyons *mériter* et j'ai appliqué ce principe à l'amour et à la relation de couple. Et quand j'ai analysé les femmes qui avaient pour partenaires des hommes de valeur, je me suis aperçue qu'elles n'étaient ni plus belles, ni plus brillantes, ni plus extraordinaires que toutes les autres. Mais elles possédaient le même ingrédient évident que les entrepreneurs qui réussissent: elles étaient persuadées de *mériter* l'homme qu'elles avaient. C'est ainsi que j'ai découvert le concept de *niveau de mérite* qui représente pour moi l'élément déterminant dans la façon dont une femme peut parvenir à accrocher et à garder un homme.

Puis j'ai constaté qu'un nombre considérable d'entre nous étaient encore aux prises avec la mentalité de «chic fille» et ne voulaient ou ne pouvaient pas dire ce qu'elles avaient en tête de peur de ne plus être *appréciées*. Nous avons tellement peur d'être abandonnées que nous abandonnons notre pouvoir à l'homme qui est aux commandes et nous contentons de jouer le rôle de gentilles hôtesses. Pour être aimées, nous faisons passer les besoins de tout le monde avant les nôtres et nous devenons ainsi des femmes qui en font trop. Quand elles en arrivent à comprendre que ce sont les femmes qui acceptent que les hommes les piétinent et que c'est même elles qui leur *enseignent* à le faire, certaines d'entre nous se servent à mauvais escient de leur pouvoir reconquis et deviennent d'exigeantes femmes contremaîtres cherchant à obtenir par la force la satisfaction de leurs besoins. Ce sont des femmes en colère et les femmes en colère sont des femmes laides. Le véritable pouvoir, ce n'est pas le pouvoir de contrôler mais bien un équilibre intérieur. Quoi qu'il en soit, nous nous démenons et nous nous dépensons sans compter pour gagner l'assentiment superficiel des hommes plutôt que de fonctionner à partir de la connaissance intime que nous avons de notre valeur. Mais comment gagnerions-nous le respect des hommes si nous ne croyons pas le mériter? En observant tout cela, j'ai mis au point une technique pour permettre aux femmes de tenir la vedette dans leurs propres bandes annonces. C'est une façon d'amener une femme, non seulement à se convaincre de sa propre valeur, mais à la projeter de l'avant. Une fois qu'une femme comprend ce qu'il y a au fin fond d'elle-même, elle est en mesure de puiser dans le surplus pour en faire don aux autres sans pour autant se priver de ce dont elle a besoin pour survivre. De cette façon, elle peut jouir de ses capacités naturelles de pourvoyeuse sans avoir à en payer le prix.

Pour pouvoir apporter ces changements à son comportement, une femme doit résolument s'occuper d'elle-même. Elle doit abandonner les hommes qui lui ont fait du mal plutôt que de s'accrocher dans l'espoir qu'ils vont finir par changer. Son droit de dire «non» est une autre responsabilité qu'elle a envers elle-même et, dès qu'elle aura commencé à l'exercer, elle imposera le respect, ce qui constitue une réaction autrement moins frivole que le simple fait d'être appréciée au prix d'immenses efforts. Elle sait maintenant qui elle est et quand elle le communique, elle est prête à recevoir ce qu'elle croit mériter. Mais pour recevoir, il faut qu'elle pardonne aux gens de son entourage qu'elle s'est usée à blâmer. Elle abandonne ainsi ses blocages et laisse entrer l'amour dont elle sait qu'il va venir. En acceptant cet amour, elle devient pour son compagnon une partenaire plus réceptive et capable de mieux écouter. Lui, à son tour, se sentant compris et soutenu, respecte son besoin d'être seule pour se livrer à des activités qui la passionnent. En affirmant sa force, elle trace dès le début les limites de sa relation de couple de façon à permettre à son amour de grandir en évitant les malentendus majeurs. Sachant que la seule façon d'aimer un homme, c'est d'accepter qu'un jour il pourrait ne plus être là, elle est consciente que même quand on forme un couple, on n'est jamais qu'à une personne près de se retrouver seul. Avec une telle philosophie, si un jour son couple devait se défaire, elle n'en poursuivrait pas moins ses buts personnels de façon à pouvoir s'en remettre rapidement.

La femme qui ne mise pas sur un prince ose être elle-même: vulnérable, désagréable s'il le faut, et prête à tourner les talons si ses besoins et ses désirs ne sont pas satisfaits. Une fois qu'elle a accroché et cajolé le *bon* homme, maintenant elle doit le garder. Elle parle le Langage de l'Amour à partir de ses forces et non de ses craintes, et ceci cimente la relation qu'elle a développée avec l'homme digne d'intérêt qu'elle attendait. Ensemble ils ont des relations sexuelles pleines d'amour et qui s'avèrent durables. Leur lien ne fait que se renforcer. Elle s'exprime comme une déesse du sexe, une déesse de l'amour, une déesse de la bonté, une déesse qui décrit son avenir exactement comme elle le veut. Usant de son pouvoir, de son sens du but et de son désir de jouer, elle choisit plutôt que d'attendre d'être choisie. Elle parvient désormais à négocier sa vie sans avoir besoin de la baguette magique d'un homme. Elle a le contrôle total de sa vie. Elle *mérite* ce qu'elle a, en particulier parce qu'elle l'a atteint par ses propres moyens. Et l'homme digne d'elle qu'elle s'est trouvée l'apprécie d'avoir su mener une vie indépendante et autosuffisante.

Miser sur soi exige une planification soignée. Souvenez-vous d'Isabelle, celle qui s'était chargée de dire à l'ex de son mari de ne plus appeler chez eux. Vous vous souvenez aussi que cela lui avait valu de se faire traiter de «garce». Eh bien, après avoir rempli les diverses auto-évaluations de ce livre, elle s'est aperçue que pendant de nombreuses années, elle avait abandonné trop de son pouvoir à Max. Comme beaucoup de femmes, elle avait emménagé dans l'appartement de son mari en se mariant, elle avait troqué les activités qu'elle aimait pour celles qu'il préférait: il ne lui restait plus rien de la femme qu'elle avait été. Elle était devenue une femme au perpétuel sourire, tout ce qui faisait son caractère unique ayant été effacé à l'exception de son sourire d'hôtesse. Il fallait que ça change. Pour commencer, elle a passé son permis de conduire. Comme cela avait été le cas pour Catherine dont le mari ne voulait pas qu'elle apprenne à conduire, l'obtention de son permis de conduire a été sa première déclaration d'indépendance. Ensuite, elle a décidé d'aller passer Noël dans sa famille à elle plutôt que dans sa désagréable belle-famille. Pour la première fois, elle a demandé à Max de faire des compromis en sa faveur. Avant de remplir ces auto-évaluations, elle n'avait jamais rien *demandé* à Max. Nous savons bien que si nous ne demandons rien, nous n'aurons rien. Demander ce qu'elle était persuadée de mériter représentait pour elle un comportement entièrement nouveau. Elle n'était plus la «chic fille». Même si Max avait une situation financière confortable, Isabelle a refait surface dans le monde de l'édition, la carrière qu'elle avait abandonnée à la naissance de leur enfant. Maintenant, elle pouvait exercer son pouvoir et poursuivre ses rêves. Son attitude plus heureuse a fait une grande différence dans son mariage. Max a adopté une attitude nouvelle envers sa femme: elle n'était plus pour lui l'hôtesse au sourire éternel, mais une femme qui contrôlait sa propre vie. Il cessé de la tenir pour quantité négligeable. Ensemble, ils se sont mis à consacrer une bonne part de leur temps libre au jeu. Le respect est revenu dans leur mariage et leur lien est maintenant plus fort qu'il ne l'a jamais été.

Notre amie Christine a, elle aussi, apporté quelques changements à sa vie. Elle sait maintenant que, comme nous toutes, elle est une œuvre en cours et que la croissance est un voyage qui prend toute une vie et ne s'achève jamais. Mue par la prise de conscience qu'elle a faite en remplissant les auto-évaluations, elle a décidé de bâtir sur le pouvoir, le sens du but et la volonté de jouer qui sont innés en elle. Elle œuvre comme bénévole au refuge pour femmes battues où elle avait passé une nuit du temps d'Henri. Elle retrouve chez ces femmes une bonne dose de cette dépendance à l'égard des hommes qu'elle a elle-même connue. Elles lui parlent de leur besoin d'être appréciées et aimées et du fait qu'elles sont prêtes à subir des mauvais traitements rien que pour avoir la chaleur d'un corps d'homme à leurs côtés. Avec son aide, elles sont toutes en train de reconsidérer tranquillement leurs valeurs et de se bâtir des vies indépendantes. Elles ont formé le premier centre d'aide pour femmes qui ne veulent plus compter sur le prince charmant. C'est un début.

Mais de toutes les femmes que nous avons rencontrées dans ce livre, c'est Céline qui est la plus inspirante. Après avoir quitté André le soir dont nous avons parlé, elle a décidé de ne plus avoir de relations sexuelles tant qu'elle ne se serait pas trouvé un partenaire capable d'amour et de respect. Elle est sortie avec de nombreux hommes dont la plupart voulaient faire l'amour avec elle; à chacun d'eux, elle s'est présentée comme une «vierge rétro». Aucun homme ne l'a plus allumée. Elle a souvent pensé à André. Avant ce fiasco sexuel fatidique, elle avait commencé à le connaître un peu. Elle avait deviné son dilemme: la peur de voir une femme contrôler sa vie et en même temps le désir intense d'avoir une relation permanente. Elle le désirait toujours. Oui, peut-être se faisait-elle des idées. C'était la faute de l'ocytocine, cette supercolle relationnelle qui, après une relation sexuelle, transforme une femme en pâte molle. Elle savait qu'elle ne le rappellerait jamais, mais elle ne parvenait pas à se le sortir de la tête. Elle sentait que quelque chose allait se produire… mais elle était bien décidée à laisser faire les choses.

Et puis, un soir, dans une soirée très chic, elle est tombée sur lui. Quand elle l'a vu, ses jambes l'ont abandonnée. Elle a ressenti la même étincelle que celle qu'elle avait connue des mois plus tôt. Il s'est montré très chaleureux, mais le souvenir qu'elle avait gardé de son comportement de contremaître et de sa froideur au lit l'incitait à se montrer prudente. Oui, le comportement flamboyant qui la caractérisait, par contraste avec le conservatisme un peu guindé d'André, touchait encore une corde sensible en elle. Les extrêmes s'attirent, c'est incontestable. Pendant toute la soirée, il l'a regardée et touchée souvent. On aurait dit qu'il avait été transpercé par la flèche de Cupidon. Il y avait, à la même soirée, un autre homme qui se montrait particulièrement intéressé à elle. En les comparant l'un à l'autre,

Céline a pu prendre la mesure des atomes crochus qu'elle avait avec André.

Il lui a proposé de passer la nuit avec lui, mais cette fois Céline a préféré attendre de lui faire davantage confiance avant de lui offrir à nouveau son corps. Il l'a appelée la semaine même. Ils ont passé des heures au téléphone plusieurs soirs de suite. Oui, il y avait incontestablement un bon contact entre eux. Il l'a invitée à passer le week-end avec lui. Mais quand elle a appris qu'il recevait aussi des amis en même temps, elle a décliné son invitation. Une femme qui ne compte pas sur le prince charmant cherche à mieux connaître un homme sans pour autant faire partie de sa cour. Il lui a demandé si elle accepterait de venir le rejoindre à son appartement quand ses amis seraient partis et elle a accepté.

Elle a conduit trente-cinq minutes pour se rendre chez lui un dimanche soir. Son corps était moite d'impatience à l'idée de le voir seul pour la première fois depuis des mois. Mais une fois de plus, ses espoirs de ne faire qu'un avec cet homme furent déçus. Quand elle est arrivée à son appartement, il était en train de piquer une grosse colère à propos du travail qu'il avait à faire pour le lendemain. Il était débordé, disait-il, et se montra fort désagréable. Retrouvant ses vieux réflexes de fille qui essaie de tout arranger, elle a essayé de lui faire entendre que dans nos sociétés, la majorité des crises cardiaques se produisent le lundi matin à neuf heures. Elle était sincèrement inquiète pour lui.

Malheureusement, il ne l'a pas écoutée un seul instant. Il a critiqué ses suggestions, il s'est même moqué d'elle. Elle a essayé d'effacer sa mauvaise humeur et l'encourageant à aller au lit avec elle. Revenant sur l'engagement qu'elle avait pris avec elle-même, elle s'est rendu compte qu'il pouvait la conduire au lit comme ça, en un instant.

Au lieu de quoi André n'a rien trouvé de mieux à répondre que «je ne me laisserai pas commander». Elle a réessayé: «Je t'en prie, viens te coucher.» Elle savait que tout autre homme lui aurait immédiatement arraché ses vêtements sans qu'elle ait besoin d'ajouter un mot. Quel gâchis! Pour André, l'image de Céline s'était manifestement confondue avec celle de sa mère autoritaire et il se retrouvait aussitôt dans la peau d'un petit garçon rebelle qui réagit violemment. Il lui tournait à nouveau le dos mais cette fois au figuré et elle s'est bien juré que ce serait la dernière. Bien qu'elle fût loin d'être la femme de contrôle qu'il l'accusait maintenant d'être, Céline a tout de même pris le contrôle, c'est-à-dire qu'elle a contrôlé la situation négative dans laquelle elle se retrouvait.

Elle s'est souvenue brusquement de situations semblables où elle s'était obstinée à rester dans une mauvaise situation dans l'espoir d'améliorer les choses, acharnée à compenser la vulgarité d'un homme par un surcroît d'attention. Mais elle était devenue plus brillante. L'amour n'est pas censé faire souffrir. *Lève-toi et va-t'en!,* a-t-elle pensé. Elle n'acceptait plus d'être tenue à distance et de se faire critiquer, surtout après avoir fait tout ce trajet pour venir voir Monsieur. Elle a pris son manteau et elle est partie. Il l'a laissée partir sans s'excuser. Cet incident a incontestablement permis à Céline de mieux connaître André. Elle l'a soudain vu comme un homme sans conscience. Dans quelques années, pensait-elle, quand sa fille aura grandi, il sera furieux si un homme la traite de cette façon. Mais aujourd'hui, avec elle, il n'éprouvait pas le moindre remords. Elle a marché jusqu'à sa voiture, a conduit jusque chez elle, lui a souhaité dans sa tête d'aimer et de guérir et s'en est allée danser dans une boîte près de chez elle. André avait besoin d'elle, elle le savait, mais elle savait aussi qu'*elle n'avait pas besoin de lui ou de ce qu'il lui faisait vivre*. Pour la première fois de sa vie, elle se rendait compte qu'elle ne pourrait pas sauver un homme. La guérison d'André exigerait certainement qu'il traverse quelques crises. Les crises sont, en ce sens, de véritables bénédictions. Elles nous font franchir la clôture et nous amènent à voir la vie d'une façon différente. Elles nous font grandir. Peut-être un jour un miracle se produira-t-il pour André, mais Céline n'attendra pas pour le voir. Elle a fait elle-même le miracle de sa propre croissance en prenant conscience que son bonheur ne dépendait pas d'un prince charmant, mais de ce qu'elle *oserait* rêver.

Il existe beaucoup de couples qui vivent ce qu'ont vécu Céline et André. La plupart d'entre nous, à un moment ou à un autre, ont supporté trop longtemps des situations qui nous minaient. Finalement, il n'y a qu'une seule façon de vous trouver un partenaire intéressant, c'est d'*être* vous-même une partenaire digne d'intérêt, de savoir quand quelque chose ne vous sert pas et de passer à autre chose. Misez sur vous-même et jouissez de votre vie et de tout ce qu'elle peut vous offrir. Quand le prochain prince charmant passera près de chez vous, vous ne serez pas prête à vous laisser emporter trop vite. Vous prendrez le temps d'établir l'amitié dont vous avez besoin pour fonder un amour profond et durable. Vous comprendrez que c'est vous qui dictez les règles et que vous pouvez les changer si vous le voulez et quand vous le voulez. Si vous vivez déjà avec un prince pas trop charmant, cultivez d'abord vos propres passions et laissez-le vivre les siennes. Ou bien votre relation va s'améliorer ou vous vous en trouverez une autre, une meilleure.

Quand vous misez sur vous-même, votre vie devient formidable. Vous pouvez vous permettre d'être tout à fait calme et gracieuse. Quand votre attitude piquera l'intérêt d'un chasseur, vous pourrez regarder les choses se développer en suivant leur cours naturel. Votre mantra est d'or:

 *S'il est à moi, je ne peux pas le perdre; s'il n'est pas à moi, je n'en veux pas.*

Vous avez trouvé ce moi que vous cherchiez depuis si longtemps et personne ne peut vous l'enlever. Vous aimez enfin la personne que vous êtes. Et vous êtes quelqu'un de vraiment bien. Profitez-en!

Parfois, voyager au loin
Nous ramène d'où nous étions partis.
Mais nous y voyons maintenant plus clair.
Brusquement, il nous suffit d'ouvrir les yeux
Pour trouver notre pouvoir, notre sens du but et
notre désir de jouer
… et dire qu'ils étaient là depuis le début!
Enfin, maintenant nous le savons.

MESSAGES ÉCLAIR
DE LA CONCLUSION

S'il est à moi, je ne peux pas le perdre;
s'il n'est pas à moi, je n'en veux pas.

Transcontinental
IMPRESSION
IMPRIMERIE GAGNÉ

IMPRIMÉ AU CANADA